Éblouissement

Retrouvez toutes les collections **J'ai lu pour elle**
sur notre site :

www.jailu.com

CATHERINE HART

Éblouissement

Traduit de l'américain par Pascale Haas

J'AI LU

POUR elle

Titre original :

Dazzled

First published by Avon Books,
a division of The Hearst Corporation, New York

Pour la traduction française :
© Éditions J'ai lu, 1996

1

Elle allait mourir.

Elle en était sûre, même si elle ignorait encore la cause exacte de sa disparition imminente. Pour l'instant, plusieurs dangers la menaçaient. Soit la honte absolue de se retrouver témoin involontaire d'un rendez-vous galant, soit celle de se voir traînée devant un peloton d'exécution, si jamais on la découvrait recroquevillée ici, sous le lit de la suite Jefferson, au palais présidentiel, avec des bijoux volés dans sa poche.

Comment en était-elle arrivée là ? Comment le simple fait d'accompagner Maddy, sa chère amie et patronne, à une soirée chez Lyss Grant, le président des Etats-Unis, et Julia, son épouse, avait-il pu se transformer en pareille débâcle ? Comment un simple petit tour au premier étage afin de se rendre aux toilettes, suivi d'une incursion aussi brève que discrète dans quelques-unes des chambres d'invités pour y dérober deux ou trois babioles, avait-il pu prendre une telle tournure ?

Tout s'était passé très vite. Andréa s'était retrouvée coincée dans cette chambre, sans aucun moyen de s'échapper, quand des voix avaient retenti derrière la porte. Prise de panique, elle s'était cachée et avait réussi non sans mal à se glisser sous le lit, une seconde à peine avant qu'un homme et une femme ne fassent irruption dans la pièce. A son grand désarroi, ils

5

avaient immédiatement commencé à s'enlacer avec passion, et l'intention évidente de s'attarder ici un bon moment, contraignant Andréa à rester où elle était.

Tout ceci était vraiment trop grotesque! Etre obligée de voler était une chose, mais se retrouver voyeuse en était une autre! Toutefois, étant donné les circonstances, elle ne pouvait pas faire grand-chose pour l'éviter, à moins de se mettre elle-même en danger!

— Vite, Freddy! s'écria la femme. Aide-moi à retirer ma robe. Mais ne la déchire pas, sinon Harold s'en apercevra.

Andréa fronça les sourcils. Harold? Cette voix de femme ne pouvait pas être celle de Lucille Huffman, qui était mariée à l'un des hommes d'Etat les plus illustres de Washington! Prudemment, Andréa risqua un coup d'œil à travers le volant en dentelle poussiéreux. Ô Seigneur! C'était bien Lucille! Et elle était maintenant à moitié nue, en train d'arracher les vêtements de Freddy Newton sans la moindre dignité.

Alors qu'Andréa regardait, Lucille abaissait le pantalon de Freddy. Etouffant un cri indigné, Andréa ferma les yeux un instant trop tard. Son visage s'empourpra quand elle assimila ce qu'elle venait de voir. Dieu du ciel! Changer les couches de son neveu ne l'avait en rien préparée à contempler un homme adulte sans ses vêtements!

Un coup sourd près de sa tête lui fit ouvrir un œil. La chaussure de Freddy avait atterri si près qu'elle pouvait compter les points cousus sous la semelle. Juste derrière, deux paires de pieds nus se faisaient face, orteils contre orteils. Jusqu'à ce que Lucille entreprenne de faire remonter une de ses jambes nues contre celle de Freddy en une sensuelle caresse.

— Mon Freddy est prêt? ronronna-t-elle.

— Ma petite chérie est-elle brûlante de désir? rétorqua-t-il, arrachant un gloussement ravi à sa maîtresse.

Le visage d'Andréa s'embrasa à nouveau. Bien qu'elle ne fût pas tout à fait sûre de ce qui allait se passer, elle avait conscience que cet échange verbal était le prélude à une chose à laquelle elle aurait préféré ne pas assister.

— Ne sois pas si pressé, dit Lucille à son partenaire. Je veux d'abord jouer un peu.

— Ne dis pas de bêtises! s'exclama Freddy. Nous ne pouvons pas nous permettre de lambiner et risquer de nous faire surprendre. Aurais-tu oublié où nous sommes? Par pitié, Lucille! Le président peut entrer ici à tout instant.

— Ça rend les choses encore plus excitantes, déclara Lucille.

Andréa n'aurait pu désapprouver davantage. A vrai dire, elle ne voyait pas ce qui aurait pu être pire, quoique être cachée ici, suffoquant sous la poussière et l'humiliation pendant que Freddy et Lucille s'adonnaient à leur petite liaison clandestine, fût presque aussi épouvantable. Ils n'allaient quand même pas... ils ne pouvaient pas...

Les espoirs d'Andréa de se voir sortir de ce mauvais pas au plus vite s'envolèrent dès que Lucille reprit la parole.

— Grimpe sur le lit, Freddy. Assieds-toi et croise les jambes en tailleur.

La femme se pencha pour ramasser son jupon qui gisait sur le plancher.

— Tiens, enroule ça autour de ta tête, comme ces turbans que portent les charmeurs de serpents.

Freddy laissa échapper un rire graveleux.

— Attends une seconde, chérie. N'es-tu pas en train d'inverser les rôles? Après tout, c'est moi qui suis doté de ce «serpent» qui a dansé au son de ta musique pendant tant d'heures délicieuses.

En repensant à ce qu'elle avait brièvement entrevu de l'anatomie de Freddy, Andréa devint toute rouge, au point de craindre de le rester à jamais. Lucille n'eut manifestement pas la même réaction, car elle éluda sa remarque avec une parfaite désinvolture.

— Quelle suffisance! Maintenant, fais ce que je te dis, sinon je me rhabille et je m'en vais.

Oh! oui, je vous en prie, partez! implora Andréa en silence. *Partez! Vite! Que je puisse m'enfuir moi aussi!*

Mais elle comprit que Freddy venait de se plier aux exigences de Lucille. Le lit craqua et se creusa en un affreux grincement de ressorts juste au-dessus de la tête d'Andréa. A son immense surprise, Lucille s'allongea par terre au milieu des vêtements éparpillés et posa la tête sur ses bras croisés. Si elle n'avait pas été installée légèrement de côté, Andréa et elle se seraient retrouvées nez à nez!

— Maintenant, tu vas faire semblant de jouer de la flûte, ordonna Lucille. Ton cobra adoré attend.

Elle entendit alors une exécrable imitation de flûte. Tout véritable cobra ayant un peu d'oreille ou de dignité se serait immédiatement dressé, infligeant une morsure mortelle à l'homme qui se trouvait là. Le son nasal qu'émettait Freddy faisait plus penser à des ongles grattant une ardoise qu'à une flûte.

Elle fit la grimace. Regrettant de ne pas avoir le courage de plaquer les mains sur ses oreilles, Andréa vit avec stupéfaction Lucille se mettre à osciller d'avant en arrière sur son nid de vêtements. Les yeux clos, les bras entortillés au-dessus de la tête et un sourire aux lèvres, la femme se redressa lentement, se leva gracieusement, sans cesser d'onduler une seconde, ses seins généreux se balançant en rythme comme deux pendules.

Après une éternité, le gémissement pitoyable de Freddy s'arrêta. Avant qu'Andréa ait eu le temps de se réjouir, Lucille poussa un cri perçant en se jetant sur le lit, et vraisemblablement sur Freddy. Les ressorts firent une embardée, coinçant une mèche des cheveux d'Andréa. Elle eut un mal fou à ne pas crier sous l'effet de la douleur.

Lorsqu'elle eut récupéré ses cheveux, elle s'aplatit plus encore contre le sol et entendit Lucille s'exprimer à nouveau.

— Maintenant, Freddy! Maintenant!

Cette fois encore, le sommier grinça horriblement tandis que les ressorts montaient et descendaient au rythme des soubresauts des amants. Andréa avait beau ne pouvoir que deviner ce qui se passait au-dessus d'elle, son imagination allait bon train. Comment pouvait-il en être autrement avec ce couple en train de faire l'amour juste au-dessus de sa tête ? Leurs halètements, gémissements, râles et autres soupirs, tout ceci était si mystérieux et en même temps si extraordinairement... érotique !

Andréa commençait elle-même à avoir des difficultés à respirer et à avaler sa salive. Une fine coulée de transpiration, chaude et salée, dégoulinait entre ses seins. Dans sa poitrine serrée, son cœur battait à toute vitesse, comme s'il était sur le point d'éclater.

— Plus vite, Freddy ! Plus vite !

En grognant, Freddy s'empressa de satisfaire son exigeante maîtresse, car le lit se mit à tanguer violemment, les ressorts durement sollicités descendant dangereusement bas, forçant Andréa à se plaquer contre le sol pour ne pas être transpercée par un morceau de fil de fer ou réduite en bouillie. Si elle mourait ici même, ce qui semblait alors plus que probable, on ne retrouverait son cadavre qu'à un stade avancé de décomposition, ou quand la femme de chambre chargée du ménage se déciderait à passer le balai sous le lit, chose qu'elle avait apparemment négligé de faire depuis longtemps.

Malgré ses soucis, Andréa ne pouvait s'empêcher d'admirer la belle énergie avec laquelle le couple s'activait sur le matelas, et de se demander s'ils allaient bientôt mettre un terme à cette fougueuse étreinte. Faire l'amour durait donc toujours aussi longtemps ? Tout le monde se livrait-il à des ébats aussi... animés ? Et aussi bruyants ? Leurs cris semblaient résonner contre les murs de la chambre, de plus en plus fort. Si quelqu'un venait à passer dans le couloir, il ne manquerait pas de les entendre, et de venir voir ce qui se passait. Andréa s'attendait à voir la porte s'ouvrir d'une seconde à l'autre. Alors, elle se ferait prendre. L'air tout penaud ! La main dans le sac ! Si toutefois elle n'était pas morte avant.

Seigneur ! Si ces deux-là n'arrêtaient pas vite, Andréa allait défaillir. Le cœur lui remontait dans la gorge, prêt à bondir. Elle avait la chair de poule et arrivait à peine à battre des cils ou à respirer. Et, comble de honte, une sensation étrange lui tenaillait le ventre, une sorte de brûlure et d'élancement à l'endroit le plus intime, juste entre les cuisses.

Andréa ne put retenir le gémissement étouffé qui monta spontanément entre ses lèvres désapprobatrices.

Au-dessus d'elle, brusquement, tout mouvement cessa.

— C'est toi qui viens de faire ce bruit ? demanda Freddy.

Andréa retint son souffle et se recroquevilla plus encore.

— Oooh ! Zut ! siffla Lucille. Tu ne vas pas t'arrêter maintenant, espèce de feignant !

— Chut ! J'aurais juré avoir entendu quelque chose, ou quelqu'un.

La voix de Lucille se fit menaçante.

— Si tu ne finis pas ce que tu as commencé, je te préviens que je vais crier. Haut et fort. Et tout ce que tu auras gagné, ce sera de voir Harold arriver, fou de rage, en essayant de te tuer pour avoir séduit sa femme adorée.

— Il faut toujours que tu aies le dernier mot, n'est-ce pas, mon amour ? Décidément, il semble qu'il n'y ait qu'une seule manière de te clouer le bec.

Sur ces mots, le lit recommença à rebondir, menaçant d'écraser Andréa complètement. Ce que faisait Freddy arracha un soupir excité à sa compagne.

— Oui ! Encore ! Plus fort ! haleta Lucille, tandis que le lit tremblait de plus belle.

Elle se mit bientôt à gémir, comme sous l'emprise du délire. Tout à coup, elle poussa un cri étranglé. Alors qu'Andréa se demandait si la passion ne l'avait pas tuée, Freddy émit à son tour un long grognement guttural. Le lit fit une dernière embardée, puis cessa de bouger.

De longues secondes passèrent et Andréa attendit, tout en cherchant à déterminer si les amants avaient survécu à l'épreuve. A la vérité, le simple fait de les avoir entendus avait laissé Andréa toute flageolante, son corps virginal secoué de frissons, alangui et... brûlant de désir. Tout en la plongeant dans un embarras comme elle n'en avait jamais connu. Comment allait-elle pouvoir faire face à Lucille, ou à Freddy, ou même au mari de Lucille, Harold Huffman ? Pis encore, comment pourrait-elle se regarder désormais dans un miroir ?

Le rire rauque de Lucille attira l'attention d'Andréa sur le couple allongé au-dessus de sa tête.

— Freddy, tu es un véritable danger pour toute femme âgée de plus de dix ans, lui dit-elle.

— Et toi, un péril pour tout homme qui tient à garder un peu de peau sur le dos, rétorqua-t-il en se levant en hâte pour rassembler ses vêtements. Tu ne pourrais pas essayer de rentrer tes griffes ?

— Laisser ma marque sur toi me plaît, mon amour, confessa Lucille. Reconnais qu'un petit pincement de douleur au bon moment accroît le plaisir.

Freddy enfila son pantalon et attrapa sa chemise.

— Tu deviens blasée, chère amie.

— Nous le sommes tous, non ? remarqua-t-elle en se levant à son tour et en ramassant ses vêtements. Viens m'aider à remettre ma robe. Et débrouille-toi pour me faire rentrer dedans aussi vite que tu m'en as fait sortir.

— Laisse-moi d'abord retrouver ma cravate. Elle a disparu.

— Elle est peut-être tombée sous le lit, suggéra Lucille, au désespoir horrifié d'Andréa.

Presque aussitôt, Freddy aperçut sa cravate au milieu des couvertures, et Andréa poussa un soupir de soulagement.

Quelques minutes plus tard, le couple de batifoleurs s'était enfin rhabillé.

— Descends le premier, chéri. Et si tu croises Harold, ajouta Lucille avec une note de malice, dis-lui que j'arrive tout de suite.

A peine avait-elle prononcé ces mots que la voix de Harold retentit dans le couloir.

— Lucille ? Où es-tu, ma chérie ?

Une porte voisine s'ouvrit, puis se referma.

— Lucille? appela la voix en se rapprochant.

— Ô mon Dieu! s'exclama Lucille dans un souffle assorti d'un léger ricanement. C'est Harold! Je savais que ça finirait par arriver un jour!

Freddy la secoua vigoureusement, comme pour lui faire reprendre ses esprits.

— Arrête de rire comme une bécasse et aide-moi plutôt à trouver un moyen de sortir de ce désastre.

Harold appela à nouveau sa femme, cette fois du salon adjacent à la chambre.

— Vite! Cache-toi sous le lit! ordonna Lucille.

Andréa faillit s'étrangler en retenant un cri. Il y avait déjà presque une heure que ces deux maudits imbéciles fichaient la pagaille dans son plan, et ses nerfs n'allaient pas tarder à lâcher. Tant pis pour les conséquences! Si Freddy s'avisait de la rejoindre sous le lit, elle lui flanquerait un coup de poing en pleine figure!

Heureusement, Freddy avait une autre solution. Il poussa Lucille vers la porte de la chambre.

— J'ai une meilleure idée. Tu vas sortir d'ici, te précipiter sur ce vieux cocu pour l'embrasser, histoire de le distraire, et l'entraîner loin d'ici.

— Mais tu as vu mes cheveux? s'inquiéta Lucille. Ils sont emmêlés à faire peur!

— Pas autant que ces couvertures que ton mari risquerait d'apercevoir, observa Freddy.

Lucille en convint. Elle sortit de la chambre en refermant la porte derrière elle. Sa voix stridente résonna clairement dans le couloir.

— Harold, pour l'amour du ciel! Je ne peux même pas m'absenter pour aller aux toilettes sans que tu me cherches partout? Tu sais que je t'aime beaucoup, mais tout de même, trop c'est trop! Allons vite présenter nos excuses au président et à Mrs. Grant. Je crains que le canard rôti n'ait été un peu gras. Ça m'a flanqué une indigestion.

Dès qu'il fut certain qu'ils étaient partis, Freddy s'empressa de filer par le même chemin, permettant enfin à Andréa, tout endolorie, de quitter sa cachette.

En apercevant son reflet dans le miroir, elle fit la grimace. Ses cheveux étaient plus en bataille que ne le seraient jamais ceux de Lucille. Les quelques boucles qui avaient échappé aux ressorts avaient été écrasées par le matelas, et sa chevelure blonde était soudain devenue grise de poussière.

— Je me demande si Mrs. Grant est consciente de la paresse de ses femmes de ménage. Laisser un petit mot anonyme serait peut-être de bon aloi, grommela-t-elle entre ses dents.

Par habitude, et par goût inné de l'ordre, Andréa entreprit d'arranger le couvre-lit tout froissé. Un éclat de couleur vive attira son regard.

— Tiens, tiens, qu'est-ce que c'est que ça? se demanda-t-elle à voix basse en se penchant pour ramasser une ravissante barrette en or.

Elle avait dû glisser des cheveux de Lucille sans qu'elle s'en aperçoive. Etant donné les circonstances dans lesquelles elle l'avait perdue, il était peu probable que la dame exige qu'on mène une enquête.

Un sourire malicieux éclaira les yeux violets d'Andréa, les faisant scintiller avec autant d'éclat que la rangée d'améthystes enchâssées dans le bijou.

— Voilà qui me paraît une juste récompense après tous les désagréments abominables que je viens d'endurer. Toute personne ayant subi pareille indignation mériterait de gagner un prix!

Dix minutes plus tard, Andréa avait rejoint Madeline Foster, sa vieille amie et employeuse, dans le salon de musique du rez-de-chaussée. A son grand soulagement, le concert était juste sur le point de se terminer. Et avec un peu de chance, son absence prolongée serait passée inaperçue.

Cet espoir s'envola quand Maddy se pencha vers elle en lui tapotant gentiment la main.

— Je sais que vous n'êtes pas particulièrement folle d'opéra, ma chère, mais le ténor était vraiment excel-

13

lent. Si vous étiez restée, ça vous aurait certainement plu.

— Mais j'aurais alors dû écouter la soprano, rétorqua Andréa à voix basse. Ces notes aiguës me transpercent les tympans. De plus, je suis accablée par la générosité de ses... attributs !

Maddy gloussa discrètement.

— Je dois admettre que je me suis posé quelques questions en la voyant entrer en scène. Je me suis demandé ce qui serait arrivé si on avait posé un verre de lait de poule sur sa poitrine pendant qu'elle chantait. Avec toutes ces vibrations, au bout de combien de temps aurait-il débordé ?

— Maddy ! Ce que vous êtes méchante ! dit Andréa en riant.

— Oui, mais à mon âge, les gens excusent volontiers ma conduite. Pas au vôtre. C'est là toute la différence. Et c'est la raison pour laquelle vous devez surveiller vos manières, alors que je peux faire ce que bon me semble. Ne l'oubliez pas, Andréa.

Maddy avait raison. A soixante-dix-huit ans, elle avait gagné le droit de dire et de faire ce qui lui plaisait. Et si les gens la trouvaient légèrement excentrique, ils pensaient aussi qu'elle était l'une des femmes les plus adorables et les plus charmantes qu'ils aient eu l'occasion de rencontrer. Maddy avait plus d'amis qu'elle ne pouvait en compter, et avait survécu à bien des événements. Chaque année, elle devenait un peu plus distraite, son esprit un peu plus confus, et elle acquérait davantage de cette sagesse mystique qui semblait tellement en opposition avec sa vision par ailleurs saugrenue de la vie. Le charme rare et original qui était le sien enchantait aussi bien les rois que le commun des mortels.

Andréa n'échappait pas à la règle. Elle était sa dame de compagnie depuis presque deux ans, et ne regrettait pas un seul jour de l'avoir rencontrée. Son seul regret était de ne pas pouvoir être franche avec Maddy en cet instant. Mais comment aurait-elle pu partager son terrible secret avec cette délicieuse vieille dame ? Comment pouvait-elle même envisager une seconde d'apporter de tels ennuis dans la vie de Maddy?

D'autant plus que lui en parler pouvait coûter la vie à un enfant sans défense. Un innocent petit garçon qu'Andréa avait promis de protéger, et qu'elle protégerait jusqu'à son dernier souffle si nécessaire! Que représentaient quelques babioles volées comparées à la vie de Stevie? Fils de sa sœur défunte, il était son neveu et son unique parent. Non, pour Stevie, elle devait garder le silence. Si elle tenait à récupérer l'enfant, il lui fallait faire exactement ce que son ravisseur lui avait ordonné, et prier le ciel de ne pas se faire prendre avant d'avoir sauvé Stevie des griffes diaboliques de Ralph Mutton.

Le comble de l'histoire était que Ralph n'était autre que le père de Stevie. Enfin, pour être plus précis, c'était le minable qui avait séduit Lilly, la sœur d'Andréa, l'avait embobinée avec ses mensonges et abandonnée sans un sou, enceinte et sans l'avoir épousée. Andréa avait encore du mal à croire que sa sœur ait pu se montrer si crédule, surtout à l'égard d'un personnage aussi répugnant que Ralph. Si encore il avait été riche, ou brillant, ou encore d'une beauté si extraordinaire qu'aucune femme n'eût pu lui résister. Mais, au contraire, Ralph n'était qu'un rat de gouttière paresseux, méchant comme une teigne lorsqu'il avait bu, c'est-à-dire la plupart du temps, un propre-à-rien destiné à finir en prison ou à se faire poignarder au fond d'une ruelle. Mais avant que cela n'arrive, il lui fallait récupérer le petit Stevie sain et sauf.

Anxieuse comme elle l'était, elle vivait ces temps-ci dans une sorte de brouillard mental permanent. Et ce soir ne faisait pas exception. La soirée au palais présidentiel traînait en longueur, sans grand-chose pour l'animer, maintenant que la troupe de chanteurs — et Lucille Huffman — avaient, chacun dans leur genre, accompli leur numéro et étaient partis.

Andréa aurait pu se joindre à Maddy pour une partie de cartes, mais elle avait un mal fou à se concentrer.

Julia Grant fut trop heureuse de prendre sa place et exigea Maddy pour partenaire.

Bientôt lassée d'échanger des propos polis et sans intérêt avec des invités étrangers, exercice rendu d'autant plus difficile par la barrière des langues, Andréa alla chercher refuge dans l'intimité d'une petite bibliothèque située au bout du hall d'entrée. Un rapide examen de la pièce lui révéla que tout ce qui valait la peine d'être volé était trop gros pour être dissimulé sur soi et que ce qui était suffisamment petit était sans valeur.

Elle était en train d'inspecter une figurine particulièrement affreuse en essayant de comprendre ce qu'elle pouvait bien représenter : comment pouvait-on avoir envie de posséder le moulage en bronze d'une créature aussi bizarre, mi-homme mi-bête, et dont chaque moitié était également grotesque ? Soudain, sans s'annoncer, un homme parla derrière elle, et Andréa sursauta. Quand elle se retourna pour lui faire face, une de ses mains se porta instinctivement sur sa jupe, dans la poche de laquelle elle enfouit machinalement la statuette.

Freddy se tenait sur le seuil, un sourire d'excuse aux lèvres.

— Je suis navré. Je ne voulais pas vous faire peur. Vous n'allez pas vous évanouir, dites-moi ?

Andréa ne put s'empêcher de le dévisager avec de grands yeux.

— Oh, c'est vous, dit-elle sans conviction.

Il hocha la tête d'un air engageant.

— Puisque la compagnie des autres invités semble nous assommer tous les deux, accepteriez-vous d'aller faire un tour avec moi dans le jardin ?

Toujours aussi nerveuse, et pas encore remise de l'épisode embarrassant du premier étage, elle lui répondit d'un ton glacial.

— Sans doute étiez-vous trop occupé pour le remarquer, mais il pleut, et je n'ai aucune envie d'attraper un rhume dans le simple but de vous distraire. J'avais cru comprendre que c'était là le rôle de Lucille.

Les sourcils de Freddy se haussèrent de stupéfaction,

mais, avant qu'il ait trouvé quelque chose à dire, Andréa fila devant lui et regagna le hall. Sans se priver de faire un dernier commentaire qu'elle lui lança par-dessus son épaule.

— Au fait, si vous cherchez un moyen de passer le temps, ce serait une excellente idée de prendre des leçons de musique.

2

New York, mai 1876

Brenton Sinclair sortit de son bureau et demanda à son secrétaire, assis dans l'antichambre :

— Mr. Densing, il me manque le codicille au testament de Mrs. Harrison. Vous ne sauriez pas par hasard où il se trouve ?

— Je crois que votre père l'a encore, monsieur, répondit l'homme. Il voulait revoir lui-même les modifications.

Dépité, Brent plissa le front.

— Bon sang ! Comment suis-je supposé avancer dans mon travail si quelqu'un, que ce soit mon père ou l'un de mes frères, s'acharne à m'en empêcher ! Qu'ils soient tous plus anciens que moi dans ce cabinet d'avocats n'est pas une raison pour se permettre de vérifier tous mes dossiers, comme si j'étais encore un collégien en culottes courtes !

— Voulez-vous que j'aille le chercher, monsieur ? Enfin, si Mr. Sinclair senior a terminé de le revoir.

— Ce ne sera pas nécessaire, Densing, coupa une voix bourrue qui se retenait de rire. Je rapporte justement ces documents, tous annotés, contrôlés, et prêts à être signés.

Brent jeta un regard courroucé à son père.

— Et corrigés à ta guise, je suppose ? Franchement, papa, tu exagères ! Quand tu me confies un travail, ne pourrais-tu pas me faire confiance? Après tout, j'ai eu mon diplôme avec mention, et on ne m'a pas accordé ma licence de juriste uniquement pour te faire plaisir. J'ai appris pas mal de choses pendant mes études.

— Je l'espère bien, étant donné ce que cela m'a coûté! déclara le vieil homme. Et inutile de te sentir offusqué, cher jeune chiot. Il m'arrive encore d'examiner le travail de tes frères de temps à autre.

Brent secoua la tête.

— Pas étonnant que Daniel ait choisi de faire médecine. Au moins, il est sûr que tu ne seras pas sans cesse derrière lui à surveiller ses moindres gestes, comme tu le fais avec nous autres!

Robert Sinclair eut un rire léger.

— Peut-être, mais je me console en me disant que je vous ai encore, Bob, Arnie et toi, pour obéir à mes coups de sifflet. Et si je me retrouve avec un ulcère à cause de vous trois, ce dont je ne doute pas un instant, je pourrai aller me faire soigner par Danny. Et il me fera un prix!

— Ah! Je savais bien qu'il y avait une raison pour que tu l'aies laissé faire ce qu'il voulait aussi facilement.

Les yeux brun ambré du père scintillaient du même éclat que ceux de son fils.

— Je ne suis pas idiot. Tâche de t'en souvenir, et n'oublie pas non plus à qui tu dois ton intelligence.

Les sourcils de Brent se haussèrent d'un air ouvertement moqueur.

— A Dieu? s'enquit-il innocemment. Ou peut-être à maman? A grand-père Henry?

Robert haussa les épaules.

— J'imagine que Dieu y est en partie pour quelque chose. Quant à ta mère, c'est une femme charmante, mais elle n'a pas assez de bon sens pour remplir un dé à coudre. Pas plus que n'en avait son père. Et si tu lui répètes ce que je viens de te dire, je te botte les fesses. Tu as encore l'âge que je te mette au coin.

Brent éclata de rire.

— Tu me considères encore comme un gamin, mais c'est ridicule ! J'ai vingt-six ans !

— J'en suis parfaitement conscient, d'autant plus que ta mère ne cesse de me rappeler que tu as atteint un âge avancé et que tu n'as encore ramené aucune fiancée à la maison, et donc aucune épouse.

— Que ferais-je d'une femme, alors que je t'ai au bureau pour m'aider à me faire des cheveux blancs ?

— Ta mère veut d'autres petits-enfants, l'informa Robert avec un drôle de sourire. Les tiens. Et ça, je ne peux pas le lui donner. En revanche, je vais voir ce que je peux faire pour tes cheveux blancs. Dès que j'en verrai un sur ta tête, j'arrêterai de vérifier ton travail.

— Merci, papa. C'est très généreux de ta part. Tu ne voudrais pas mettre ça par écrit ? plaisanta sèchement Brent, autre habitude qu'il avait héritée de son père.

— Comment ? On dirait à t'entendre que tu n'as pas confiance en ton propre père ! lança Robert, feignant l'indignation.

— Evidemment que non, papa. Tu es juriste !

— Toi aussi, lui fit remarquer Robert en prenant un petit air supérieur. Ce qui, si l'on suit ton raisonnement, est la preuve que tu ne saurais te faire confiance à toi-même.

Brent se frappa la poitrine.

— Tragique, non ? dit-il sur un ton dramatique. A propos, j'emmène Mary Beth Rogers au théâtre ce soir, je ne serai donc pas là pour dîner. Pourrais-tu prévenir maman ?

— Elle en sera ravie, j'en suis sûr.

— La cuisinière est-elle si économe ces jours-ci qu'une bouche de moins à nourrir soit une occasion de se réjouir ?

— Très drôle. Tu sais très bien ce que je veux dire. Ta mère aime bien la petite Rogers. Puis-je lui donner quelques raisons d'espérer ?

— Je crains que non. Mary Beth est charmante, mais elle n'est pas celle qui me passera la corde au cou. Ni à qui je passerai la bague au doigt. Mais ne t'inquiète pas. Je suis certain qu'il existe quelque part une femme capable de voler mon cœur. Je ne l'ai pas encore rencontrée, c'est tout. Le jour où ça arrivera, par contre, je saurai qu'elle sera la femme que j'aurai attendue toute ma vie.

Robert hocha sagement la tête.

— Il semble en être ainsi pour tous les Sinclair. Nous menons une vie paisible, nous profitons pleinement de notre célibat et, brusquement, nous nous faisons descendre comme des canards à la chasse.

Brent fit la grimace.

— Je ne peux pas dire que j'apprécie beaucoup la comparaison, mais, à partir de maintenant, je regarderai d'un autre œil le colvert empaillé qui est dans ton bureau : comme s'il était l'un des nôtres.

Washington, D.C., mai 1876

Andréa se regardait dans le miroir du hall chez Maddy et attachait les rubans de son chapeau en un nœud coquin, juste en dessous de son oreille gauche. Elle faisait cela d'un geste automatique, préoccupée qu'elle était par des soucis bien plus sérieux que son apparence. Elle était sur le point d'effectuer sa troisième visite au Garden Hotel, où elle devait laisser un petit paquet à la réception à l'intention de Ralph Mutton, ainsi qu'elle l'avait fait les deux fois précédentes. A l'intérieur du colis, qui était enveloppé d'un simple papier de boucherie et adressé à « George Jones », se trouvait une petite fortune en argent et en bijoux volés. Mais, une fois les bijoux écoulés, la somme que Ralph en tirerait ne couvrirait qu'une partie infime de la rançon exorbitante qu'il avait exigée pour rendre Stevie sain et sauf.

Lilly, soupira intérieurement Andréa, *comment t'y es-tu prise pour nous mettre dans un pétrin pareil ? Qu'as-tu bien pu trouver à un type aussi méprisable ? Je te jure, si je t'avais sous la main, il y a des fois où je te secouerais volontiers comme un prunier ! Tout ceci est devenu une toile d'araignée inextricable. Tu es morte. Stevie est aux mains de Ralph. Et moi, je vole les amies de Maddy, en risquant à tout moment de me retrouver en prison. Et tout ça parce que tu as choisi l'amant qu'il ne fallait pas. Tu peux me croire, ma chère sœur, j'ai beaucoup appris de tes erreurs. Avant de m'engager dans une histoire avec un homme, je prendrai garde à m'assurer qu'il est digne de mon amour !*

Elle poussa un gros soupir tout en marmonnant entre ses dents.

— Si je vis jusque-là ! Si je ne passe pas le restant de mes jours derrière les barreaux. Et si j'arrive à convaincre Ralph de relâcher Stevie et de nous laisser en paix.

Le cœur serré, Andréa fit volte-face et aperçut Maddy qui l'observait avec curiosité.

— Bonté divine ! Maddy ! s'exclama-t-elle. Vous avez failli me faire mourir de peur !

Les yeux bleus de Maddy scintillèrent, lui donnant l'air d'un elfe malicieux aux cheveux blancs, avec son mètre cinquante et son éternelle ombrelle qu'elle brandissait comme une massue.

— J'essaierai d'annoncer mon arrivée à l'avenir, surtout si je vous vois avec un air aussi préoccupé. Loin de moi l'intention de vous pousser dans la tombe avant l'âge. D'ailleurs, je ne trouverai jamais personne pour vous remplacer, vous savez.

Andréa esquissa un petit sourire.

— C'est gentil de dire cela, Maddy, mais ce n'est pas tout à fait vrai. Je connais une dizaine de filles qui seraient prêtes à se couper un bras pour avoir ma place.

— Eh bien, c'est vous que je veux, alors qu'elles gardent donc leur bras !

Maddy indiqua la porte d'un signe de tête.

— Dites-moi, ma chère, vous sortez ou vous rentrez ?

— Je sors. J'ai quelques petites courses à faire. A moins que vous n'ayez besoin de moi tout de suite.

— J'espérais que vous pourriez m'aider à retrouver mon aiguille à tricoter. J'en ai égaré une.

Malgré ses ennuis, Andréa éclata de rire.

— Elle est piquée dans vos cheveux! Comme un de ces bijoux décoratifs que portent les Orientales.

— Oh! fit Maddy avec un sourire de gamine. Peut-être vais-je lancer une nouvelle mode. Ma pelote de laine n'est pas plantée dessus, par hasard? J'ignore comment, mais je l'ai également perdue.

— Ce n'est pas ça? demanda Andréa en tendant la main vers l'ombrelle repliée d'où s'échappait une traînée mousseuse de laine rose.

— Seigneur Jésus, mais oui! Je vous assure, je ne sais pas ce que je deviendrais sans vous. Au fait, je me demande si vous pourriez me rendre un autre petit service et faire un saut à la boutique de Millie... Elle a dû finir de recoudre mes gants. Si vous pouviez passer les prendre aujourd'hui, cela m'éviterait de sortir.

— Je vais essayer, mais si je ne peux pas, j'irai vous les chercher à la première heure demain matin.

— Vous ne revenez pas? Je sais que nous n'avons aucune sortie prévue ce soir...

Elle s'interrompit en fronçant les sourcils.

— Nous n'avons rien de prévu, n'est-ce pas?

— Pas ce soir, répondit gentiment Andréa.

— Bon. Je pensais que nous aurions pu passer une soirée tranquille ensemble, comme nous le faisions avant que votre sœur ne tombe si malade et que vous n'emménagiez chez elle. Vous pouvez amener Steven, si vous voulez, et le faire dormir dans une des chambres inoccupées.

— Stevie est en ce moment avec son père, rappela Andréa à la vieille dame.

Sans entrer dans les détails, elle avait tout de même dit cela à Maddy. Ce qui lui avait permis de lui expliquer pourquoi elle n'amenait plus l'enfant à l'occasion et pourquoi elle pouvait rester plus longtemps avec elle ces jours-ci, sans être obligée de se précipiter à la maison afin de libérer la nourrice qu'elle avait engagée pour s'occuper de Stevie pendant ses heures de travail.

— Encore? s'enquit Maddy avec un froncement de sourcils. Stevie est parti vivre avec lui pour de bon?

D'un seul coup, les yeux d'Andréa se remplirent de larmes brûlantes.

— J'espère que non. Il me manque tellement! Je ne l'ai gardé que quelques mois depuis la mort de Lilly, je sais, mais je me suis follement attachée à cette petite crapule.

— C'est tout à fait naturel, ma chère, compatit Maddy. Qui ne le serait pas? C'est un enfant adorable. Il a conquis mon cœur. Je ne vois toujours pas pourquoi vous avez décliné mon invitation à venir vous installer ici avec lui après le décès de votre sœur. Vous me manquez, et ce n'est pas comme s'il n'y avait pas la place pour Steven. C'est vrai, même avec les domestiques, mes pas résonnent dans cette vieille maison comme une bille dans une boîte en fer!

— Un jeune garçon est trop turbulent et fait beaucoup trop de bruit.

— Je vous l'ai dit, ça ne me dérange pas du tout, rétorqua Maddy. Je suis peut-être âgée, et mes idées s'embrouillent parfois, mais je ne dis jamais des choses que je ne pense pas. Je sais bien qu'un enfant de deux ans est débordant de vie. Si je n'avais pas voulu vous avoir tous les deux, je ne vous l'aurais pas suggéré. Mais ma proposition tient toujours. Quand son père vous le confiera à nouveau, je veux que vous abandonniez cet appartement miteux que louait votre sœur et veniez vous installer avec moi. Vous, Steven et sa nourrice.

Emue, Andréa s'efforça de réprimer ses larmes.

— Je vais y réfléchir. Je vous le promets.

Et elle s'empressa de sortir avant de céder à son chagrin.

En fait, Andréa avait déjà considéré l'offre de Maddy à plusieurs reprises. Et elle regrettait amèrement de ne pas avoir accepté. Si elle l'avait fait, peut-être les choses ne se seraient-elles pas passées ainsi. Ralph n'aurait pu enlever Stevie aussi facilement. Alors qu'il lui avait suffi de monter chez Lilly, de bousculer un peu la pauvre nourrice et d'emmener l'enfant. Les autres locataires avaient entendu l'altercation, mais personne n'avait cherché à s'en mêler. Dans ce quartier, aller fourrer son nez dans les affaires de quelqu'un d'autre entraînait souvent le risque de se le faire couper.

En rentrant de son travail ce jour-là, il y avait maintenant deux semaines, Andréa avait trouvé la nourrice hystérique qui ne faisait que répéter que ce n'était pas sa faute. Elle avait tenté d'empêcher cet homme horrible d'emmener Stevie : une bosse sur la tête ainsi que quelques bleus le prouvaient. Elle était si bouleversée qu'il avait fallu plusieurs minutes à Andréa pour la calmer, et plus encore pour que la nourrice pense à lui remettre le mot que Ralph avait laissé au sujet de la rançon.

Andréa était restée stupéfaite, refusant de croire tout d'abord que quiconque, même Ralph, puisse être aussi insensible, aussi vil. Mais l'absence de Stevie et la rançon exigée étaient là pour démontrer le contraire. Pensant se rendre directement à la police, Andréa avait aussitôt changé d'avis en lisant le mot : si elle parlait à qui que ce soit, et à plus forte raison aux autorités, elle mettrait alors la vie de Stevie en danger.

Quand elle avait vu la somme que ce monstre exigeait pour relâcher Stevie, elle avait failli s'effondrer. Vingt-cinq mille dollars ! Il aurait tout aussi bien pu lui demander un million, de toute façon, elle n'arriverait jamais à réunir une telle rançon. Comment espérait-il la voir rassembler pareille somme avec son salaire ? C'était ridicule !

Certes, Maddy était d'une extrême générosité. Outre des gains confortables, elle fournissait à Andréa la chambre et le couvert, ainsi que les tenues indispensables à sa position de dame de compagnie d'une des grandes dames de la bonne société de Washington. Elle veillait à l'éducation de sa jeune employée, non seulement en lui inculquant les bonnes manières qui lui manquaient, mais en lui faisant étudier le français, la littérature et la géographie, de façon qu'Andréa soit à l'aise pour converser avec l'élite que fréquentait Maddy. Elle l'avait également initiée à l'univers de l'opéra, du théâtre et de la danse.

Pour toutes ces raisons, et bien d'autres encore,

Andréa serait éternellement reconnaissante à la vieille dame. Cependant, parler français et avoir une armoire remplie de robes superbes ne l'aidait pas vraiment. Cela n'augmentait en rien ses maigres économies, qui avaient presque entièrement fondu après qu'elle eut payé le loyer de Lilly, les honoraires du médecin et l'enterrement, sans parler de ce que lui coûtait la nourrice de Stevie.

Bien sûr, elle aurait pu gagner quelques dollars en vendant ses robes élégantes dans une boutique d'occasion, mais comment expliquerait-elle leur disparition à Maddy ? La vieille dame ne manquerait pas de remarquer leur absence, car si elle donnait parfois l'impression d'avoir l'esprit confus, elle était aussi très perspicace.

Finalement, Andréa avait mis en gage les quelques bijoux qu'elle possédait, dont aucun n'était de grande valeur, rassemblé jusqu'à son dernier centime et organisé une rencontre avec Ralph dans un parc de la ville, bien que cette idée lui inspirât frayeur et répugnance. Cet homme était tout simplement révoltant ! Grand et imposant, il était extrêmement négligé : elle était sûre qu'il ne s'était pas lavé, et qu'il portait ses vêtements depuis au moins un mois, si ce n'est plus. Avec ses petits yeux bruns diaboliques, son visage bouffi et ses cheveux châtains, toujours sales, qui pendouillaient en longues mèches grasses, il ressemblait à un gros porc poilu, quoique Andréa soupçonnât les cochons d'être plus propres et de faire preuve de plus de moralité ! De plus, ils étaient sans doute moins dangereux que cette brute toujours prête à brandir une arme, dont l'unique occupation semblait être de s'attaquer à plus petit et à plus faible que lui.

Après lui avoir remis une somme misérable, Andréa avait supplié Ralph de lui rendre l'enfant. Mais ses larmes et ses lamentations n'avaient servi à rien. Ce tyran sans cœur s'était contenté de rire en lui disant de trouver le reste de la rançon.

— Et je vous conseille de faire vite, pour votre bien

et celui du gosse. Ce petit bâtard commence vraiment à m'énerver.

Andréa avait été scandalisée.

— Comment osez-vous parler de lui ainsi ? Stevie est votre fils ! Votre chair et votre sang ! Comment pouvez-vous envisager une seconde de lui faire du mal ? Ou de le marchander comme ça, car vous ne faites finalement rien d'autre.

— Ma parole, vous êtes aussi stupide que l'était Lilly ! avait reniflé Ralph. Eh bien, laissez-moi vous dire une chose, ma petite. Ne me faites pas la morale, parce que ces sales riches que vous admirez ne valent pas mieux. Il y en a parmi eux qui vendraient leur femme sans sourciller. Et c'est d'ailleurs ce qu'ils font tous les jours. Ne me dites pas qu'un homme ne cherche pas à arrondir sa bourse quand il marie sa fille à un vieux plein de fric qui a un pied dans la tombe et l'autre sur un gros tas de pièces d'or.

— Ce n'est pas pareil, avait protesté Andréa sans grande conviction, reconnaissant intérieurement qu'il y avait du vrai dans la remarque de Ralph.

— Et vous, vous êtes trop tendre. Exactement comme votre sœur. Elle me rendait fou à toujours chercher ce qu'il y avait de bon chez les gens. Toujours à chercher le soleil alors qu'il tombe des cordes. Une idiote, voilà ce qu'elle était !

— Vous n'arrêtez pas de dire ça. Je sais que, à sa façon, Lilly était terriblement crédule, surtout en ce qui vous concerne. Je ne comprendrai jamais comment vous avez pu lui plaire. Et si vous aviez si peu de considération pour elle, qu'êtes-vous allé faire avec elle ?

— Et voilà que vous recommencez à étaler votre ignorance, avait-il répliqué avec un sourire en coin. Mais aujourd'hui, je me sens d'humeur tolérante, alors je vais vous le dire.

Il s'était penché sur elle, et Andréa s'était crispée en sentant son haleine fétide.

— Un homme ne cherche pas nécessairement une femme futée, quand il est d'humeur câline. Et votre

26

sœur était plutôt jolie fille avant de se retrouver en cloque.

— Espèce de sale type! avait sifflé Andréa. Je vous rappelle que Lilly ne s'est pas... euh... n'a pas fait cet enfant toute seule.

— Ouais, nous avons passé de bons moments sous les draps, tous les deux. Jusqu'à ce qu'elle fiche tout en l'air. Mais il y a toujours d'autres petits poissons qui ne demandent pas mieux que d'être mangés.

Une lueur obscène animait les yeux de Ralph tandis qu'il dévisageait Andréa. Son regard insistant lui avait donné la chair de poule, et elle s'était reculée légèrement, prête à s'enfuir.

— Vous en faites pas, ma petite. Vous êtes trop maigrichonne pour m'intéresser. Vous n'êtes pas aussi bien rembourrée que Lilly l'était. En plus, c'est pas votre corps qui m'intéresse, c'est votre argent.

Andréa avait eu du mal à avaler sa salive.

— Je vous ai donné tout l'argent que j'avais. Je n'en ai plus.

— Trouvez-en, avait-il ordonné sèchement en plissant les yeux d'un air mauvais.

— Je ne peux pas. Je vous en prie, soyez raisonnable. Comment pourrais-je réunir la somme astronomique que vous me demandez?

— Pourquoi ne pas demander à la vieille toquée chez qui vous travaillez de vous faire un prêt? Elle n'aura jamais le temps de dépenser tout le fric qu'elle a. Autant que ça serve à une bonne cause avant que la vieille bique passe l'arme à gauche et en fasse don à un organisme de charité.

— Non! Je ne peux pas demander cela à Maddy. Quelle raison lui donnerais-je pour avoir besoin d'autant d'argent?

— Inventez quelque chose. Ce que vous voudrez, à part la vérité. Vous savez ce que je vous ai dit si jamais vous en parlez à quelqu'un ou que vous me dénoncez à la police. Contrairement à certains, j'en ai rien à faire des mômes. Alors, pas de bêtises. Faites quoi que ce soit contre moi, et c'est le petit qui paiera.

Andréa n'avait pas essayé de le raisonner davantage, ses craintes pour Stevie augmentant chaque fois que cet homme odieux prononçait un mot.

— Même si je lui demandais, je sais que Maddy ne dispose pas d'une telle fortune. Elle n'est pas aussi riche que les gens le pensent. Croyez-moi, je n'ai aucun moyen de trouver la somme que vous me demandez.

— Vous n'avez qu'à voler, suggéra tranquillement Ralph. La vieille a un tas de copines bourrées de fric, et elle vous emmène partout avec elle. En faisant un petit effort, vous arriverez à dégoter de quoi récupérer le gosse en un rien de temps. Et si vous ne trouvez pas assez en liquide, j'ai un ami qui peut écouler tous les bijoux que vous me rapporterez. Vous n'aurez qu'à les emballer soigneusement et à les déposer à la réception du Garden Hotel de Grand Street, au nom de George Jones.

— Je ne peux pas, je vous assure! Je me ferai prendre!

Ralph avait haussé les épaules et s'était éloigné, indifférent à la détresse d'Andréa.

— Ce serait vraiment pas de chance! Surtout pour le môme. D'autant plus qu'il est pas trop âgé pour que je le vende à un atelier où il sera exploité ou que j'en fasse un pickpocket pour qu'il rapporte quelque chose à son vieux père. Je trouverai bien un moyen de me débarrasser de ce petit boulet, alors si vous tenez à le revoir, vous feriez bien de vous activer un peu, parce que je ne vais pas le supporter encore longtemps.

— Attendez!

Andréa l'avait rattrapé en courant.

— Quand pourrai-je le voir?

— Quand vous aurez payé.

— Il faut que je sache si Stevie va bien. Si on s'occupe de lui correctement...

— Ce qu'il vous faut surtout, ma petite dame, c'est me remettre ce fric avant que ma patience soit à bout.

3

C'était ainsi qu'avait débuté la carrière de voleuse d'Andréa. Elle aimait trop Maddy pour la voler ; pourtant, depuis deux semaines, les genoux tremblants et le cœur battant, Andréa dépouillait systématiquement, contre son gré, les amies de Maddy. Elle se faufilait dans leurs bureaux ou leurs chambres, prenait l'argent qu'elle trouvait ou les bijoux qu'elles laissaient imprudemment traîner dans des tiroirs de commodes ou sur des coiffeuses.

La quantité de biens qu'elle ramassait ainsi la stupéfiait. Rien que les coiffeuses, devant lesquelles ces dames faisaient leur chignon ou vérifiaient leur allure, recelaient des trésors. Elle découvrait là des barrettes ou des peignes ornés de pierres, des filets brodés de perles, des épingles à chapeaux originales ou des boucles d'oreilles dépareillées, oubliées au milieu des boîtes de poudre et des flacons de parfum. Ou même des bagues de valeur que leurs propriétaires avaient retirées avant de s'enduire les mains de crème.

Les tiroirs des commodes regorgeaient de boucles de chaussures précieuses, d'épingles à cravates masculines et de chaînes de montres en or. Il n'était pas rare de trouver des coffrets à bijoux grands ouverts dont le contenu répandu à la va-vite témoignait en silence de la hâte dans laquelle une dame avait dû s'habiller. Même les toilettes, dont les maisons les plus élégantes de Washington étaient maintenant pourvues, offraient souvent un butin inattendu, car les invités ôtaient fréquemment leurs bijoux les plus fragiles, le temps de se laver les mains et de vérifier leur apparence. Des bagues, des bracelets, divers accessoires pour les cheveux, d'élégants éventails, parfois même une montre oubliée.

Andréa prenait grand soin de ne pas se laisser emporter par l'avidité, malgré son besoin désespéré de réunir l'argent de la rançon de Stevie. La raison lui commandait de se limiter à ne prendre que quelques pièces judicieusement sélectionnées à la fois, au risque de tout perdre. Une chose glanée ici et là pouvait passer inaperçue, ou serait supposée perdue ou bien encore mal rangée. Prendre davantage n'aurait pas manqué de donner l'alarme.

Tout en commettant ces vols, qui lui faisaient horreur, Andréa s'efforçait de conserver une certaine morale. Elle ne volait jamais d'objet qui semblait posséder une grande valeur sentimentale. Elle laissait les alliances et les bagues de fiançailles. Ainsi que les broches gravées qui se transmettaient de mères en filles, les montres de gousset que les fils avaient héritées de leurs pères ou avaient reçues de leurs tendres épouses. Andréa ne pouvait tout simplement pas se résoudre à prendre ces objets aimés, quelle que soit la somme qu'ils auraient pu lui rapporter pour faire libérer Stevie. De cette manière, néanmoins, elle tirait un peu de réconfort, même si la contrainte d'agir ainsi lui nouait l'estomac.

En revanche, elle s'autorisait quelques petites libertés, non pas pour son profit, mais pour celui de Stevie. Elle avait remarqué des collections de petits animaux en étain dans plusieurs maisons. Des miniatures d'animaux que Stevie adorerait. A deux ans, il était fasciné par toutes sortes de créatures dont il avait appris à dire le nom et à imiter le cri.

Dès qu'elle tombait sur une collection de ce genre, Andréa s'emparait d'une ou deux pièces, en se disant qu'elles n'avaient aucune valeur et que, si elle les gardait pour Stevie, cela lui donnerait en quelque sorte l'assurance de le retrouver un jour. Mieux, ces objets seraient un symbole, pour elle et plus tard pour lui, de l'amour qu'elle lui vouait et des risques qu'elle avait courus volontairement pour le sauver. Ces petits trésors prirent bientôt un sens spécial à ses yeux, un peu comme s'ils étaient des porte-bonheur garantissant le retour de l'enfant. Ah, si seulement elle avait eu des dons de magicienne !

30

En sortant de chez Maddy, alors qu'elle s'en allait déposer le troisième paquet de biens dérobés, Andréa rencontra deux des amies de Maddy. Elles la saluèrent en descendant de leur calèche.

— Oh, Andréa ! appela Mrs. Kerr. Pourrions-nous vous parler un instant ?

A contrecœur, Andréa ralentit le pas.

— Bonjour, Mrs. Kerr... Mrs. Phillips... J'ignorais que vous veniez rendre visite à Maddy aujourd'hui, sinon j'aurais fait mes courses plus tôt.

— Ça ne fait rien, mon enfant. Nous pouvons très bien nous servir le thé toutes seules, sans que vous soyez là à veiller à nos moindres désirs comme vous le faites toujours, lui assura Mrs. Phillips. Mais nous voulions vous demander quelque chose.

— Oui ?

Les deux dames avaient l'air vraiment mal à l'aise, comme si elles ne savaient par quoi commencer, et le cœur d'Andréa se mit à battre deux fois plus fort. S'étaient-elles aperçues que certains de leurs biens avaient disparu lors de ses dernières visites chez elles ? La soupçonnaient-elles de les avoir volées ? Quelqu'un, un domestique par exemple, l'avait-il vue sortir d'une chambre et l'avait-il dénoncée ?

— Il s'agit d'une affaire si délicate, bredouilla Mrs. Kerr. Je suppose que nous ferions mieux de tout oublier, mais...

— Mais nous nous faisons du souci pour Maddy, termina Mrs. Phillips.

Andréa retrouva une respiration plus régulière.

— Pour Maddy ? Et pourquoi cela ?

— Eh bien, voyez-vous, nous savons que cette pauvre vieille chérie a de plus en plus d'absences. Et que vous courez sans cesse derrière elle pour ramasser les choses qu'elle laisse sur son passage. Ce que nous comprenons. Mais nous nous demandions si, récemment, vous n'aviez pas trouvé des choses nous appartenant, des choses que Maddy aurait emportées par erreur, en croyant peut-être qu'elles étaient à elle.

Andréa en resta abasourdie. Sa stupéfaction devait se lire sur son visage, car Mrs. Phillips s'empressa de lui fournir de plus amples explications.

— Loin de nous l'idée d'accuser Maddy de les avoir prises délibérément. N'allez surtout pas croire ça!

— Quel... quel genre de choses vous aurait-elle pris? réussit enfin à articuler Andréa.

— Rien que des petites choses, bien que quelques-unes aient une certaine valeur, dit Mrs. Kerr. Il me manque un bracelet en or que je suis sûre d'avoir porté la dernière fois que vous êtes passée avec Maddy. Le fermoir a toujours été un peu défectueux, aussi peut-être s'est-il ouvert pendant votre visite. En tout cas, je ne le trouve nulle part, bien que j'aie ordonné aux domestiques de passer la maison au peigne fin. Je me demandais si Maddy ne l'avait pas trouvé et emporté avec elle. Par erreur, bien entendu.

— Et mon camée en ivoire a mystérieusement disparu, ajouta Mrs. Phillips. Ce n'était pas un bijou de famille, mais il était assez joli. Si, par hasard, Maddy était partie avec, qu'elle le garde ne me dérangerait pas. Mais je voudrais bien savoir où est passé ce camée, ne serait-ce que pour arrêter de le chercher partout.

— Si étourdie puisse-t-elle être parfois, je suis certaine que Maddy n'a pas pris vos bijoux, répliqua Andréa en prenant soin de choisir ses mots. Faire une chose pareille ne lui ressemble guère. Vous qui êtes ses deux plus proches amies, vous devriez le savoir mieux que moi.

— Tu vois, Adélaïde, je t'avais dit que c'était une idée absurde, et tu devrais avoir honte d'avoir pensé une chose pareille! déclara Mrs. Phillips, rouge d'embarras. Ce stupide bracelet est sans doute coincé derrière un des coussins de ton canapé!

— Ne prends pas ce ton-là avec moi, Harriet. Tu es aussi coupable que moi, et tu étais prête à accuser la pauvre Maddy, alors que ton précieux camée est probablement épinglé sur un corsage dans ton armoire bourrée à craquer !

Sans plus prêter attention à Andréa, les deux dames continuèrent à se chamailler. Sautant sur l'occasion, Andréa s'excusa et fila en vitesse, éprouvant quelque culpabilité du fait que Maddy ait failli être accusée des délits qu'elle avait elle-même commis et un réel soulagement de ne pas s'être fait prendre.

La nouvelle avait circulé. Mrs. Kerr et Mrs. Phillips ayant maintenant convenu que Maddy n'était pour rien dans la disparition de leurs bijoux, et ayant depuis échangé des histoires analogues avec d'autres membres de leur petit cercle d'amis, la conclusion s'imposa qu'un voleur de bijoux sévissait parmi elles. Des réunions furent organisées afin d'en discuter, réunions auxquelles participaient naturellement Maddy et Andréa.

— Je propose que nous appelions la police, dit d'emblée un gentleman.

— Et pour dire quoi ? Que nous sommes assez négligentes pour laisser traîner nos objets de valeur n'importe où, comme s'ils étaient bons à jeter à la poubelle ? A mon avis, nous méritons ce qui est arrivé pour ne pas avoir eu le bon sens d'enfermer nos biens comme il se doit.

— C'est précisément ce que je compte faire à partir de maintenant, ajouta quelqu'un d'autre.

— Oh, quel ennui ! fit une vieille matrone. Je n'aurai jamais la patience de mettre une clé dans une serrure chaque fois que j'aurai besoin d'une épingle à chapeau.

— Ou d'une boucle de chaussure, renchérit sa voisine. Je n'arrive toujours pas à comprendre comment on peut voler une chose pareille ! Si vous voulez mon avis, tout ceci est bizarre.

— Peut-être le voleur est-il un fétichiste du pied, suggéra son mari avec malice. Auquel cas, je me demande pourquoi il n'a pas emporté tes chaussures en même temps que les boucles.

Sa femme rougit délicatement.

— Allons, Samuel! Surveille un peu ce que tu dis. Il y a des dames, ici!

— Et si nous commencions par mieux surveiller ce qui nous appartient? Tout en ouvrant l'œil pour trouver le coupable.

Quelqu'un d'autre proposa d'établir une liste de tous les objets qui avaient été volés jusqu'à présent.

— C'est une très bonne idée! s'exclama Mrs. Phillips.

A la grande surprise d'Andréa, la vieille dame se tourna vers elle.

— Andréa, voudriez-vous noter tout cela, s'il vous plaît? Vous avez une si ravissante écriture. Et si lisible.

Et on commença à faire la liste, bien qu'Andréa n'eût guère besoin qu'on lui énumérât les objets. Elle savait avec précision ce qu'elle avait volé à chacun d'entre eux, mais ils auraient été étonnés de l'apprendre. Tout comme ils l'auraient sans doute été s'ils savaient que, une fois écoulées, leurs précieuses babioles n'avaient rapporté qu'une somme ridicule à Andréa. Ralph continuait à tricher, à lui donner de faux chiffres sur les bénéfices qu'il tirait de ses larcins tout en se remplissant les poches. Mais, dans sa situation, elle ne pouvait pas faire grand-chose.

Une par une, les riches victimes énumérèrent ce qui leur manquait et Andréa l'enregistra docilement. Quand vint le tour de Maddy, la vieille dame s'exprima avec une désarmante sincérité.

— J'aurais du mal à dire ce qu'on m'a pris, si toutefois on m'a pris quelque chose, car je perds toujours tout.

Toutes les têtes acquiescèrent en silence.

— En y repensant, reprit Maddy après un instant de réflexion, je n'ai pas vu mon châle noir en angora depuis un certain temps... celui qui est brodé de perles.

Mrs. Roberts soupira en secouant la tête.

— Madeline, ton châle est accroché au portemanteau dans l'entrée! J'ai simplement oublié de te le rendre, voilà tout.

La réunion se termina peu après, tout le monde tombant d'accord pour mettre ses possessions en sécurité au plus vite, faire part aux autres de ce qui serait volé, noter tout ce qui paraîtrait suspect et prévenir les autorités, même si cela n'aiderait en rien à retrouver les biens déjà volés.

Maddy et Andréa avaient franchi le seuil quand Ida Shearing fit un dernier commentaire.

— Au début, j'ai pensé que c'était une de mes bonnes qui avait pris mon collier en opales, car il y a une telle pagaille dans mon coffret à bijoux que je mets des heures à trouver ce que je veux. D'ailleurs, je n'aurais sûrement pas remarqué que mon collier avait disparu si je n'avais pas tenu à le porter le lendemain. Pourtant, quand je me suis retirée le soir dans ma chambre, les bijoux étaient impeccablement rangés. C'est étrange! Vous vous rendez compte... un voleur méticuleux!

New York, juin 1876

Brent était assis face à son ami à une table de restaurant et écoutait Kenneth le régaler d'histoires de son travail à l'agence Pinkerton. Ecouter Ken était toujours passionnant, et Brent enviait à son ancien camarade de classe ses multiples aventures. Que Ken l'enviât à son tour remettait les choses à égalité.

Ken avait partagé pendant un temps la chambre de Brent à l'université de Harvard, mais la famille Brown ayant connu des revers financiers, Ken avait été contraint d'abandonner ses études. Par chance, il avait rapidement trouvé un emploi à l'agence de détectives Pinkerton, où il travaillait depuis quatre ans, grimpant régulièrement dans la hiérarchie. Brent avait terminé son diplôme de droit et, dès son retour à New York, les deux jeunes gens avaient repris leur amitié.

— Avec tout ce qu'on a d'important à faire, tu te rends compte que Washington nous demande d'enquêter sur un vol d'un montant ridicule? expliquait maintenant Ken à Brent. Je trouve que la police de

Washington aurait pu s'en occuper elle-même. Après tout, il s'agit seulement d'une poignée de bijoux volés à quelques citoyens fortunés qui ont largement les moyens de remplacer ce qu'ils ont perdu. Toutefois, certaines des victimes ne sont pas seulement riches, elles ont aussi des relations, alors nous sommes supposés laisser tomber les affaires en cours et nous précipiter là-bas pour attraper le coupable. C'est très vraisemblablement un domestique qui a décidé de se constituer une petite rente.

Brent éclata de rire.

— Il ne s'agit tout de même pas des bijoux de la couronne !

— On dirait presque ! Il est vrai qu'on a volé une broche à je ne sais quelle duchesse alors qu'elle était en visite chez le président et Mrs. Grant. Ainsi qu'une statuette tellement vieille que personne ne se souvient depuis quand elle se trouvait dans la demeure présidentielle, ni quel président l'y a fait entrer.

Brent écarquilla les yeux.

— Tu veux dire que quelqu'un a volé des trésors dans la maison même du président ? Au nez et à la barbe de tout le monde ?

Ken haussa les épaules.

— Raison pour laquelle, j'imagine, une enquête s'impose. Néanmoins, cette affaire est sans commune mesure avec celles sur lesquelles l'agence a bâti sa réputation.

— Alors, pourquoi l'agence ne refuse-t-elle pas ? Poliment, bien entendu.

— Tu as perdu la tête ? Quelle personne saine d'esprit irait dire non au président des Etats-Unis et à sa clique d'amis riches et influents ? Certainement pas Mr. Pinkerton.

— Ni toi, manifestement ! observa Brent en riant. Quand pars-tu pour Washington ?

— Demain, par le train du matin, répondit Ken en faisant la grimace. D'ici quelque temps, on peut supposer que quelqu'un aura la sagesse d'assurer les biens de moindre valeur, comme la Lloyd le fait avec les navires, tu ne penses pas ?

Brent fronça les sourcils d'un air pensif.

— Ce n'est pas une mauvaise idée du tout. Pour une fois dans ta vie, mon vieux, tu viens d'énoncer quelque chose de tout à fait valable.

Ken lui jeta un regard moqueur.

— Inutile de faire semblant d'être surpris. Et ne prends pas tes grands airs comme ça avec moi. Parce que si j'ai besoin de quelqu'un pour m'aider au cours de cette mission, disons un type de bon niveau et d'excellente famille, qui n'aurait aucun problème à se mêler à l'élite, il se pourrait bien que je t'engage.

— Franchement, je serais ravi d'échapper à la pénible corvée qui consiste à rédiger des testaments et à suivre des procès pour mon père et mes frères, admit Brent avec mélancolie. Tu n'aurais pas besoin de me le demander deux fois.

Washington, D.C., juin 1876

Andréa tira sur la voilette de son chapeau pour mieux masquer son visage, en priant que personne de sa connaissance ne passe par là et la reconnaisse, en particulier Ralph Mutton. Elle était postée juste en face du Garden Hotel, attendait et surveillait. Avec l'impression d'être une fille des rues à force de faire le pied de grue sous l'auvent d'un magasin tout en essayant de se faire aussi discrète que possible.

Il y avait trois heures qu'elle avait déposé le paquet à la réception de l'hôtel. Trois heures interminables, et toujours aucun signe de Ralph Mutton. Elle ne pouvait s'attarder plus longtemps ici. Le propriétaire du magasin la dévisageait depuis un bon moment, et était même sorti une fois lui demander pourquoi elle restait devant son établissement. Elle lui avait répondu qu'elle attendait un ami qui tardait à venir. Si elle ne partait pas bientôt, il pourrait bien appeler la police et la faire arrêter pour racolage. Ce serait le bouquet !

Où était Ralph? Venir prendre le paquet d'objets volés ne l'intéressait-il donc pas? A sa place, elle serait venue le chercher le plus vite possible. Toutefois, elle n'avait aucune idée de ce qui motivait Ralph, en dehors de son immense cupidité. Elle n'arrivait pas à comprendre comment fonctionnait l'esprit tordu de cet escroc, et ne s'en serait guère soucié s'il n'y avait eu Stevie.

Pendant quelques secondes, Andréa se laissa distraire par le passage d'une voiture de pompiers et faillit manquer sa proie. En fait, elle ne l'avait pas vu entrer dans l'hôtel et ce fut par chance qu'elle se retourna juste à temps pour voir Ralph en sortir. Lorsqu'il regarda dans sa direction, elle pivota sur ses talons et fit semblant d'admirer la vitrine. Dans la vitre, elle le vit s'éloigner sans hâte apparente.

Elle s'obligea à compter jusqu'à dix, puis se retourna et partit dans la même direction que lui, tout en prenant soin de rester sur le trottoir opposé et de maintenir ce qu'elle espérait être une distance raisonnable entre eux. Son but était de ne pas se faire repérer et de suivre Ralph suffisamment longtemps pour découvrir où il cachait Stevie. Ensuite, elle attendrait qu'il soit reparti, trouverait un moyen de récupérer l'enfant et mettrait un terme à cette vilaine affaire une fois pour toutes.

Ralph emprunta un chemin tortueux, tournant sans cesse dans des ruelles, si bien qu'Andréa se retrouva vite perdue. Ce quartier de Washington ne lui était pas familier, et plus elle avançait, plus les rues semblaient devenir étroites, encombrées et sales, plus les magasins et les habitations avaient l'air pauvres et miteux. Andréa était consciente que, pour quelqu'un qui ne voulait pas attirer l'attention, avec sa robe et son chapeau à la mode, elle devait avoir l'air d'une décoration de Noël, d'une cible idéale pour tout pickpocket qui traînerait dans le coin. Mais, pour le bien de Stevie, elle ne voulait pas abandonner maintenant.

A quelques mètres devant elle, Ralph s'arrêta. Elle en fit autant. Faisant semblant de s'intéresser à une publicité vantant une marque de bière sur le mur d'une taverne, du coin de l'œil, elle le vit défaire le paquet et l'ouvrir. Avec des gestes rapides et précis, il transféra le contenu dans ses poches, jeta la boîte et le papier dans le caniveau et se remit en marche. Ce fut par hasard qu'Andréa repéra un éclat de bronze brillant, coincé dans l'emballage tout froissé.

Pourquoi prit-elle la peine de s'y intéresser, elle ne le saurait jamais. Et pourquoi, après avoir identifié la statuette grotesque qu'elle avait subtilisée chez le président, voulut-elle la reprendre, elle n'en avait pas la moindre idée. Ce geste s'avéra cependant désastreux. A peine eut-elle refermé les doigts sur la figurine en bronze que deux mains crasseuses l'agrippèrent.

— Donne-moi ça! cria une voix stridente de femme. Je l'ai vue la première!

Pour des raisons qui continuaient à lui échapper, Andréa tint bon.

— Non! C'est à moi!

— A d'autres, ma vieille! J'ai vu ce type la jeter, tout comme toi! Maintenant, donne-la-moi ou je t'arrache les yeux!

Une folle bataille s'ensuivit, l'adversaire d'Andréa la griffant et s'accrochant à elle comme une bête sauvage. Son chapeau fut piétiné, sa veste déchirée, et sa jupe ne résista pas aux chaussures boueuses de la femme. Après une lutte acharnée, Andréa finit par avoir le dessus. Mais sa victoire fut de courte durée. Refusant de voir la statuette lui échapper, la femme s'apprêtait à attaquer une nouvelle fois quand Andréa releva les yeux et vit Ralph foncer sur elle.

Elle voulut s'enfuir, parvint même à faire quelques pas vers la liberté, avant qu'une main énorme l'agrippe par le bras et la fasse pivoter sur place. Ralph lui jeta un regard furieux.

— Le jeu est terminé, sœurette.

Avant qu'Andréa puisse articuler un mot, la femme avec laquelle elle venait de se battre les rattrapa et essaya de lui reprendre la statuette.

— Tire-toi d'ici, Bertie, dit Ralph en la repoussant sans ménagement. C'est pas tes oignons.

— C'est moi qui l'ai trouvée! se défendit Bertie avec entêtement.

— C'est à moi, gronda Ralph. File, sinon je dirai à ton vieux que tu es venue fourrer ton nez dans mes affaires et je veillerai à ce qu'il te donne une leçon pour t'enseigner les bonnes manières.

Bertie battit en retraite en marmonnant des obscénités, et Andréa se retrouva seule face à Ralph.

— Alors, on essayait de me suivre, hein? On se croit plus maligne que le vieux Ralph? Ce n'est pas une très bonne idée, Miss Albright, railla-t-il d'un air mauvais.

— Je... je ne vous... bredouilla-t-elle.

— Inutile de mentir. Je ne suis pas aveugle, ni stupide.

— D'accord! parvint-elle à dire dans un souffle. Je... je vous suivais.

— En espérant trouver le gosse, pas vrai?

— Oui, souffla-t-elle. Il ne fallait pas?

— Ça va vous coûter cher. Deux mille de plus, fit-il avec un sourire satisfait.

Andréa haussa les épaules et le regarda droit dans les yeux.

— J'aurais dû m'en douter, lâcha-t-elle d'un ton acide. La seule chose qui me surprenne, c'est que vous sachiez compter si loin. Il y a quelque chose qui ne va pas dans votre comptabilité, Mr. Mutton. Le total ne correspond jamais au montant des marchandises que je vous remets.

— Allons, me croyez-vous capable de tromper une petite chose comme vous? se moqua-t-il.

— Vous n'hésitez pas à vendre votre propre fils pour en tirer un bénéfice, rétorqua-t-elle d'une voix cinglante.

— Et le prix vient justement d'augmenter, lui rappela-t-il. Mais il risque de grimper encore si vous me rejouez le même tour. La prochaine fois, je ne discuterai pas. J'annulerai le contrat, purement et simplement, et vous ne reverrez plus jamais le gamin.

Son regard se posa sur la statuette de bronze qu'Andréa tenait toujours à la main.

— Et n'essayez plus de me fourguer des trucs qui ne valent rien. Qu'est-ce que c'est, d'ailleurs ? C'est de ça que se servent les richards pour bloquer leur porte ?

Andréa esquissa un sourire plein d'ironie.

— Je pensais que ça vous plairait, ça vous ressemble trait pour trait !

Les yeux de Ralph se rétrécirent d'un air menaçant.

— Faites pas la maligne avec moi, ma petite. Ça ne marche pas. Et à l'avenir, vous feriez bien de remplir un peu plus vite et un peu mieux ces paquets. Le gosse commence vraiment à me taper sur les nerfs, alors plus vite vous aurez réglé sa dette, mieux ce sera pour tout le monde. Compris ? Vous ne voudriez quand même pas qu'il arrive du mal à quelqu'un ?

Un éclat violet brilla dans les yeux d'Andréa en dépit de la peur panique qui l'habitait.

— Si vous portez la main sur lui, je vous ferai écharper ! Je vous le jure !

Ralph partit d'un éclat de rire. Un rire mauvais.

— Alors, vous feriez mieux de mettre davantage dans la caisse !

— J'ai essayé, mais la police est informée des cambriolages, et les gens mettent tous leurs objets de valeur sous clé. C'est de plus en plus difficile de voler sans se faire prendre.

— Pourquoi ne pas l'avoir dit plus tôt ? demanda-t-il, presque gentiment. Je suis toujours prêt à filer un coup de main à mes associés.

— Je ne suis pas votre associée, Mr. Mutton.

Ignorant sa remarque, Ralph sortit de sa poche plusieurs objets bizarres qu'Andréa ne put identifier. Il les lui tendit un par un, tout en lui expliquant à quoi ils servaient.

— Ça, c'est un passe. Il suffit d'enfoncer l'extrémité pour venir à bout de n'importe quelle serrure, que ce soit d'une porte, d'une armoire ou d'une malle.

Il lui montra ensuite trois instruments recourbés de différentes largeurs.

— Ça, ce sont des écarteurs. Ça sert aussi à forcer des serrures de tailles différentes.

Le dernier outil ressemblait à une sorte de paire de ciseaux.

— Et voilà des pinces. Les meilleurs tire-breloque s'en servent pour piquer les bijoux des caves quand ils les ont aux oreilles ou autour du cou. Avec ça, vous avez ce qu'il faut pour voler tout le butin dont vous avez besoin.

— Un *cave*, si je comprends bien, est la personne à qui on prend les bijoux, mais un tire-breloque, qu'est-ce que c'est ?

Ralph ricana, sincèrement amusé.

— C'est un voleur de bijoux, ma petite dame. Comme vous, mais en mieux.

— Et le butin ?

— L'argent. Pièces ou billets. On appelle ça aussi le blé, ou l'oseille.

— Quand il est entre vos mains, moi j'appelle ça le vol.

— Appelez ça comme vous voudrez. L'important, c'est que vous m'en rapportiez. Déposez-le à l'hôtel chaque semaine, comme convenu, et votre cher Stevie se portera bien. Oubliez un versement, faites-moi suivre, et ce sera comme si vous lui enleviez le pain de la bouche.

Andréa pâlit.

— Je ne pourrai peut-être pas venir la semaine prochaine, ni celle d'après.

Le sourire de Ralph s'évanouit.

— Vous essayez de me rouler ?

— Non. Ma patronne veut que je l'accompagne en voyage à Philadelphie, à l'exposition du Centenaire, et je ne sais pas combien de temps nous serons parties. Si toutefois j'y vais.

Il sembla un instant retourner l'idée dans sa tête, puis un éclair avide passa dans son regard et sa réaction surprit Andréa.

— Allez-y. Il y aura plus de caves à cette foire que vous n'en verrez jamais. En faisant un petit effort, vous reviendrez avec une valise remplie d'oseille, de quoi acheter la liberté du môme et me faire aussi riche qu'un roi.

Devant son air inquiet, il jugea bon d'ajouter :

— Ne vous en faites pas pour le gosse. Il ne lui arrivera rien tant que vous jouerez franc-jeu avec moi. Mais essayez de me doubler, et vous le regretterez. Et n'oubliez pas de me contacter dès que vous aurez remis les pieds en ville.

4

Philadelphie, juin 1876

A la fin du mois de juin, trois semaines à peine après sa conversation au restaurant avec Ken, Brent se retrouva dans le hall du Continental Hotel à Philadelphie. Grâce au télégraphe, il avait pu effectuer une réservation de dernière minute dans cet établissement de tout premier ordre, où les présidents et les princes aimaient à descendre lorsqu'ils étaient en ville. En voyant la foule qui allait et venait dans le hall, il se demanda par quel miracle il avait réussi à trouver une chambre. Il aurait cru toutes les chambres occupées par les gens venus fêter le Centenaire et visiter l'exposition.

Brent en ferait autant, bien que son voyage ici n'eût pas pour seul but le plaisir. Il était là pour le compte de l'agence Pinkerton, ainsi que Ken l'avait envisagé. Ayant cru à une plaisanterie de la part de son ami, il avait été surpris de voir celui-ci maintenir sa proposition de faire engager Brent par l'agence. Et il l'avait été plus encore quand on lui avait demandé d'aller à Philadelphie et non à Washington. Ken lui en avait expliqué les raisons.

— Il semble que notre voleur de bijoux ait changé d'endroit, du moins temporairement, car une série d'incidents similaires se sont produits à Philadelphie.

43

Nous supposons qu'il y a un rapport avec l'exposition du Centenaire et le nombre de gens fortunés qui s'y rendent. C'est un endroit rêvé pour les crapules, du plus habile escroc au dernier des pickpockets. L'endroit doit grouiller de criminels.

— Qu'est-ce qui te fait penser que ton coupable se trouve parmi eux? avait demandé Brent. A mon avis, pas mal de voleurs pourraient être à l'origine des vols de Philadelphie. Le tien est peut-être encore à Washington.

Ken avait secoué négativement la tête avant de répondre.

— Les vols là-bas se sont arrêtés, en tout cas ceux sur lesquels on m'a envoyé enquêter. Et puis, certaines caractéristiques de ce voleur ont été relevées à nouveau à Philadelphie. Notre voleur a l'habitude de tout laisser en ordre derrière lui, en général, mieux qu'avant son passage.

Brent avait ri à cette idée.

— Que fait-il? Il prend le temps d'enlever la poussière et de passer un coup de balai?

— Pas exactement, mais il finira peut-être par le faire avant que nous arrivions à le confondre. Lui ou elle. Nous n'avons pas éliminé la possibilité que notre voleur soit une voleuse. En fait, si l'on en juge par cette manie de tout ranger, ce pourrait très bien être une femme.

— Uniquement parce qu'il laisse tout en ordre? s'était étonné Brent. N'est-ce pas un peu déraisonnable? Je connais personnellement une bonne dizaine de gentlemen qui sont si maniaques que ça me fait grincer des dents. A côté d'eux, je passe pour quelqu'un de carrément négligé, ce que ma chère mère ne manque jamais de me faire remarquer chaque fois qu'elle se désespère de me voir trouver une femme.

A son tour, Ken s'était mis à rire.

— La mienne me trouve relativement ordonné, mais elle se plaint souvent que mes heures de travail sont ridicules et que les voyages qu'il implique sont trop fré-

44

quents pour qu'une femme puisse le supporter long-temps. Et elle a probablement raison.

Brent avait ramené la conversation sur le sujet qui les intéressait.

— Que dois-je savoir d'autre sur ton voleur, avant de me mettre à jouer les espions ?

— *Notre* voleur, avait corrigé Ken. Il a encore une petite bizarrerie. Non seulement il prend l'argent liquide et les bijoux, mais il a un penchant pour les petits objets en étain. D'après nos informations, il n'emporte que ceux qui représentent des animaux, et en a même laissé quelques-uns en cristal plus précieux au profit de miniatures en étain.

— C'est curieux. Et, en te basant sur ses manies per-sonnelles, tu en as conclu qu'il se trouve en ce moment à Philadelphie ?

— Pas seulement. Nous avons d'abord pensé tenir un suspect possible, et c'est peut-être le cas, bien que j'en doute de plus en plus. Elle s'appelle Madeline Fos-ter, tous ses amis l'appellent Maddy. C'est une vieille dame de la bourgeoisie de Washington. Tu vois le genre… riche, influente, elle appartient à tous les comi-tés de charité, connaît tous les gens en vue et figure sys-tématiquement sur la liste des hôtes du président, quels que soient les invités.

— Et ?

— C'est une vieille dame charmante et farfelue qui égare toujours tout, à commencer par ses propres affaires. Je dois admettre qu'elle a des habitudes étran-ges, comme de traîner partout une ombrelle, même chez elle, et d'en donner un petit coup dans les côtes des gens pour attirer leur attention. Elle est à peine plus haute qu'une sauterelle, avec des yeux bleu vif et une tignasse de cheveux blancs qui se dressent dans tous les sens. Bref, un sacré personnage ! Certaines de ses relations pensaient qu'elle avait peut-être perdu la boule et qu'elle s'était mise à piquer leurs affaires, sans même s'en rendre compte. Mais après lui avoir parlé, je ne le crois pas. Franchement, je pense que ces vols sont commis délibérément par quelqu'un qui a plus de capacités de concentration que Mrs. Foster n'en possède désormais. Peut-être quelqu'un utilise-t-il habilement le comportement excentrique de la vieille dame, histoire de brouiller les pistes.

— En espérant faire de Mrs. Foster le bouc émissaire ?

Ken haussa les épaules.

— Je n'en suis pas certain. Ce n'est qu'une hypothèse. Mais quel que soit le responsable, je parie qu'il la connaît et fréquente le même milieu. Surtout que Maddy Foster et plusieurs de ses amis sont à Philadelphie depuis un peu plus d'une semaine. Ce qui correspond précisément à la date à laquelle les vols ont cessé à Washington et où les premiers ont eu lieu à Philadelphie. C'est pourquoi il faut que tu ailles là-bas et que tu t'infiltres au sein de ce petit groupe amical. Pour te mêler à eux, comme n'importe quel membre de l'élite de la société le ferait.

— Pourquoi moi ? Tu es d'un milieu comparable au mien. En outre, tu as l'expérience de ce genre de choses. Pas moi.

— Tu oublies qu'ils me connaissent et savent que je travaille pour l'agence.

— Oui, mais tu as sûrement des collègues qui pourraient faire ça beaucoup mieux que moi.

— Ces temps-ci, peu de diplômés de Harvard postulent à ce genre de poste. La plupart de nos hommes, si bons soient-ils, se feraient repérer comme le nez au milieu de la figure, et ceux qui pourraient s'en tirer sont pris par d'autres missions. De plus, il ne suffit pas d'endosser le costume du rôle ou de savoir quelle fourchette utiliser à table. Il faut posséder cette attitude innée, ce mélange de certitude et d'arrogance qui émane tout naturellement de ceux qui sont nés nantis. Et pour être franc, vieux frère, tu empestes ce genre-là.

Brent se trouvait donc ici, dans l'hôtel même où Madeline Foster était descendue. Il venait de remplir un formulaire à la réception et attendait la clé de sa chambre lorsqu'il jeta un coup d'œil machinal vers l'ascenseur. Les portes s'ouvrirent sur la femme la plus ravissante que Brent eût jamais vue. Un seul regard, et il éprouva quelques difficultés à respirer.

Ses cheveux semblaient parsemés de rayons de lune, sa peau avait la transparence de l'albâtre. Ses lèvres formaient un arc parfait et ses yeux étaient plus grands, plus brillants que des améthystes. Pendant quelques secondes, elle resta parfaitement immobile, et Brent se dit qu'elle ne devait pas être réelle. Aucune femme faite de chair et de sang ne pouvait être aussi jolie. Sans doute n'était-ce qu'un mirage, un tour que lui jouait son imagination mise à l'épreuve par le voyage.

Au même moment, elle s'avança et sortit de l'ascenseur avec la grâce d'une déesse. Quand la femme plus âgée qui l'accompagnait lui dit quelque chose, elle sourit, et le cœur de Brent se serra dans sa poitrine. Elle était l'incarnation vivante de créatures qui n'avaient existé que dans ses rêves les plus fous, jusqu'à aujourd'hui.

La voix de l'employé de la réception lui parvint dans une sorte de brouillard.

— Votre clé, monsieur, répéta l'homme en la pressant fermement dans la paume ouverte de Brent. Votre chambre est au troisième étage. Dois-je appeler quelqu'un pour faire monter vos bagages ?

— Euh... oh, oui, bredouilla Brent, hésitant à détacher son regard de la jeune femme de peur qu'elle ne disparaisse.

— Puis-je faire autre chose pour vous ? demanda l'employé avec une impatience contenue.

— Oui. Cette jeune femme superbe, dit Brent en la montrant du doigt, sauriez-vous par hasard qui elle est ?

L'employé jeta un coup d'œil vers la foule qui se pressait dans le hall.

— Monsieur, une trentaine de dames ici répondent à cette description. Pourriez-vous être plus précis ?

— Voyons, mon vieux, ajustez vos lunettes ! Je parle de l'ange en robe lilas, bien entendu !

Brent trouva l'employé quelque peu stupide de ne

pas l'avoir repérée immédiatement. A ses yeux, elle les éclipsait toutes.

— Avec des cheveux clairs et des yeux violets trop grands pour son visage ?

— Oui, quoique je ne sois pas d'accord avec la description que vous en faites. Vous la connaissez ? Elle réside à l'hôtel ?

— Je crois qu'il s'agit de Miss Albright. La dame de compagnie de Mrs. Foster.

— Madeline Foster, de Washington ?

— Elle-même, confirma l'employé en hochant la tête.

— Merci, merci beaucoup. Je suppose que vous ne voudrez pas me donner le numéro de chambre de Miss Albright ?

Le garçon secoua la tête.

— C'est contre le règlement de l'hôtel, mais si vous voulez laisser un message, je veillerai à ce qu'il lui parvienne.

— Je préférerais envoyer des fleurs. C'est possible ?

— Bien sûr. Je m'en occupe tout de suite. Quelle sorte, quelle couleur et combien ?

— Une magnifique orchidée violette.

— Et quel message dois-je inscrire sur la carte ? demanda l'homme, un crayon à la main.

Brent hésita une seconde.

— Mettez simplement : « La perfection mérite la perfection. » Signé : « Un admirateur ébloui. »

Quand le garçon d'étage frappa à la porte de la suite qu'elle partageait avec Maddy et tendit à Andréa une petite boîte avec son nom écrit dessus, elle resta confondue. Et lorsqu'elle souleva le couvercle, la beauté de la fleur la laissa bouche bée d'admiration. Ce fut ainsi que Maddy la trouva lorsqu'elle ouvrit la porte qui séparait leurs chambres.

— Andréa, mon enfant, on ne vient pas de frapper ?

— Si, murmura la jeune femme, les yeux toujours rivés sur l'orchidée.

48

Se ressaisissant lentement, elle sortit la fleur délicate du papier et la garda à la main.

— Maddy, qui diable peut bien m'envoyer un si magnifique cadeau?

— Quelqu'un qui a bon goût, manifestement. En matière de femmes et de fleurs. Et il n'y a pas de carte?

— Oh! J'ai oublié de regarder!

Maddy secoua la tête.

— Petite sotte! Vous agissez aussi légèrement qu'il m'arrive de le faire.

Andréa trouva la carte et n'en fut que plus troublée.

— «Un admirateur ébloui», lut-elle à haute voix.

Maddy pouffa de rire.

— S'il ne s'est pas souvenu de son nom pour le mettre sur la carte, c'est qu'il est plus qu'ébloui! A mon avis, il est hypnotisé.

— Qui cela peut-il être?

— N'importe lequel de vos soupirants éperdus d'amour. En une semaine, vous avez dû en rencontrer une bonne cinquantaine. Et on dirait que vous avez fortement impressionné l'un d'eux. Ma foi, tout ceci est follement excitant! Un admirateur mystérieux! Je savais que ce voyage à Philadelphie était une idée splendide!

— Maddy, soyez sérieuse! Je suis ici pour vous accompagner, pas pour m'amouracher d'un homme qui n'a ni nom ni visage.

— Il ne restera pas longtemps une énigme, je vous le garantis. Et vous devriez vous tenir prête pour le moment où il se fera connaître et vous révélera ses intentions.

Elle repartit dans sa chambre en trottinant, mais réapparut quelques secondes plus tard avec son coffret à bijoux à la main.

— Tenez. Je veux que vous preniez cela, dit-elle à Andréa. Ça vous portera bonheur avec votre mystérieux soupirant.

Elle ouvrit le coffret qui révéla un collier étincelant et des boucles d'oreilles assorties. Les pierres d'un bleu argenté scintillaient d'un éclat opalescent et étaient finement serties dans une monture en argent.

— Prenez-les, ma chère. Désormais, elles sont à vous.

— Oh, Maddy! Je ne peux pas accepter vos opales. Elles doivent valoir une fortune.

— A peine, déclara la vieille dame. D'ailleurs, ce ne sont pas des opales. Ce sont des pierres de lune. Ce n'est pas une pierre aussi précieuse, mais nettement plus intrigante, si vous voulez mon avis. Celles-ci viennent d'Inde. Il existe une légende fascinante à propos des pierres de lune: quand on les porte et qu'elles sont réchauffées par la peau, elles ont le pouvoir d'éveiller la passion des amoureux. Ce n'est pas pour me vanter, ma chère, mais je peux attester de la véracité de cette légende. Mon dernier mari, Dieu ait son âme, vous l'aurait confirmé.

— C'est lui qui vous les avait offertes?

Maddy secoua la tête.

— Non. Elles appartenaient à ma tante, et à ma grand-mère et à mon arrière-grand-mère avant elle. Comment sont-elles arrivées dans la famille, personne ne le sait, mais elles nous ont apporté à toutes une fortune enviable et de merveilleux amoureux. Et maintenant, puisque je n'ai personne à qui les confier, je vous transmets les pouvoirs mystérieux de ces pierres de lune.

Brent s'arrêta à l'entrée de la salle de bal pour scruter la foule d'invités qui rivalisaient tous d'élégance. Selon ses informateurs, Madeline Foster devait assister au gala de ce soir, ce qui signifiait que sa dame de compagnie, Miss Albright, serait là aussi. Il était impatient de rencontrer la femme de ses rêves, afin de voir si sa première impression serait démentie ou non en la voyant de plus près.

Elle était là, debout au bord du parterre de danse, en train de parler avec un groupe d'hommes et de femmes. Tandis qu'il l'admirait, elle tourna son visage vers lui, comme si elle avait deviné son regard, et Brent

50

sentit le sang affluer à son cerveau. Elle lui parut encore plus envoûtante, si possible, que l'après-midi.

Ses cheveux couleur de lune étaient relevés au sommet de sa tête, mais plusieurs mèches folles caressaient sa nuque et son front, comme lui-même mourait d'envie de le faire en cet instant. L'orchidée qu'il lui avait envoyée était délicatement nichée au-dessus de son oreille en forme de coquillage. A chacun de ses tendres lobes pendait une larme en forme de perle, assortie au collier qui ornait son cou. De même, comme pour aller avec la fleur dans ses cheveux, elle avait choisi une robe mauve pâle brodée de rubans violets. La couleur rehaussait l'éclat de ses grands yeux brillant comme des améthystes.

— Violets! railla Brent. Décidément, le type de l'hôtel est aveugle ou idiot.

— Pardon? Vous avez dit quelque chose? s'enquit un jeune homme qui se trouvait près de lui.

— Non, mais peut-être pourriez-vous m'aider, si vous le voulez bien. Connaîtriez-vous Miss Albright, par hasard? demanda Brent en faisant un geste de la main dans sa direction.

— A vrai dire, nous avons fait connaissance hier. C'est une personne très agréable, si vous n'avez rien contre les femmes intelligentes. Pourquoi me demandez-vous cela?

— Je voudrais faire sa connaissance, mais j'ai besoin de quelqu'un pour faire les présentations, répondit Brent en lui tendant la main. Au fait, je m'appelle Brenton Sinclair.

— Harry Andrews, répliqua le jeune homme en serrant la main de Brent avec empressement. Ravi de vous rencontrer. Etes-vous parent des Sinclair de New York? J'ai fait mes études avec un Dan Sinclair.

— Mon frère, expliqua poliment Brent avec toutefois un brin d'impatience.

— Il me semblait avoir remarqué une certaine ressemblance. Mais vous ne tenez certainement pas à rester ici à parler de votre famille! s'exclama Harry en riant. Venez. Je vais vous présenter à cette dame.

Andréa aperçut Harry Andrews venir droit vers elle. Zut, ce type était d'un ennui mortel! Elle qui était convaincue d'avoir tempéré sa curiosité lors de leur dernière rencontre! Oh, de toute façon, il était trop tard pour l'éviter.

— Miss Albright! Vous êtes ravissante, ce soir, dit-il en arrivant près d'elle.

— C'est très aimable à vous, Mr. Andrews, répliqua-t-elle, dissimulant son dépit derrière un sourire glacé.

— Je voudrais vous présenter un admirateur, reprit Harry en se tournant vers l'homme qui l'accompagnait. Miss Albright, permettez-moi de vous présenter Brenton Sinclair. Mr. Sinclair, Andréa Albright.

Tous deux eurent à peine le temps de se regarder que Harry reprit la parole.

— Et maintenant que j'ai accompli mon devoir, je vous laisse faire plus ample connaissance.

Andréa plongea dans le regard doré hypnotisant de Brent, et, subitement, toutes les bonnes manières qu'elle avait eu tant de peine à assimiler s'envolèrent. Elle n'arriva même pas à trouver quelque chose de cohérent à dire! Tout ce dont elle fut capable, ce fut de rester la bouche ouverte en contemplant ces yeux fascinants, ces cheveux bruns, ce visage séduisant, ces lèvres fermes et viriles — et en se demandant ce qu'elle ressentirait s'il l'embrassait! S'il la prenait dans ses bras et...

Andréa secoua la tête pour tenter de se ressaisir. Que lui arrivait-il? Elle n'avait bu qu'une petite coupe de champagne, et pourtant son bon sens semblait l'avoir totalement abandonnée!

— Vous vous sentez bien, Miss Albright? demanda-t-il d'une voix grave et mélodieuse qui lui fit l'effet d'une caresse au creux des reins.

— Euh... oui. Merci. Vous connaissez Mr. Andrews depuis longtemps? demanda-t-elle, ne trouvant rien de plus intelligent à dire.

Brent lui sourit, et les jambes d'Andréa se transformèrent en coton.

— En fait, nous venons tout juste de nous rencontrer. Mais il est allé à l'université avec mon frère, à ce qu'il m'a dit. J'ai pratiquement dû le traîner jusqu'ici pour qu'il nous présente. C'est difficile de faire des propositions à une femme quand on ne connaît même pas son prénom, vous ne trouvez pas?

Cette dernière remarque l'étonna et elle éclata de rire.

— Déclarer cela à brûle-pourpoint à une femme est certainement très efficace pour attirer son attention, Mr. Sinclair! Une façon de faire unique, mais terriblement risquée. Supposez que je décide de vous prendre au mot?

— Ne vous gênez pas. Rien ne pourrait me faire plus plaisir.

Troublée, Andréa battit des cils. Un sourire flottait aux commissures de ses lèvres, mais son ton était sérieux, tout comme l'était le regard mesuré dans ses yeux de tigre.

— Vous êtes fou. Ou ivre. Ou peut-être les deux, déclara-t-elle.

— Ivre de vous contempler. Et fou de désir, admit-il en levant la main pour effleurer la fleur qui ornait sa chevelure. Vous la portez. J'en suis ravi. Et plus ébloui que jamais.

— Vous? murmura-t-elle avec stupéfaction. C'est vous qui m'avez envoyé cette orchidée?

— J'avais pensé vous envoyer des roses, mais une orchidée m'a semblé plus appropriée. Plus adaptée à la délicatesse de votre beauté, bien qu'elle paraisse bien pâle en comparaison.

— Vous êtes un maître en flatterie, Mr. Sinclair. Je parie que vous avez des dizaines de femmes pâmées à vos pieds.

— Même pas la moitié. Mais vous pourriez m'appeler Brent, suggéra-t-il avec un sourire triomphant. Puisque nous allons devenir amants.

— Ah oui ? souffla-t-elle, les yeux écarquillés. Qu'est-ce qui vous permet de croire une chose pareille ?

— Eh bien, si nous devons nous marier, j'espère bien que nous serons aussi amants, plaisanta-t-il. Sinon, comment me donnerez-vous tous ces adorables enfants ?

— Des enfants ? répéta-t-elle d'une petite voix.

— Oui, des bébés, une progéniture, une descendance. Des fils et des filles. Je pense que dix est un beau chiffre rond, pas vous ?

— Un beau chiffre rond pour quoi ? demanda Maddy en arrivant derrière eux.

— Pour les enfants que nous avons l'intention d'avoir, madame, expliqua calmement Brent. Vous ne trouvez pas que c'est trop, dites-moi ?

Ses yeux bleus brillant de malice, Maddy haussa les épaules :

— Ça me semble très bien, du moment que ce n'est pas moi qui dois les porter. Et vous, Andréa ? Qu'en pensez-vous ? Et au lieu de rester là à ne rien faire, si vous me présentiez votre Prince Charmant ?

— Maddy, voici Brenton Sinclair. Mais il n'est pas mon Prince Charmant.

— J'aimerais l'être, et bien plus encore, ajouta Brent. Il se pencha vers Madeline pour lui baiser la main. Maddy soupira d'un air rêveur.

— Je suis Madeline Foster, et si j'avais quelques années de moins, je ferais tout pour écarter Andréa de mon chemin.

— Oh, pour l'amour du ciel ! s'exclama Andréa. Tout ceci est ridicule !

Brent l'ignora, ainsi que Maddy.

— Avec votre permission, Mrs. Foster, j'aimerais danser avec Andréa.

— Attendez une petite minute ! Où était passée votre correction quand vous m'avez déclaré que nous allions nous marier et avoir des enfants ? Ce n'est qu'après m'avoir annoncé cela que vous vous souvenez subitement des bonnes manières ?

— Tout ceci est une question de priorités, Andréa, lui dit-il avec un sourire désarmant. Déclarer mes intentions était de toute première importance, et maintenant que je vous en ai fait part, je peux commencer à vous faire la cour en bonne et due forme.

— Ça me paraît logique, observa Maddy. Allez donc danser avec ce charmant jeune homme, ma chère.

Elle se pencha vers Brent.

— Il y a une brise très rafraîchissante sur le balcon et la lune est presque pleine.

— Ne l'encouragez pas ainsi, Maddy. Je le connais à peine.

— Eh bien, vous feriez mieux de faire très vite sa connaissance, si vous prévoyez déjà de faire des enfants ensemble. Voyons, Andréa ! Un peu de bon sens !

5

— Vous obtenez toujours tout ce que vous voulez ? demanda Andréa d'un air boudeur à Brent qui la faisait tournoyer au rythme d'une nouvelle valse à la mode.

— Pas du tout. Mais je dois avouer que je n'ai jamais rien voulu aussi fort que je vous veux.

— Balivernes ! Avant ce soir, vous ne saviez même pas que j'existais.

— Cet après-midi, corrigea-t-il d'un ton léger. Avez-vous oublié que je vous ai envoyé une orchidée ?

Andréa prit un air pensif.

— Elle est ravissante, et je vous en remercie, mais je ne comprends pas bien. Quand et comment avez-vous eu l'idée de me l'envoyer ? Je ne me rappelle pas vous avoir vu auparavant.

— Mais moi je vous ai vue, et je n'arrivais pas à en croire mes yeux. J'étais à la réception de l'hôtel quand vous êtes sortie de l'ascenseur. L'employé m'a indiqué votre nom.

— Et c'est par hasard que nous sommes tous les deux présents à cette soirée ? voulut-elle savoir.

— Appelons cela le destin, esquiva-t-il.

Il ne voulait pas lui mentir, mais il ne voulait pas non plus lui révéler qu'il était là en tant que détective de l'agence Pinkerton. Du moins, pas à ce stade. Quoiqu'il dût admettre que c'était un curieux tour du destin qu'Andréa soit la dame de compagnie de la personne même sur laquelle il était chargé d'enquêter. Quand ils se connaîtraient un peu mieux, peut-être pourrait-il se confier à elle sans compromettre ses chances de résoudre cette affaire. Mais pas tout de suite.

— D'où êtes-vous, Mr. Sinclair ? Certainement pas de Philadelphie, puisque vous êtes descendu à l'hôtel.

— Je suis de New York. Et je croyais que nous étions convenus que vous m'appelleriez Brent.

— Nous n'étions convenus de rien du tout. Toutefois, je suppose que je peux vous appeler ainsi. C'est un joli prénom.

— C'est en tout cas ce qu'ont pensé mes parents, concéda-t-il. C'est un diminutif de Brenton. Et moi, puis-je vous appeler Andréa ?

— Comme vous voudrez. J'ai le sentiment que vous le ferez de toute façon. Vous m'avez l'air têtu.

Il lui adressa un sourire radieux.

— Vous voyez ? Nous commençons déjà à mieux nous connaître. Quel est votre nom ?

— Alexandra Ann Albright. Ma mère a apparemment fait une fixation sur la première lettre de l'alphabet quand je suis venue au monde. D'ailleurs, elle a fait de même avec ma sœur aînée en l'appelant Lilian Leah.

— Votre sœur est-elle aussi jolie que vous ?

Un nuage passa sur le visage d'Andréa et ses yeux s'assombrirent de chagrin.

— Ma sœur est morte d'une pneumonie il y a quelques mois. Sa disparition a été pour moi très cruelle.

— Je suis désolé, dit Brent avec sincérité. Si j'avais su, je ne vous aurais pas posé cette question. Vous avez d'autres frères et sœurs ?

— Non, il n'y avait que Lilly et moi. Et mes parents sont morts depuis plusieurs années déjà.

Le cœur lourd, elle laissa échapper un soupir, puis lui retourna sa question.

— Et vous? Avez-vous des frères et sœurs à New York?

— Et comment! J'ai deux frères aînés, qui travaillent tous les deux au cabinet d'avocats de mon père. Ensuite, il y a mon jeune frère Danny, qui fait ses études de médecine. Il sera diplômé dans six mois. Nous avons aussi une jeune sœur, Hope, le bébé de la famille. Maman l'a appelée ainsi parce qu'elle espérait une fille après avoir mis au monde quatre garçons.

Andréa sourit.

— Cette idée me plaît. Vous avez l'air d'une famille très soudée.

— Oui, bien que nous ne soyons pas toujours d'accord sur tout. Maman menace régulièrement de nous donner des coups de canne sur la tête, notamment quand nous sommes tous réunis pour dîner le dimanche soir. L'un de nous met inévitablement un sujet brûlant sur le tapis et, avec quatre juristes dans la même pièce, ça n'en finit plus. Mais vous verrez tout ceci par vous-même quand je vous emmènerai à la maison pour vous les présenter. Maman va être aux anges. Il y a tellement longtemps qu'elle me presse de me marier.

Andréa leva les yeux sur lui.

— Voilà que vous recommencez à mettre la charrue avant les bœufs. Ce n'est pas parce que je vous autorise à m'appeler par mon prénom qu'il faut vous imaginer que j'ai accepté de vous épouser.

Brent lui jeta un regard exaspéré qui lui rappela Stevie lorsqu'il n'obtenait pas ce qu'il voulait.

— Pourquoi? Je suis encore relativement jeune, en bonne santé et j'ai toutes mes dents. Je suis d'une taille raisonnable et pas complètement dépourvu d'attraits. En tout cas, personne ne m'a encore jamais traité de gnome.

Malgré elle, Andréa se mit à rire.

— Vous savez bien que vous êtes un homme très séduisant, Brent, alors inutile d'essayer de me faire pitié. Ça ne marchera pas.

Son expression se fit plus grave et ses yeux dorés plongèrent dans les siens.

— Répétez ça, s'il vous plaît.

— Quoi ? Que vous êtes beau ?

— Non, redites mon nom. Je l'ai entendu toute ma vie, mais je vous jure qu'il ne m'a jamais semblé aussi doux prononcé par d'autres lèvres.

Andréa sentit son cœur se figer dans sa poitrine. Elle dut avaler sa salive à deux reprises avant de pouvoir reprendre la parole.

— Brent, réussit-elle à articuler.

— Andréa, murmura-t-il à son tour, sans cesser de la fixer d'un œil émerveillé.

Son regard glissa sur sa bouche, puis remonta sur ses yeux.

— J'ai envie de vous embrasser.

Sans qu'elle en ait conscience, il l'entraîna en dansant jusqu'à la porte qui donnait sur la terrasse. Dans la pénombre de la nuit d'été, il la serra plus fort dans ses bras. La lune déversait sur eux une douce lumière argentée, comme en signe de bénédiction.

— Je vous trouvais déjà belle avant, mais là, sous ce ciel nocturne, vous êtes tout simplement magnifique.

Sa main remonta sur ses cheveux en une douce caresse.

— Les rayons de lune ne sont ni aussi brillants, ni aussi soyeux. Les étoiles doivent pleurer de jalousie, honteuses de l'éclat de vos yeux. Cupidon a dû dessiner vos lèvres, pour donner aux mortels un avant-goût du paradis. Pauvre de moi, comment voulez-vous que je résiste à une tentation aussi sublime ?

Il pencha sa tête brune et effleura ses lèvres. Les goûta. Les aguicha.

— Votre bouche a un goût de champagne et de lumière d'étoile.

Andréa entrouvrit les lèvres en soupirant, puis ses bras se nouèrent autour de son cou pour l'attirer contre elle. Du bout de la langue, elle suivit le contour de ses lèvres fermes et tièdes.

— Vous avez un goût... dangereusement délicieux.

Brent prit sa bouche, cette fois plus intensément, comme s'il n'arrivait plus à refréner son désir. Leurs lèvres se mêlèrent dans un baiser fou et désespéré, s'abreuvant avec fougue du nectar de la passion. S'en nourrissant. Leur appétit grandissant, de plus en plus fort.

Sa langue explora plus intimement la bouche d'Andréa. S'entortilla, flirta, s'accoupla avec elle. Eveillant en elle des émotions si étranges et si merveilleuses qu'elle en eut le vertige.

Son cœur battait si fort, si vite. Une nuée de papillons tourbillonnaient follement au creux de son ventre. Une brûlure singulière, comme un léger picotement, l'envahit peu à peu, lui donnant la chair de poule. Et ses seins se firent soudain étrangement lourds, leurs pointes si sensibles qu'elle avait l'impression de sentir la chaleur du corps de Brent à travers leurs vêtements.

Lorsqu'ils se séparèrent, Andréa haletait. Brent posa sur elle son regard brillant d'un désir toujours aussi ardent.

— Madame, vous êtes absolument incroyable ! s'exclama-t-il à voix basse en laissant courir un doigt sur ses lèvres gonflées.

Andréa frissonna sous sa caresse.

— Et c'est bien ? murmura-t-elle d'une voix subitement rauque.

— Ma douce Andréa, si cela était possible, je m'oublierais entièrement et vous ferais l'amour ici même. Dites-moi que vous m'épouserez. Dès que nous le pourrons. Avant que toute la population de Philadelphie ne meure choquée d'indignation.

— Je suis moi-même encore sous le choc, avoua-t-elle avec candeur. Pas suffisamment toutefois pour décider de me marier avec un homme que je connais à peine.

— Je me doutais que vous alliez évoquer cela, dit-il avec un profond soupir. Cependant, je ne suis pas homme à abandonner si facilement. Dites-moi au moins que nous nous verrons demain. Que nous irons visiter l'exposition.

— J'ai justement prévu d'y aller avec Maddy. Elle compte sur moi pour l'accompagner.

— Y a-t-il une raison qui nous empêche d'y aller tous les trois ? insista-t-il avec un sourire persuasif.

— Les amis de Maddy nous suivent partout, si bien que notre groupe sera probablement plus important que cela ne risque de vous convenir, l'informa-t-elle, essayant clairement de le décourager.

Brent préféra ignorer la mise en garde et ce manque d'encouragement.

— Je suis un peu masochiste. A quelle heure puis-je venir vous retrouver ?

Bien que prévenu, Brent fut dépité de constater que leur «groupe» avait tout d'une horde d'envahisseurs, composée de neuf dames et de trois hommes, lui compris. Néanmoins, il se consola en se disant qu'il pouvait faire d'une pierre deux coups, et mêler le travail au plaisir. Il pourrait passer la journée avec Andréa tout en surveillant Madeline Foster et sa cour de Washington.

— Vous êtes sûr de toujours vouloir venir avec nous ? demanda Andréa en voyant l'expression de son visage.

— Je ne manquerais cela pour rien au monde, lui assura-t-il.

Il aida Maddy et Andréa à monter dans la calèche qui les attendait avant d'y grimper à son tour.

— Ceci n'est rien comparé au nombre de gens qu'il va y avoir à l'exposition. J'espère que vous aimez la foule.

— Mais bien sûr que oui, ma chère! claironna Maddy. Cet homme veut dix enfants !

A ce rappel, Andréa fit une grimace et Brent un sourire.

— Je suppose que vous aimez les enfants, en conclut Andréa, tout en se demandant comment Brent réagirait face à Stevie.

Elle avait passé une bonne partie de la nuit à imaginer à quoi ressemblerait d'être mariée avec un homme comme Brent. Tout en échafaudant le rêve impossible de récupérer Stevie et d'avoir en même temps Brent, ou quelqu'un d'aussi merveilleux que lui, dans sa vie. Mais il lui fallait remettre ces souhaits à plus tard, quand elle aurait les moyens de les réaliser, quand Stevie serait en sécurité et qu'elle n'aurait plus à passer tout son temps à voler et à redouter de se faire prendre.

— J'adore les enfants, répondit Brent. Mes deux frères aînés sont mariés. Bob et Caro ont un garçon et une fille, âgés respectivement de quatre et deux ans, et Arnie et Sheila ont une fille de trois ans et attendent un autre bébé pour l'automne. Sans me vanter, je dois dire que je suis un oncle extraordinaire. Et les gosses m'adorent. C'est normal, je n'arrête pas de les gâter.

— Comment cela ?

— Je leur donne toute la monnaie qui traîne au fond de mes poches, et je les emmène acheter tous les bonbons qu'ils veulent de façon qu'ils n'aient plus d'appétit pour le dîner, expliqua-t-il avec un sourire malicieux. Je leur achète des jouets et tout un tas de babioles, et je leur fais faire du cheval sur mon dos dans le parc. Ensuite, quand ils sont fatigués et grincheux, je les ramène à leurs parents, en espérant qu'ils ne me les rendent pas avant qu'ils aient fait une longue sieste ou digéré leur repas.

Andréa éclata de rire.

— C'est ce qu'on attend d'un oncle, j'imagine ! Mais le rôle de père comporte un peu plus de responsabilités, vous savez. Etes-vous vraiment certain de vouloir dix enfants ?

— Ce nombre est évidemment négociable. En tant que ma femme, vous auriez votre mot à dire là-dessus.

— Quel soulagement de vous l'entendre dire !

— Vous aimez les enfants, non ?

— Lui demander cela maintenant est un peu tard, vous ne croyez pas ? remarqua Maddy en lui jetant un regard amusé. Mais vous avez de la chance, Andréa adore les enfants. Vous devriez la voir avec son petit neveu. C'est une vraie mère pour lui.

— Un neveu ? Le fils de votre sœur ?

— Oui. Le fils de Lilly, répondit-elle brièvement tout en cessant de sourire.

Brent fronça les sourcils.

— Excusez-moi, mais je ne comprends pas bien. Vous m'avez dit que vos parents et votre sœur étaient décédés, et que vous n'aviez pas d'autres frères et sœurs. Qui s'occupe du garçon ?

— C'était moi, jusqu'à il y a peu de temps. Son père l'a pris pour un moment, mais j'espère le retrouver bientôt.

Brent semblait toujours plus étonné.

— Comment cela ? Il me semble que la plupart des hommes préfèrent garder leurs fils avec eux, quand toutefois c'est possible. Vous le gardez pendant que votre beau-frère travaille ?

— Le père de Stevie n'est pas comme la plupart des hommes, dit Andréa d'un ton qui laissait entrevoir à quel point elle le détestait. Et il n'est pas, et n'a jamais été, mon beau-frère. Pour ce qui est du travail, je doute qu'il ait travaillé honnêtement un seul jour dans toute sa vie !

A ces mos, les sourcils de Brent se rejoignirent complètement.

— Vous voulez dire que votre sœur et lui n'étaient pas mariés ?

— Vous êtes très astucieux d'avoir déduit cela, rétorqua-t-elle en lui jetant un regard menaçant. Et maintenant, pourrions-nous parler d'un sujet plus agréable ?

Brent la regarda d'un air intrigué, comme s'il était surpris qu'elle puisse se montrer si acerbe.

— Vos désirs sont des ordres...

Il souleva son chapeau pour la saluer d'un air moqueur et commença à débiter des platitudes avec une étonnante docilité.

— Quelle journée splendide, n'est-ce pas ? Avez-vous déjà vu ciel plus bleu et plus limpide ? Et cette pelouse, n'est-elle pas d'un vert extraordinaire ? Que m'avez-vous dit avoir mangé au petit déjeuner, ma chère ?

Andréa ne put retenir le sourire qu'esquissèrent ses

lèvres arrondies en une moue boudeuse. Maddy éclata ouvertement de rire, d'un rire espiègle et joyeux.

Afin d'éviter «Centennial City», une suite de bâtiments d'expositions et de spectacles qui s'étendait sur plus d'un kilomètre, le cocher les conduisit devant une entrée secondaire de l'exposition. De là, ils prirent un petit train jusqu'à la fontaine située entre les deux bâtiments principaux d'où ils commencèrent la visite.

— Qu'allons-nous voir en premier? demanda une personne du groupe. Avec plus de deux cents pavillons et trois mille exposants, le choix est illimité.

— Nous avons à peine vu le bâtiment principal, l'autre jour, observa une autre. Commençons par là, et nous verrons bien jusqu'où cela nous mènera.

— Sans doute pas très loin, fit remarquer Maddy. Il y a tellement de choses intéressantes ici qu'on pourrait y passer tout l'été sans parvenir à tout voir. Au bout d'une semaine de visite, nous n'en avons même pas vu le centième. Lyss et Julia m'avaient dit que c'était gigantesque, mais jamais je n'aurais cru que c'était aussi immense avant de l'avoir vu de mes propres yeux.

— Lyss et Julia? répéta Brent en se penchant discrètement vers Andréa. Elle parle du président Grant et de sa femme?

Andréa hocha la tête.

— Oui. Maddy est amie avec eux. Quand le président est revenu à Washington après la cérémonie d'ouverture de l'exposition, il a organisé un dîner au cours duquel il a parlé de toutes les merveilles de la foire. La première dame des Etats-Unis et lui étaient très impressionnés, et à juste titre, je dois dire.

— Je le suis aussi, confessa Brent, bien que sa remarque fût à double sens.

N'ayant pas encore visité l'exposition, il était davantage impressionné par l'idée que Maddy soit assez intime avec le président et sa femme pour les appeler par leurs prénoms. Sa propre famille comptait bon nombre d'amis et de relations, dont certains étaient aussi riches qu'influents, mais ceux de Maddy étaient d'un tout autre calibre, ainsi que Ken le lui avait expliqué. Ce qui conduisait Brent à s'interroger sur le réel pouvoir détenu par la vieille dame, en dépit de son comportement charmant et farfelu.

Une chose était claire. Au cours de son enquête, il devrait faire preuve de doigté avec elle et son entourage. Cela ne lui rapporterait rien de hérisser trop de plumes — même si le président Grant n'était plus aussi populaire désormais, depuis que son administration avait été mêlée à des scandales en s'alliant à des politiciens corrompus et en offrant des contrats gouvernementaux à certains de ses sympathisants.

La journée s'avéra fort remplie. Ils visitèrent le bâtiment principal, où étaient présentés des produits manufacturés ainsi que des découvertes scientifiques fascinantes. Ils écoutèrent Thomas Edison expliquer le fonctionnement de son télégraphe automatique et regardèrent, émerveillés, Alexander Graham Bell faire lui-même la démonstration de son nouveau et étonnant téléphone.

— Vous pensez vraiment qu'il y aura un jour un téléphone dans chaque foyer américain ? C'est presque trop extraordinaire pour y croire ! s'émerveilla Andréa.

— Je sais, mais j'espère bien en avoir un un jour, dit Brent. Imaginez un peu comme ce sera pratique de pouvoir communiquer aussi vite et aussi facilement avec des gens qui se trouvent à des kilomètres ! Les affaires connaîtront alors un formidable bond en avant !

Maddy tomba d'accord avec lui, mais souligna les limites d'une telle invention.

— Vous ne pourrez vous en servir que pour appeler quelqu'un qui possédera un de ces gadgets, aussi je suppose que son utilisation dépendra en grande partie du succès qu'il rencontrera. Personnellement, je préfère les pigeons voyageurs, confia-t-elle. Ce sont des créatures si douces et si adorables, vous ne trouvez pas ? Toutefois, si vous deux aviez un téléphone, j'en voudrais un aussi, afin de pouvoir appeler Andréa et rester en contact avec mes filleuls. Car vous me laisserez être leur marraine, n'est-ce pas ?

— Bien sûr, répliqua Brent d'un air vaguement ahuri.

Andréa leva les yeux au ciel et fit une prière à haute voix.

— Seigneur, je vous en supplie, mettez un peu de bon sens dans la tête de ces deux-là !

Divers objets en provenance du monde entier retinrent leur attention. Des textiles au tissage et aux couleurs rares ; des tapis et des tentures ; des services en porcelaine, en argent, en cristal ou en verre coloré d'une beauté à couper le souffle ; des pendules et des jouets ; des bronzes, des ivoires et des bijoux si magnifiques que les femmes soupiraient d'envie en les admirant derrière les vitrines.

Tout comme les autres, Andréa observait avec mélancolie cet étalage d'opulence placé prudemment hors d'atteinte. Elle se sentait comme un mendiant affamé convié à un banquet sans avoir le droit de rien manger ! Une toute petite partie des richesses présentées ici aurait suffi à payer la rançon de Stevie, et dix autres enfants comme lui !

— Si vous pouviez choisir une chose parmi toutes celles que vous avez vues, laquelle prendriez-vous ? lui demanda Brent. Une timbale en or ? Un kimono en soie ? Des bijoux ? Ou bien une cape en zibeline, peut-être ?

Andréa s'arracha à la contemplation du coffret à bijoux qui scintillait devant elle.

— Je ne saurais vraiment que choisir, tout est si fabuleux ! Quoique j'aie un faible pour ce ravissant châle en dentelle de Chantilly.

Elle se retourna vers lui.

— Et vous, que choisiriez-vous ?

Il lui adressa un sourire coquin, une lueur de malice sensuelle dans ses yeux dorés.

— Je prendrais la peau de tigre du Bengale.

Il se pencha pour lui chuchoter la suite à l'oreille.

— Et je vous ferais étendre dessus, aussi nue que le jour de votre naissance, et je vous ferais l'amour jusqu'à ce que nous ne puissions plus nous relever ni l'un ni l'autre.

Sa réponse stupéfia tellement Andréa qu'elle se contenta de le dévisager avec de grands yeux. L'épisode de Freddy et de Lucille étant encore tout frais dans sa mémoire, la déclaration de Brent fit surgir une image très précise dans son esprit. Elle imaginait déjà la sensation de la fourrure douce et épaisse contre sa peau nue, un feu crépitant projetant une lueur dorée sur leurs corps luisants entremêlés. La chaleur lui parut tout à coup si réelle qu'elle sentit ses joues la brûler et ses jambes se ramollir.

— Oh, ciel! gémit-elle dans un soupir, trop hébétée pour répondre avec plus de véhémence, et encore moins capable de lui reprocher des propos aussi éhontés.

L'ayant entendue, Maddy se retourna et vit le visage cramoisi d'Andréa.

— Bonté divine! s'exclama-t-elle. Cette chaleur insupportable va encore faire une nouvelle victime! Que quelqu'un apporte une chaise à cette pauvre enfant, avant qu'elle ne s'évanouisse! Et un verre d'eau!

— Non! fit Andréa en levant une main tremblante pour rassurer son amie. Ça va très bien, Maddy, je vous assure. Je vous en prie, ne faites pas toute une histoire pour rien.

Maddy l'examina attentivement.

— Vous ne m'avez pas l'air d'aller bien, jeune demoiselle. On dirait que vous êtes sur le point de défaillir.

— J'avoue qu'un peu d'air frais ne me ferait pas de mal, concéda Andréa.

Maddy hocha la tête.

— Nous devrions tous faire une petite pause, et manger un morceau.

Plusieurs personnes du groupe acquiescèrent, et ils se dirigèrent vers la porte la plus proche pour rejoindre le pavillon réservé à la détente et à la restauration du public. Andréa fit quelques pas sur ses jambes flageolantes et, une seconde plus tard, elle se retrouva soulevée dans les bras puissants de Brent qui l'emporta, telle une enfant, le visage à quelques millimètres du sien.

— Posez-moi immédiatement! siffla-t-elle. Vous nous donnez en spectacle!

Il lui rit au nez, et elle sentit sa poitrine trembler contre la sienne.

— J'essaie seulement de me montrer galant, lui dit-il d'un ton innocent que démentait la lueur malicieuse de son regard.

— Je commence à penser qu'un Viking déchaîné serait plus chevaleresque que vous! Comment osez-vous me dire des choses pareilles?

— Mieux vaut vous y habituer, chérie! lui conseilla-t-il d'une voix suave. Car j'ai l'intention de vous susurrer de douces propositions à l'oreille jusqu'à ce que la mort nous sépare.

— Posez-moi tout de suite par terre, sinon je vous crève les yeux!

— Ma foi, vous êtes une sacrée petite diablesse! railla-t-il, nullement inquiet. Ce n'est pas exactement ce à quoi je m'attendais la première fois que je vous ai aperçue, si douce et si blonde, mais c'est une découverte qui me ravit. Cela vaut certainement mieux que d'être marié à une princesse glacée ou à une souris timide.

Avant d'avoir pu mettre ses menaces à exécution, Andréa se retrouva déposée avec délicatesse dans un fauteuil. Elle constata, étonnée, qu'ils étaient arrivés à destination et se trouvaient maintenant dans la grande salle du bâtiment réservé au repos des visiteurs.

— J'aimerais beaucoup vous porter plus loin, mais je crains qu'on ne lâche les chiens sur moi si je tente d'entrer avec vous dans les toilettes des dames. Vous pensez arriver jusque-là sans mon aide?

Le regard qu'elle lui lança aurait dû le réduire à un petit tas de cendres fumantes.

— Je me débrouillerai, je vous assure. Et je ne serais nullement fâchée si vous aviez disparu à mon retour.

— Oh, vous ne vous débarrasserez pas de moi aussi facilement, mon cher ange! J'ai attendu toute une vie pour vous trouver, et je ferai tout ce qui sera en mon pouvoir pour vous garder.

— Pour pouvoir me garder, il faudrait que je sois à vous, lui rappela-t-elle sèchement.

— Ça ne saurait tarder. Bientôt. Et alors, je passerai le restant de mes jours à faire de vous la femme la plus heureuse de la terre.

Andréa se leva et se dirigea vers les toilettes des dames.

— Je suis prête à parier que les autres membres de votre famille sont extrêmement sympathiques, Brent Sinclair, car vous avez visiblement hérité de toute la suffisance qu'une famille peut endurer.

— Vous réviserez votre jugement dès que vous les aurez rencontrés, répliqua Brent en riant. Et vous me considérerez alors sans doute comme le meilleur du lot.

Tout en s'éloignant, elle le gratifia d'un dernier commentaire narquois.

— Voilà une idée charmante, mais il y a peu de chances pour que cela se produise jamais.

6

Dès que la porte des toilettes se referma derrière elle, Andréa ouvrit son poing serré, révélant la montre de gousset de Brent, ainsi que sa chaîne en or. Elle aurait sans doute dû se sentir honteuse de la lui avoir volée, mais, après tout, son comportement l'avait tellement mise en colère qu'elle avait agi par pur esprit de rancune. L'homme de Neandertal! La porter ainsi, comme une sirène qu'il venait de conquérir! Il méritait une punition pour s'être conduit comme un barbare prétentieux. De plus, elle avait besoin d'enrichir son butin.

Elle ouvrit son sac rempli et mit la montre de Brent sur le tas d'objets qu'elle avait réussi à voler ici et là lorsqu'il regardait ailleurs. Ça n'avait pas été facile, vu qu'il ne l'avait pas quittée d'une semelle de la matinée, mais il s'était heureusement attardé de temps à autre devant une exposition, et elle avait pu ainsi ramasser quelques objets pour la rançon de Stevie.

Au milieu de cette foule compacte, il était relativement facile de soulager les visiteurs de l'exposition de quelques-unes de leurs possessions, grâce en partie aux accessoires que lui avait remis Ralph. Et le fait d'avoir pu s'entraîner un peu sur les domestiques négligents et intrigués de Maddy avant de quitter Washington lui avait rendu grand service. Les pauvres! Ils n'avaient pas compris pour quelle raison ils s'étaient mis subitement à égarer leurs affaires, pour les retrouver un peu plus tard dans les endroits les plus étranges.

Si bien qu'aujourd'hui elle avait subtilisé quatre montres, en comptant celle de Brent, trois portefeuilles d'hommes dépassant imprudemment de leurs poches et deux bracelets ornés de pierres. Elle avait également pris un éventail oriental raffiné sur un étalage, ainsi qu'une tabatière en argent ciselé sur un comptoir.

Avec un peu de chance, elle améliorerait considérablement son butin d'ici la fin de la journée. Et avec beaucoup de chance, Brent cesserait de la poursuivre de ses assiduités et la laisserait se livrer en paix à ses infâmes activités. Elle doutait toutefois que ce fût le cas, et, dans un coin de son cœur, elle espérait qu'il n'en ferait rien, car elle était démesurément attirée par cet avocat têtu aux cheveux bruns et aux yeux ensorcelants de tigre.

Plus tard dans la soirée, alors qu'il se changeait pour aller dîner, Brent s'aperçut qu'il n'avait plus sa montre. Pendant quelques instants, il ne s'en étonna guère. L'avait-il retirée en se déshabillant? Ses gestes étaient si automatiques, son esprit préoccupé par tant d'autres choses qu'il ne se rappelait plus vraiment s'il l'avait fait ou non. Mais c'était sans doute ce qui s'était passé. Peut-être était-elle tombée par terre ou avait-elle roulé sous la commode.

Brent eut beau chercher, il ne trouva rien, et fut forcé d'en conclure, non sans quelque étonnement, que quelqu'un, au cours de la journée, lui avait volé sa montre! Son incrédulité céda rapidement place à diverses émotions. Tout d'abord la colère que quelqu'un ait osé prendre une chose qui lui appartenait. Puis l'embarras que cela ait été possible sans qu'il s'en rende compte. Il avait le sentiment d'être un parfait idiot! Amateur ou pas, quel genre de détective était-il donc pour avoir laissé pareille chose arriver?

— Un piètre détective, admets-le, marmonna-t-il d'un ton plein de dérision. Et qui plus est, trop négligent de ton devoir. Tu t'es laissé distraire, tu n'as pensé qu'à Andréa au lieu de te concentrer sur le travail pour lequel on t'a envoyé ici.

Il n'y avait pas trente-six solutions. Pendant qu'il admirait Andréa, le voleur lui avait vraisemblablement subtilisé sa montre. C'était entièrement sa faute. S'il avait été dans son état normal, il aurait pu prendre cette petite crapule sur le fait. L'affaire aurait été résolue une fois pour toutes, et Brent aurait pu se consacrer librement à courtiser la femme de sa vie. Alors que, maintenant, à cause de sa propre stupidité, le voleur courait toujours, et était peut-être en train de dérober d'autres trésors à cette seconde même!

Le pire était qu'il s'agissait vraisemblablement de quelqu'un du groupe. Un des compagnons de Maddy, ainsi que Ken l'avait soupçonné. Tout au long de la journée, Brent avait innocemment recueilli quelques informations sur chacun d'entre eux afin de découvrir qui était le coupable et s'était efforcé, dans la mesure du possible, de rester à l'affût de tout comportement suspect. Il avait manifestement échoué. Lamentablement. Sa seule consolation était que le voleur ignorait qu'il travaillait pour l'agence Pinkerton. Dans le cas contraire, il aurait ri aux larmes — ce qu'il était d'ailleurs probablement en train de faire depuis qu'il avait piqué sa montre à l'imbécile fou d'amour qu'il était!

— Il va falloir te reprendre, mon vieux, se réprimanda-t-il. Et retrouver ton bon sens, comme dirait Andréa.

Mais était-il prêt pour cela à prendre le risque de perdre Andréa ? A la vérité, s'il lui fallait choisir entre les deux, il préférait renoncer à arrêter le voleur. En outre, il n'avait pas la moindre idée de la durée du séjour d'Andréa, de Maddy et de ses amis à Philadelphie. Combien de temps lui restait-il pour accomplir ce qui était devenu désormais une double mission : coincer le criminel et capturer le cœur d'Andréa ?

Quand Andréa ouvrit la porte de la suite à un jeune garçon portant une boîte, plus grande et plus lourde que la première, elle ne put retenir un sourire. Ce devait être un nouveau cadeau de Brent — sa façon à lui de lui faire la cour, ou de s'excuser de sa conduite de l'après-midi, ou bien les deux.

Elle y trouva un cache-pot en cuivre d'où s'échappait un déploiement abondant de plantes grimpantes en fleurs. Les fleurs blanches et parfumées, pas encore complètement ouvertes, avaient une forme comparable à celle des volubilis. Sur le mot qui y était attaché, il était écrit : «Quelques fleurs de lune pour ma dame au clair de lune. Avec tout mon amour, Brent S.» Tout en bas de la carte, il avait ajouté un post-scriptum : «Ces fleurs ne s'ouvrent que la nuit, au clair de lune, comme j'espère que vous le ferez entre mes bras.»

Un petit pincement de remords lui serra le cœur. Brent se montrait si gentil, si romantique, et elle n'avait rien trouvé de mieux pour le remercier que de lui voler sa montre ! Elle avait songé à la lui rendre, mais ne voyait pas comment procéder sans se faire prendre ou sans éveiller ses soupçons. Tout à coup, elle trouva la solution. Mais oui, c'était si simple ! Quelle sotte elle était de ne pas y avoir songé plus tôt ! Puisqu'il l'avait portée dans ses bras, elle dirait que la chaîne de montre avait dû s'accrocher à sa robe, et qu'elle ne s'en était aperçue qu'en revenant dans sa chambre, quand la montre était tombée d'un volant de sa jupe.

C'était une excellente idée. Brent retrouverait sa montre, elle ne se sentirait plus coupable, et personne ne se douterait de rien. Si, par hasard, l'un ou l'autre des amis de Maddy nourrissait bel et bien des soupçons à son égard, ils seraient rassurés. En effet, qui s'attendait qu'un voleur vienne rendre ce qu'il avait volé?

Ce soir-là, Andréa s'habilla avec plus de soin que d'ordinaire. Non seulement elle voulait être à son avantage pour plaire à Brent, mais elle avait également besoin de donner une impression de charmante innocence. Elle choisit une robe en satin blanc à rayures blanches, brodée d'une guirlande de fleurs roses le long du décolleté en forme de cœur, à la taille et au bas de l'ourlet. La jupe retombait gracieusement à partir de ses hanches, d'où un pan du tissu chatoyant était drapé en diagonale, retenu par un gros nœud de satin rose.

Laissant quelques boucles sur son front, elle releva ses cheveux, qu'elle attacha de façon qu'ils retombent sur son épaule en une longue anglaise dans laquelle elle piqua une petite branche de fleurs de lune. Les pierres de lune que lui avait données Maddy scintillaient à son cou et à ses oreilles. Andréa n'avait plus qu'à espérer que leurs pouvoirs magiques soient ce soir assez forts, et lui apportent toute la fortune dont elles étaient capables.

Quand Maddy vint la rejoindre, elle comprit que ses efforts pour paraître sage et candide n'avaient finalement pas été vains.

— Andréa, vous êtes absolument adorable! Vous me faites penser à une pièce montée, décorée d'un glaçage rose et blanc. Ou à une fée bondissant à travers une prairie en fleurs.

Lorsque Brent les escorta toutes deux vers la salle à manger de l'hôtel, il eut une réaction toute différente, et typiquement masculine. Il écarquilla de grands yeux ravis en l'examinant des pieds à la tête.

— Vous êtes absolument divine! La déesse de la lune faite femme! Chaque fois que je vous vois, vous êtes encore plus radieuse.

— Eh bien, gloussa Maddy, quand elle aura mon âge, elle sera carrément somptueuse !

— Oh, arrêtez vos flatteries, sinon je vais finir par vous croire et je vais devenir si vaniteuse que personne ne pourra plus me supporter, les supplia Andréa. Je ne suis certes pas une douairière, mais je n'ai rien non plus d'une beauté.

— Pour moi, si, assura Brent avec sincérité.

Andréa attendit d'être à table, entourée des amis de Maddy, pour rendre sa montre à Brent.

— J'ai trouvé ça coincé dans un volant de la robe que je portais cet après-midi. Je suppose que c'est à vous.

Brent rougit, plus confus que jamais. Il n'en croyait pas ses yeux. Juste au moment où il venait de se convaincre que le voleur de bijoux se trouvait parmi eux, voilà que sa théorie sombrait comme un navire plein d'eau ! Il prit la montre, et l'examina soigneusement, comme pour vérifier que c'était bien la sienne.

— Merci, parvint-il à dire. Je croyais l'avoir perdue pour de bon.

— C'est ce qui serait arrivé, si elle ne s'était pas accrochée à ma robe, répliqua Andréa. J'imagine que c'est ainsi qu'elle a été happée de votre poche au départ.

— Oui, admit-il d'un air pensif. Je suppose que c'est ainsi que c'est arrivé. Sûrement au moment où je vous ai portée dans mes bras.

— Eh bien, maintenant que vous l'avez retrouvée, vous n'arriverez pas en retard à des rendez-vous importants. C'est une sacrée chance, non ?

— Plus que n'en ont eu plusieurs d'entre nous depuis quelque temps, ajouta un des invités.

Cette remarque fut le point de départ d'une discussion qu'Andréa aurait volontiers évitée, car chacun des convives fit le récit des vols dont ils avaient tous été victimes. En revanche, cette conversation se révéla être une mine de renseignements pour Brent, qui s'était demandé comment amener la conversation sur ce sujet afin de faire parler les victimes du voleur, sans les informer pour autant de sa mission. Ce qui avait commencé comme une soirée difficile s'avéra finalement du plus grand intérêt.

Cependant, il ne put s'empêcher de remarquer que, de tout le groupe, Maddy et Andréa étaient les seules à qui l'on n'avait rien volé. Lorsqu'il s'en étonna, de la manière la plus courtoise et la plus naturelle possible, Andréa lui en apporta aussitôt l'explication.

— Ce n'est pas que nous ayons été épargnées, mais plutôt que nous ne pouvons dire avec exactitude si Maddy a perdu ou non quelque chose, étant donné qu'elle égare constamment ses affaires, pour les retrouver généralement peu de temps après. Quant à moi, je ne possède aucun objet de valeur susceptible de tenter qui que ce soit.

Elle regrettait de décevoir l'homme le plus intrigant qu'elle eût jamais connu ; mais elle pensa qu'il valait mieux prendre les devants. Ainsi Brent ne pourrait pas lui reprocher plus tard de lui avoir menti en voulant se faire passer pour ce qu'elle n'était pas.

— Vous n'avez peut-être pas conscience de ma situation, déclara-t-elle sans détour en le regardant droit dans les yeux. Mais je ne suis que l'employée de Maddy, sa dame de compagnie, même si nous sommes devenues de très grandes amies. C'est à elle que je dois mon unique salaire et toute ma garde-robe. Elle m'a même donné une éducation que je n'aurais pas eue autrement. Sans elle, je serais aussi pauvre et aussi ignorante qu'une gamine ayant grandi dans le ruisseau.

Pendant quelques instants, Brent la dévisagea en silence. Une légère tension s'installa dans la salle, chacun, et notamment Andréa, guettant sa réaction. Juste au moment où elle se disait qu'elle n'allait plus pouvoir supporter très longtemps ce silence, il lui prit la main, leva ses doigts glacés jusqu'à ses lèvres brûlantes et les effleura d'un baiser. Un sourire remonta le coin de ses lèvres pleines et illumina son magnifique regard doré.

— J'ai toujours adoré l'histoire de Cendrillon, dit-il calmement. Et l'occasion m'est donnée de jouer le rôle du prince. J'espère seulement que tout se terminera pour moi aussi bien que pour lui.

— Comme c'est charmant! s'extasia Adélaïde Kerr.

Elle se tourna vers son mari, et son sourire attendri fit place à un regard chargé de reproche.

— Pourquoi ne me dis-tu jamais de choses aussi romantiques, Henri? Ça ne te tuerait pas, tu sais.

— Vous voyez ce que vous avez provoqué? chuchota Andréa en riant à l'oreille de Brent, sa main toujours nichée dans la sienne.

Il la regarda, interrogateur.

— Inutile de se demander qui pourrait jouer le rôle de la méchante belle-mère!

— Je suis sûre qu'Adélaïde n'est pas si terrible, sinon elle ne serait pas une des plus proches amies de Maddy, répliqua Andréa. Toutefois, je serais curieuse de savoir une chose.

— Laquelle?

— Si je dois être Cendrillon, ne devrais-je pas avoir une pantoufle de vair?

Brent lui rendit son sourire.

— C'est à votre marraine la fée de vous en procurer une, lui rappela-t-il en hochant la tête vers Maddy.

De sa main libre, Andréa toucha le pendentif qui scintillait sur sa gorge.

— Aujourd'hui, les fées donnent des pierres de lune à la place.

Andréa aurait beaucoup aimé accepter l'invitation de Brent à aller danser après dîner, cependant, elle refusa.

— Je crois que la chaleur de cet après-midi m'a affectée plus que je ne le pensais. Je ne me sens pas très bien, ce soir. Oh, rien de grave, comprenez-moi bien. Ce n'est qu'une fatigue passagère. Je serai à nouveau en pleine forme demain matin.

— Très bien, dit-il, quoique à contrecœur. Du moment que vous ne cherchez pas à m'éviter.

— Parce que c'est possible? plaisanta-t-elle, tempérant sa remarque par un tendre sourire.

Les autres les surveillant du coin de l'œil, Brent dut se contenter de l'embrasser légèrement sur la joue.

— Reposez-vous, et je passerai vous voir demain matin.

Une demi-heure plus tard, Andréa sortit de la suite à pas de loup et referma la porte sans faire de bruit. Après avoir jeté un coup d'œil à droite puis à gauche, elle s'avança prudemment, s'arrêtant brièvement en chemin afin de baisser la flamme des lampes à pétrole qui éclairaient le couloir. Avec la robe noire et le manteau noir qu'elle portait maintenant, et toutes les lumières tamisées, elle se fondait à la pénombre, tel un fantôme.

Arrivée devant la porte qu'elle cherchait, presque au bout du couloir, elle frappa un coup léger. Personne ne répondit ; elle colla son oreille contre le panneau de bois, à l'affût d'un bruit éventuel. N'entendant rien, elle sortit son passe de sa poche et s'attaqua à la serrure. A son grand soulagement, la deuxième tentative fut la bonne. Après un dernier coup d'œil furtif, elle se glissa dans la chambre et referma la porte.

Une fois à l'intérieur, Andréa fit halte un instant, le temps que son regard s'accoutume à l'obscurité. Elle s'adossa contre la porte en priant le ciel que son cœur cesse de battre aussi follement et tout son corps de trembler comme une feuille. Lorsqu'elle distingua suffisamment les contours des meubles pour ne pas s'y cogner, elle fit rapidement le tour des deux pièces communicantes afin de s'assurer qu'elle était bien seule dans la suite. Rassurée, elle sortit une bougie de sa poche et l'alluma.

Maintenant qu'elle y voyait mieux, Andréa se sentait moins en danger, quoique pas très à l'aise. Il lui fallait encore fouiller les chambres, prendre les trésors qu'elle y trouverait et repartir sans se faire remarquer. Heureusement, à moins d'une catastrophe imprévue, les occupants de la suite n'étaient pas censés rentrer de leur soirée au théâtre avant un bon moment.

76

Andréa s'était fixé pour règle de se renseigner sur l'emploi du temps de ses victimes et de s'assurer qu'elles étaient occupées ailleurs avant d'entreprendre de les cambrioler. Grâce au registre de l'hôtel, faute de mieux, elle arrivait généralement à savoir avec certitude combien de personnes occupaient la chambre. Et, en gardant l'œil et l'oreille aux aguets, elle était souvent au courant de ce qu'elles devaient faire, et à quelle heure, vu que la plupart des clients se retrouvaient dans le hall de l'hôtel pour discuter de leurs projets de la journée. En outre, comme pour donner un coup de pouce à Andréa, l'hôtel avait distribué une liste des activités et des galas, dont plusieurs étaient accompagnés d'un formulaire que les gens devaient signer en mentionnant s'ils participeraient ou non à telle ou telle soirée.

Néanmoins, elle devait agir avec d'infinies précautions, car n'importe quoi pouvait venir chambouler ses plans les mieux préparés. Un changement d'avis de dernière minute, une maladie soudaine ou une soirée annulée. Plus elle exerçait cette activité, plus elle se rendait compte à quel point ses nerfs à vif étaient peu adaptés à la situation.

Andréa ne mit pas longtemps à comprendre que les occupants de cette chambre-ci étaient habitués à ce que des domestiques passent partout derrière eux. Des vêtements étaient éparpillés sur le lit et jonchaient le sol. Une fine couche de poudre de riz recouvrait le dessus de la coiffeuse et tout ce qui s'y trouvait, y compris le coffret à bijoux de la dame d'où dépassaient toutes sortes d'accessoires précieux.

Sélectionnant rapidement les plus belles pièces, Andréa ouvrit son grand sac et les jeta dedans. Par habitude, elle referma le couvercle du coffret et passa sa main gantée sur la coiffeuse pour en retirer la poussière tout en alignant les divers pots et flacons d'un geste automatique. Ensuite, elle fouilla les tiroirs de la commode et découvrit une grosse liasse de billets dissimulée dans une chaussette d'homme.

— N'apprendront-ils donc jamais ? marmonna-t-elle à voix basse.

Sans prendre la peine de les compter, elle fourra les billets dans son sac avec les bijoux.

L'idée lui vint subitement qu'il y avait un certain avantage à exécuter ce genre de travail à Philadelphie. Ici, elle disposait en permanence d'un abondant butin, puisque dès que des clients s'en allaient, d'autres s'installaient à leur place. En outre, elle volait des inconnus, et n'avait pas à se limiter quant au montant des biens qu'elle dérobait, de peur que le coupable ne soit découvert trop tôt ou que quelqu'un ne se souvienne de sa récente visite. En revanche, comme toujours, elle s'efforçait de ne jamais emporter d'objets risquant d'avoir une valeur sentimentale. Non que cela diminuât son sentiment de culpabilité, mais voler des gens qu'elle ne connaissait pas lui était en quelque sorte plus facile.

Une fois les commodes vidées de leurs trésors, Andréa commença à passer en revue les vêtements éparpillés dans la chambre. Les gens aussi peu soigneux laissaient fréquemment des broches, des épingles ou des boutons de manchettes sur leurs habits ou au fond de leurs poches. Après avoir examiné tous les vêtements, elle les replia automatiquement en piles impeccables.

Elle avait pratiquement fini, avait fouillé la chambre et le salon de fond en comble, quand un léger bruit la fit se figer sur place. On venait de tourner une clé dans la serrure de la porte qui se trouvait à moins de six pas ! Paralysée par la panique, Andréa resta une seconde immobile. Puis, reprenant soudain ses esprits, elle fonça vers le canapé le plus proche et s'aplatit entre le dossier et le mur. La porte s'ouvrit à l'instant où elle pensa à souffler la bougie qu'elle avait gardée à la main.

— Quelle est cette odeur ? demanda une voix de femme depuis le seuil. Ça sent comme si on venait d'éteindre une bougie.

— C'est sans doute la femme de chambre qui est venue mettre de l'ordre, répliqua un homme d'un ton distrait.

Une douce lumière emplit la pièce lorsqu'on alluma une lampe à pétrole.

— Elle n'a pas fait son travail avec beaucoup de

zèle, reprit la femme d'une voix dédaigneuse. Regarde-moi ça ! Puisqu'elle a pris la peine de plier les vêtements, elle aurait pu les ranger dans l'armoire, au lieu de les laisser empilés par terre !

— Peut-être n'a-t-elle pas su faire la différence entre ceux qui étaient assez propres pour être suspendus dans l'armoire et ceux qui devaient partir au nettoyage, suggéra l'homme.

— Si moi je le sais, elle devrait le savoir aussi !

Un tintement de verre suivi d'un bruit de liquide pétillant indiqua à Andréa qu'ils venaient de se servir à boire. Une paire de chaussures cirées s'approcha du canapé sur lequel l'homme se laissa tomber. Bien qu'elle ne pût le voir, Andréa en conclut immédiatement qu'il devait être de forte corpulence, car le canapé s'enfonça de deux bons centimètres, l'écrasant pratiquement contre le mur.

— Que voulais-tu qu'elle fasse ? reprit-il. Qu'elle renifle sous les aisselles pour savoir lesquels étaient sales ?

— Inutile d'être grossier, chéri. Tout ça parce que je t'ai fait quitter cette pièce de théâtre insupportable avant la fin.

— Ça me plaisait bien.

— Je ne comprends vraiment pas pourquoi. C'est sans aucun doute le plus mauvais spectacle que j'aie vu de toute ma vie.

La voix de la femme s'éloigna, et Andréa devina qu'elle était passée dans la chambre. D'une seconde à l'autre, elle allait découvrir que son coffret à bijoux était quasiment vide !

— Franchement, Thomas ! Viens voir ici ! Cette paresseuse n'a même pas fait le lit, et n'a évidemment pas changé les draps ! Il va falloir que tu te plaignes à la direction.

L'homme s'extirpa du canapé et rejoignit son épouse en colère d'un pas traînant.

— Oui, ma chérie. C'est ce que je vais faire. Mais ça ne pourrait pas attendre demain matin ?

Andréa bondit littéralement jusqu'à la porte, son sac

rempli de biens dérobés serré tout contre sa poitrine. Par chance, l'homme avait oublié de la fermer à clé. Reprenant son équilibre, elle se précipita dans le couloir désert au moment où la femme poussa un cri.

— Dieu du ciel! Nous avons été cambriolés!

Sa chambre étant trop loin à son goût, Andréa s'engagea en hâte dans l'escalier de service. Elle venait juste de disparaître à l'angle du couloir quand les hurlements furieux de Thomas résonnèrent contre les murs.

— Quelqu'un va devoir répondre de cela! Des têtes vont tomber!

Alertées par ses cris, plusieurs personnes ouvrirent leur porte et des voix commencèrent à s'élever dans un brouhaha confus. Sans prendre le temps d'en écouter davantage, Andréa dévala fébrilement les marches jusqu'à l'étage du dessous.

7

Andréa emprunta l'escalier de service jusqu'au rez-de-chaussée, puis longea le couloir qui débouchait dans le hall. Soulagée d'être suffisamment loin du lieu du délit pour n'éveiller aucun soupçon, elle se dirigea vers l'ascenseur en se demandant s'il était très sage de regagner tout de suite sa chambre. Elle était face au bureau de la réception, tournant le dos à l'entrée principale, et ne vit donc pas Brent entrer dans le hall. Ce ne fut que lorsqu'il l'aborda, la faisant presque sursauter, qu'elle prit conscience de sa présence.

— Andréa... Que faites-vous ici? s'enquit-il d'un air intrigué. Je vous croyais retirée dans votre chambre depuis longtemps.

— Je... euh... j'étais seulement descendue pour voir si je pouvais avoir une tisane. Je souffre d'un mal de tête épouvantable.

— Vous êtes sûre que vous ne feriez pas mieux d'appeler un médecin? Vous êtes toute rouge.

Instinctivement, elle porta les mains à ses joues. Même à travers ses gants, elle sentit la chaleur qui irradiait de son visage.

— Ça va aller. Dès que je me serai débarrassée de cette affreuse migraine et que je pourrai me reposer.

Brent l'observait d'un air bizarre.

— Qu'y a-t-il ? lui demanda-t-elle.

— Je me demandais pourquoi vous aviez pris la peine de mettre des gants pour descendre à la réception. A propos, il y a comme une grosse tache blanche sur celui de droite.

Horrifiée, Andréa vit qu'il y avait une trace de poudre sur le tissu, la poudre de riz de sa victime !

— Oh ! Eh bien, il faudra que je les porte à nettoyer.

Très vite, elle chercha une explication logique à lui fournir.

— J'espère que la poudre contre la migraine ne laisse pas de taches indélébiles ! Au moment où j'ai déchiré le paquet, mon dernier, toute la poudre s'est renversée. C'est pourquoi je vais devoir me contenter d'une tisane en attendant que le pharmacien ouvre demain matin. Mais je n'avais pas remarqué que mes gants étaient tachés. Merci de me l'avoir signalé.

— Vous ne m'avez toujours pas dit pourquoi vous avez éprouvé le besoin de mettre des gants pour descendre jusqu'à la réception.

Elle agita la main et se força à rire.

— L'habitude, je suppose ! Tout simplement l'habitude. A force de les enfiler chaque fois que je sors, je ne réfléchis même plus avant de les mettre.

— Et ce grand sac ? insista-t-il d'un ton qui dénotait clairement sa méfiance.

— C'est pareil, fit-elle avec un sourire gauche. C'est vraiment idiot ! Parfois, je me dis que je vis depuis si longtemps avec Maddy que je finis par attraper ses manies. A moins que ce ne soit à cause de cet horrible mal de tête.

Derrière eux, les portes de l'ascenseur s'ouvrirent et un homme furieux sortit, manquant bousculer Andréa au passage.

— Je veux parler au directeur! hurla-t-il. Et tout de suite! Ma chambre a été cambriolée, et je tiens cet hôtel pour responsable! Quel genre d'employés avez-vous donc ici? Non seulement ils ne font pas leur travail correctement, mais en plus ils volent tout ce qui n'est pas cloué aux murs!

Si ridicule que cela paraisse, puisque Thomas et sa femme ne l'avaient pas vue et ne pouvaient donc deviner qu'elle était leur voleuse, Andréa éprouva tout à coup une irrésistible envie de fuir. Il lui fallait filer d'ici au plus vite! Elle saisit le premier prétexte qui lui traversa l'esprit.

— Ô mon Dieu! Cet homme a sa chambre tout à côté de la nôtre! Il faut que je remonte en vitesse voir si Maddy va bien! Elle doit être morte de peur!

— Et votre tisane? demanda Brent, tout en suivant d'une oreille la conversation qui se déroulait à la réception. C'est pour ça que vous étiez descendue, si vous vous rappelez.

Elle le regarda curieusement. Diable, il donnait vraiment l'impression d'être... jaloux!

— Je le sais bien. Mais, avec toute cette agitation, et tant de choses plus urgentes à faire, je doute que l'employé voudra s'embêter à me faire une tisane. Et puis, il faut que j'aille retrouver Maddy.

Bien que toujours incapable de déterminer si elle lui disait ou non la vérité, Brent jugea bon de la quitter afin d'aller s'informer sur ce tout dernier vol.

— Vous avez raison, dit-il en la poussant dans l'ascenseur. Montez, et je veillerai à ce qu'on vous apporte une tisane, quitte à la préparer moi-même.

— Nous nous voyons demain matin, comme prévu? lança-t-elle en hâte, alors que les portes se refermaient.

— Absolument.

Ce fut la dernière chose qu'elle entendit, car l'ascenseur l'emporta aussitôt dans un grincement plaintif de câbles.

Dès que la police arriva pour établir un rapport officiel concernant le vol, Brent leur fit part discrètement de sa mission. Les policiers acceptèrent de le faire participer à l'enquête, tout comme les deux détectives de l'agence Pinkerton qui apparurent peu après, et qui faisaient partie de la douzaine d'hommes envoyés à Philadelphie pour couvrir la célébration du Centenaire.

En voyant le costume lustré et le chapeau melon un peu raide des deux espions Pinkerton, Brent dut reconnaître que Ken ne s'était pas trompé dans ses suppositions. Ces deux-là, en tout cas, ne pouvaient guère espérer passer inaperçus au sein d'une assemblée élégante. Toute personne ayant un minimum de classe les aurait repérés sur-le-champ.

Furieux, Thomas Thornton accompagna tout ce petit monde pour inspecter le lieu du crime. Ils trouvèrent sa femme en sanglots, entourée de clients inquiets qui s'efforçaient de la consoler. Bouleversé comme il l'était, son mari se montra nettement moins attentionné.

— Pourrais-tu cesser de pleurnicher ainsi ?

— Oh, tais-toi ! gémit-elle. Ce n'est pas à toi qu'on a pris tous tes plus beaux bijoux !

— Peut-être, rétorqua-t-il avec amertume, mais j'avais quatre mille dollars cachés dans une chaussette !

Les policiers l'ignorèrent et s'empressèrent de vaquer à leurs diverses tâches, tandis que Brent restait à l'écart pour les observer. Au bout de quelques minutes, l'un des détectives interpella son collègue.

— Ça m'a tout l'air d'être le même coupable.

— Oui, confirma l'autre. Même M.O. qu'à Washington.

— M.O. ? répéta Brent.

— *Modus operandi*, expliqua l'homme. C'est la manière d'opérer.

— Qu'est-ce qui vous fait penser qu'il s'agit de la même personne ?

— Entre autres indices, il n'y a pas eu effraction. Celui qui est entré ici l'a fait sans forcer la serrure ni briser aucune vitre : soit il s'est servi d'une clé, soit la porte était restée ouverte.

— La porte était fermée à clé! s'écria Thornton, indigné. Je fais très attention à ce genre de choses.

Le premier détective haussa les épaules.

— Dans ce cas, pourquoi gardez-vous de l'argent dans une chaussette, alors que l'hôtel met un solide coffre-fort à votre disposition?

La corpulente victime bomba le torse comme un coq en colère.

— Si vous tentez d'insinuer par là que c'est ma faute, vous tombez mal, monsieur! Mais je ne fais pas plus confiance aux employés de la réception qu'à la femme de chambre qui a emporté tous nos biens! Ce sont eux que vous devriez interroger, pas moi!

— Je doute que ce soit la femme de chambre qui ait commis ce vol, mais nous allons lui parler, soyez-en certain. Tout d'abord, j'ai besoin de quelques précisions de votre part. Par exemple, qui a plié ces vêtements en piles si impeccables?

— C'est cette fichue femme de chambre, je vous dis! Quand Sara et moi sommes partis au théâtre, nous étions trop en retard pour nous soucier de mettre de l'ordre dans la chambre!

— Et la coiffeuse? Etait-elle aussi bien rangée qu'elle l'est maintenant?

— Je… je ne pense pas, avoua Sara. Autant que je me souvienne, j'ai eu un geste maladroit en mettant ma poudre, et j'en ai répandu un peu partout. Je me suis dit que la femme de chambre passerait nettoyer plus tard. Mais je ne m'attendais certainement pas qu'elle en profite pour me dérober tous mes bijoux!

Une vague idée surgit à l'esprit de Brent, mais il préféra l'écarter et se concentrer sur l'interrogatoire.

— Et votre coffret à bijoux? insista le détective. Vous le rangez toujours avec autant de soin? Les colliers à un endroit, les bracelets à un autre et toutes les boucles d'oreilles méticuleusement alignées par paires?

— Seigneur, non! Qui a du temps à perdre à de pareilles bêtises?

— Notre voleur, manifestement, répondit sèchement

l'homme avant de se tourner vers son collègue. Comme tu disais, M.O. identique.

— Je vais vérifier si de nouvelles femmes de chambre ont été embauchées récemment, proposa un des policiers.

—- Pendant que tu y es, vérifie le tableau de service de tout le personnel et regarde si l'un d'entre eux n'était pas domicilié à Washington ces derniers temps. Non que j'espère coincer le coupable aussi facilement, ajouta un autre inspecteur d'un air désabusé.

Brent repartait vers l'ascenseur en réfléchissant à tout ce qu'il venait de voir et d'entendre, quand un appel l'arrêta.

— Pssst! fit la voix une seconde fois.

Il se retourna et aperçut la tête d'Andréa dans l'embrasure de la porte. D'un geste de l'index, elle lui fit signe d'approcher.

— Ils savent qui a fait le coup? chuchota-t-elle.

— Comment saviez-vous que j'étais là?

— Je vous ai vu passer avec les policiers tout à l'heure, et j'ai pensé que vous les aviez suivis pour satisfaire votre curiosité. Fourrer votre nez partout comme ça pourrait vous attirer des ennuis, vous savez, plaisanta-t-elle.

Brent poussa un soupir de soulagement. L'espace d'un instant, il s'était affolé à l'idée qu'elle ait deviné son rôle secret.

— Interpeller des hommes du seuil de votre porte à cette heure de la nuit pourrait aboutir au même résultat, lui dit-il en retour.

— Vous éludez ma question. Ont-ils découvert qui était le coupable?

Il lui sourit et s'appuya légèrement contre la porte.

— Laissez-moi entrer et je vous le dirai, marchanda-t-il.

Ce qu'elle fit, à sa grande surprise. Avec plus d'étonnement encore, il réalisa qu'elle était en chemise de nuit, bien qu'enveloppée de la tête aux pieds dans un immense peignoir. Andréa prit place sur le canapé et tapota le coussin qui se trouvait près d'elle.

— Asseyez-vous ici. Mais ne faites pas de bruit. Maddy dort dans la chambre à côté.

Brent s'empressa d'obéir, ravi qu'elle le fasse asseoir tout près d'elle plutôt que de l'obliger à rester à l'autre bout de la pièce.

— Comment va votre tête ? lui demanda-t-il avec sollicitude. Vous a-t-on finalement monté cette tisane ?

— Oui, merci. Un garçon me l'a apportée et, apparemment, ça m'a fait de l'effet.

— Alors, pourquoi n'êtes-vous pas couchée ?

— Parce que je vous attendais. J'ai bien cru que vous n'en finiriez jamais. J'ai même attrapé un torticolis à force d'aller regarder dans le couloir toutes les cinq minutes.

— Si vous voulez, je peux vous masser.

Elle lui jeta un regard sceptique.

Brent s'empressa de lever les mains d'un air parfaitement innocent.

— En tout bien tout honneur. Je fais ça à ma mère et à ma sœur tout le temps.

— Ma foi, ça me ferait peut-être du bien, concéda-t-elle. A condition que vous pensiez à moi comme si j'étais votre sœur.

— Ça risque d'être un peu compliqué, mais je vais essayer.

Il la fit pivoter de façon à être face à son dos, puis posa délicatement les mains sur sa nuque.

Un long frisson parcourut la colonne vertébrale d'Andréa.

— Puis-je me permettre de vous demander de desserrer un tout petit peu votre col ?

— Vous êtes certain de ne pas avoir une idée derrière la tête ? demanda-t-elle en lui jetant un regard par-dessus son épaule.

Il rit doucement.

— Moi être honnête Indien.

Andréa desserra les liens de son peignoir afin qu'il puisse toucher son cou.

— Maintenant, détendez-vous, et laissez-moi dénouer ces muscles tendus.

Ses mains étaient douces, légères. Ses doigts agiles éveillaient des sensations merveilleuses dans le cou et sur les épaules. En quelques secondes, Andréa se sentit fondre comme une motte de beurre au soleil.

— Racontez-moi. Qu'avez-vous appris sur le vol de ce soir ?

— Eh bien, Mr. Thornton, l'homme qui est sorti en vociférant de l'ascenseur, prétend que c'est la femme de chambre la coupable, mais la police n'a pas l'air aussi convaincue.

— Si c'est la même que celle qui s'occupe de nos chambres et des autres à cet étage, elle me paraît trop sage et trop honnête pour voler quoi que ce soit, observa Andréa.

Brent avait de plus en plus de difficultés à se concentrer sur le sujet tant la peau d'Andréa était tiède et soyeuse sous ses doigts.

— Euh... comme je vous le disais, les Thornton accusent la femme de chambre, pour la bonne raison que tout était parfaitement en ordre et que le voleur est entré avec une clé. Aucune serrure n'a été forcée, ni aucune fenêtre brisée.

— Eh bien, heureusement ! Nous sommes tout de même au troisième étage ! déclara Andréa à voix basse. Et pourquoi la police ne soupçonne-t-elle pas la femme de chambre ?

— Je ne saurais le dire exactement, répondit Brent avec prudence, ne voulant pas tout divulguer et risquer de compromettre l'enquête. J'imagine qu'ils préfèrent ne pas tirer de conclusions trop hâtives tant qu'ils n'ont pas consigné tous les faits.

— Oh.

Andréa haussa légèrement les épaules, ce qui fit glisser son peignoir et en dénuda une. Elle ne sembla pas s'en rendre compte.

— Je suppose que c'est plus sage de leur part, vous ne pensez pas ?

Brent répondit d'un grognement rauque. A part la

fine bretelle bleue de sa chemise de nuit, l'épaule d'Andréa était complètement exposée. Ses doigts s'aventurèrent à caresser légèrement sa peau nue.

Andréa frissonna et inclina la tête sur le côté. Il n'en fallait pas plus pour encourager Brent à poursuivre. Se penchant sur elle, il effleura son épaule parfumée d'un baiser. Le goût de sa peau nue sous sa langue ne fit qu'attiser son désir. Doucement, en prenant soin de ne pas lui faire mal ni l'affoler, il la mordilla tendrement au creux de la clavicule, s'attardant sur le tendon sensible qui frémissait à la surface de la peau.

— Ô mon Dieu! s'exclama-t-elle dans un souffle.

Andréa ne put retenir un soupir de plaisir. Et lorsque les lèvres de Brent remontèrent de son cou à son oreille, elle se mit à trembler. Jamais elle n'avait rien connu d'aussi sensuel, jamais elle ne s'était sentie si extraordinairement vivante, comme si tous ses sens étaient soudain en éveil pour la première fois de sa vie. Sa peau la brûlait, son sang battait à ses tempes en une joyeuse mélodie à laquelle Brent imposait son rythme.

Quand il la fit se retourner pour la prendre dans ses bras, elle se laissa faire sans résister, et ses lèvres cherchèrent avidement les siennes. Leurs bouches se collèrent, se fondirent l'une à l'autre et leurs langues s'entremêlèrent vivement, s'explorant mutuellement à la recherche de merveilles cachées.

Les doigts de Brent effleurèrent sa gorge, glissèrent sur la veine qui palpitait intensément à la base de son cou. Sa main descendit plus bas encore, frôlant sa poitrine de si près que la pointe de son sein se dressa, impatiente d'être caressée. Instinctivement, Andréa se pressa contre lui. La main de Brent se referma doucement sur son sein et le serra comme s'il s'agissait du plus précieux des trésors. Son pouce passa plusieurs fois lentement sur le mamelon, et Andréa ressentit un élancement étrange dans le ventre. Tout en elle semblait se tendre et fondre en même temps.

Sans qu'elle sache exactement comment il s'y était pris, Brent la débarrassa de son peignoir. Sa main se faufila doucement sous la chemise de nuit, ses doigts étaient si brûlants sur la peau frémissante de sa poitrine qu'elle fut convaincue de rester à tout jamais marquée par ses caresses. Mais elle s'en moquait éperdument, tout ce qui lui importait pour l'instant était de rassasier la folle passion qu'il avait éveillée en elle.

— Allons, vous deux ! Ça suffit !

L'exclamation indignée de Maddy, si brutale et si inattendue, les fit sursauter. Ils s'écartèrent l'un de l'autre comme si on les avait tirés par la peau du cou, avec la même expression coupable sur le visage, et Brent retira en vitesse sa main du décolleté d'Andréa tout en ramenant en hâte les pans du peignoir. Il redressa la tête et eut aussitôt un nouveau choc en apercevant la vieille dame en robe de chambre et chaussons, une forêt de papillotes hérissées dans tous les sens sur la tête.

Maddy le regarda droit dans les yeux.

— Je vous conseille de garder pour vous vos commentaires, jeune homme ! lança-t-elle, lisant dans ses pensées avec une perspicacité troublante. Vous êtes en assez fâcheuse position ! Et vous aussi, jeune demoiselle ! poursuivit-elle en s'adressant à Andréa. Seigneur ! Vous n'avez pas idée de la frayeur que vous m'avez faite ! Il y a des années que je n'avais pas été réveillée par de tels gémissements et soupirs, mais je ne suis pas assez vieille pour ne pas me souvenir de ce qu'ils annoncent. Pendant un instant, j'ai cru que Dwight s'était relevé de sa tombe ! J'ai failli mourir d'apoplexie !

Le visage d'Andréa s'empourpra.

— Maddy ! Pour l'amour du ciel !

— C'est exactement ce que je me suis dit ! reprit la vieille dame. A deux heures du matin, arrachée à un profond sommeil, que pouvais-je en conclure d'autre ? Je ne m'attendais certainement pas à vous trouver tous les deux serrés l'un contre l'autre sur ce canapé, tellement serrés qu'on ne pourrait même pas glisser une feuille de papier entre vous deux ! Vous devriez avoir honte !

— Je crois que je ferais mieux de m'en aller, suggéra Brent, impatient de s'éclipser.

Elle le transperça d'un regard implacable.

— C'est une excellente idée. Ça me dissuadera peut-être d'interdire à Andréa de vous revoir. Toutefois, quand suffisamment de temps aura passé et que ma colère sera retombée, vous et moi aurons une petite conversation.

— Oui, madame, dit-il sagement.

Il hasarda un regard timide vers Andréa et constata avec effarement qu'elle luttait de toutes ses forces pour ne pas rire.

— Je vous raccompagne, lui dit-elle d'une voix chevrotante, plus proche de l'hilarité que du chagrin.

— C'est ça, je retourne dans mon lit, gronda Maddy en levant vers eux un doigt tremblant. Mais je vous préviens que si vous mettez plus de deux minutes pour vous dire au revoir, je n'hésiterai pas à me relever! Alors, pas de blagues!

— Oui, Maddy, firent-ils en chœur.

Dès que la vieille dame fut repartie dans sa chambre, Andréa attrapa Brent par le bras et l'entraîna en hâte vers la porte.

— Vous feriez bien de partir avant qu'elle ne se fâche davantage. Je vous jure que je ne l'ai jamais vue dans une telle fureur. Et je ne vous imaginais pas si docile.

— La mamie m'a flanqué une telle frayeur! confessa-t-il. Au fait, met-elle ces espèces de piques dans ses cheveux tous les soirs? C'est le spectacle le plus bizarre que j'aie jamais vu.

Andréa acquiesça.

— Tous les soirs. Pourquoi me demandez-vous cela?

— Pour savoir si je dois m'attendre à vous voir ainsi chaque fois que vous viendrez me rejoindre au lit. Quand nous serons mariés, bien entendu.

Andréa le poussa dans le couloir.

— Faites de beaux rêves, Prince Charmant! fit-elle d'une voix mélodieuse.

Et, toujours en souriant, elle lui claqua la porte à la figure.

8

Andréa était amoureuse, follement, terriblement amoureuse. Le moment avait beau être inopportun, les circonstances plus que défavorables, malgré tous ses efforts, elle ne pouvait s'en empêcher. C'était arrivé et elle ne pouvait rien changer à ce qu'elle ressentait. C'était comme si son cœur avait pris le contrôle de sa raison et refusait de se laisser influencer.

Ça tombe vraiment mal ! songea-t-elle, préoccupée. Sa vie était déjà si compliquée avec tous les obstacles qui se trouvaient sur son chemin. Ralph Mutton, la situation difficile de Stevie, ces affaires de vols… voilà ce qu'elle devait affronter en ce moment. La dernière chose dont elle avait besoin était bien de tout compliquer en tombant amoureuse.

— Qu'est-ce qui ne va pas, Andréa ? demanda Maddy en voyant son air préoccupé.

La vieille dame continua tranquillement à beurrer son scone.

— Si vous êtes fâchée contre moi parce que je vous ai grondée hier soir, j'en suis désolée. Mais j'étais hors de moi, comme vous avez pu le constater, et vous et votre jeune avocat méritiez une bonne leçon.

— Je sais, et je vous demande pardon de vous avoir réveillée. Et pour notre conduite à Brent et à moi. Je n'ai jamais voulu que les choses tournent ainsi. Tout va trop vite pour moi, Maddy. J'ai l'impression d'être une acrobate de cirque qui essaie de jongler avec trop de quilles à la fois. Après avoir vu les problèmes que s'était attirée Lilly, je m'étais promis d'être plus prudente dans mes choix, surtout de ne rien précipiter. Et me voilà amoureuse d'un inconnu que j'ai rencontré il y a quelques jours à peine !

— C'est donc cela qui vous arrive ? demanda gentiment la vieille dame. Vous êtes tombée amoureuse de Brent Sinclair?

— Oui! gémit Andréa. Et j'en perds la tête! Je suis heureuse et malheureuse en même temps. Oh, Maddy, qu'est-ce que je vais faire?

— Ça dépend des sentiments que Brent a pour vous, et d'après ce que j'ai pu voir, ce garçon est fou de vous. Il a l'intention de vous épouser, n'est-ce pas?

Andréa hocha la tête.

— Il me l'a proposé, mais je n'ai pas dit oui.

— Si vous vous aimez, où est le problème?

— Ce serait trop compliqué de tout expliquer. Disons que cela tombe à un mauvais moment pour moi. J'ai besoin d'un peu de temps pour faire le point, remettre un peu d'ordre dans ma vie. Je dois prendre en compte Stevie, mon travail, et le fait que je dois bientôt retourner à Washington avec vous.

— Allons, ne vous en faites pas, conseilla Maddy en lui tapotant la main. Tout s'arrangera en temps voulu.

— C'est justement ce qui m'inquiète. Je n'ai pas assez de temps.

Maddy secoua la tête.

— Inutile de vous presser, ma chère. Je suis sûre que Brent trouvera le moyen de venir à Washington pour continuer à vous faire la cour. Steven et lui pourront ainsi faire connaissance, et vous aurez l'occasion de vous calmer et de vous préparer à ce mariage. Si c'est vraiment ce que vous voulez. Prenez les choses au jour le jour, Andréa, et vous finirez par y voir clair.

Andréa poussa un gros soupir et réussit à sourire à son amie et bienfaitrice.

— Comment faites-vous pour être si sage, Maddy?

— Ça vient avec l'âge, à ce qu'on dit! répondit-elle avec un sourire malicieux. Je pense que le Seigneur nous donne un peu de sagesse en compensation des cheveux blancs et des rides, quoique, personnellement, il y ait des jours où je préférerais être une ravissante idiote.

Alors que les deux femmes s'apprêtaient à sortir de leur chambre pour aller passer une autre journée à la foire avec leurs amis, un livreur apporta un nouveau paquet à Andréa.

— Qu'est-ce qu'il peut bien m'envoyer encore ? J'espère que ce ne sont pas des fleurs. S'il continue, cette pièce va finir par ressembler à une chambre mortuaire !

— Dieu nous protège ! s'exclama Maddy avec un frisson exagéré. A mon âge, je préfère éviter tout ce qui fait penser à la mort, merci bien !

Andréa ouvrit le paquet et en sortit un grand plaid écossais en laine.

— Je crois que c'est un châle en laine. Il est joli, non ?

— Et bien épais, ajouta Maddy en venant le toucher. Idéal pour l'hiver. Je me demande s'il l'a trouvé au stand écossais devant lequel nous sommes passés hier.

Andréa chercha la carte habituelle au fond de la boîte, curieuse d'en apprendre plus sur ce nouveau cadeau.

— C'est drôle, murmura-t-elle. Il n'y a aucun mot.

— Si, il est là, épinglé au châle…

Maddy ne résista pas au plaisir de le lire.

— Oh ! s'exclama-t-elle doucement. Ma chère Andréa, il semble que vous ayez un autre prétendant. Ce n'est pas Brent qui a envoyé ça.

— Ah bon ? s'exclama-t-elle en ouvrant de grands yeux. Mais alors qui ?

Maddy lui tendit la carte.

— Un certain Dugan MacDonald. Un Ecossais, je suppose, d'après le cadeau et le nom.

— Il dit qu'il m'attend dans le hall de l'hôtel pour me rencontrer personnellement, ajouta Andréa, intriguée par cette dernière information.

Maddy se mit à rire.

— Brent doit y être aussi, si je ne me trompe. Je parie qu'il va adorer cela !

Elle glissa son bras sous celui d'Andréa et l'entraîna vers la porte.

— Et je ne manquerais cela pour rien au monde !

Andréa sortit d'un pas hésitant de l'ascenseur, luttant contre une envie ridicule de se cacher derrière les jupes de Maddy. Presque aussitôt, elle aperçut Brent et fut surprise de le voir entouré de trois jolies jeunes femmes qui rivalisaient entre elles pour attirer son attention. Et le pire était que les efforts qu'elles déployaient semblaient le ravir.

— Un peu de concurrence lui fera du bien! assura Andréa d'un ton irrité. Quel goujat!

— Nous allons vite voir ça, dit Maddy. A moins que je ne me trompe, je crois que voilà votre Ecossais. Diable, c'est un costaud!

Andréa suivit le regard de son amie et faillit s'étrangler. Costaud n'était pas le meilleur terme pour décrire l'homme qui venait vers elle. Enorme convenait mieux! Affublé d'une tignasse raide et rousse et d'une barbe de la même couleur flamboyante, il faisait plutôt penser à un chêne gigantesque en automne.

— Seigneur Jésus! souffla Andréa, fortement impressionnée.

— Il ressemble de manière frappante à un buisson ardent, reconnut Maddy. S'il était romain et non écossais, je l'associerais volontiers au dieu Mars. Et, avec cette chevelure de feu, ça ne m'étonnerait pas qu'il ait un tempérament aussi belliqueux.

Il avait également un accent si prononcé qu'Andréa dut faire un effort pour le comprendre lorsqu'il lui adressa la parole.

— Miss Albright, je suis Dugan MacDonald. Avez-vous reçu le cadeau que je vous ai envoyé?

— Oui, je l'ai reçu, Mr. MacDonald. C'est très aimable à vous, mais je crains de ne pouvoir l'accepter.

Le sourire de l'Ecossais s'évanouit et, lorsqu'il fronça les sourcils, son front se creusa de rides profondes.

— Pourquoi? demanda-t-il.

Déroutée, Andréa papillonna des yeux.

— Parce que c'est un présent beaucoup trop coûteux pour que je puisse l'accepter d'un inconnu, souffla-t-elle d'une voix si timide qu'elle eut du mal à la reconnaître comme étant la sienne.

— Maintenant que nous nous sommes rencontrés, nous ne sommes plus des inconnus, mademoiselle, rétorqua-t-il. Vous pouvez donc garder le châle.

— Non, sincèrement, je ne peux pas. Je ne voudrais pas vous offenser, mais je fréquente quelqu'un d'autre. Un autre homme, ajouta-t-elle de façon superflue.

Il la toisa de toute sa hauteur.

— Je me doute que ce n'est pas à une femme que vous vous intéressez. Qui est-ce?

Maddy s'interposa entre eux, si ridiculement petite à côté de Dugan que son nez faillit toucher la boucle de sa ceinture quand elle leva les yeux vers lui.

— Cela ne vous regarde en rien, déclara-t-elle. On aurait dû vous apprendre ça quand vous étiez petit.

Il rit, d'un rire tonitruant qui fit trembler le sol.

— Madame, sachez que je n'ai jamais été petit. Je suis né grand, et j'ai continué à grandir.

— Je vous crois volontiers, lui assura Maddy. Mais vous vous conduisez comme une personne sans éducation. Un gentleman aurait accepté poliment de se faire éconduire et se serait retiré.

— Et si je ne le fais pas, que va-t-il arriver? fit-il avec un immense sourire. Vous n'allez quand même pas me donner la fessée?

— Ne me défiez pas, gros balourd! répondit-elle vivement, une lueur de fureur dans ses yeux bleus.

— Que se passe-t-il ici? Il y a un problème?

Andréa se tourna vers Brent avec un mélange de soulagement et d'agacement.

— Il est bien temps de vous arracher à vos distractions pour nous venir en aide! siffla-t-elle à mi-voix. Mr. MacDonald s'est montré importun et est en train de se faire remettre à sa place comme il se doit par Maddy. Or, comme vous pouvez le constater, ils sont affreusement mal assortis.

L'expression qu'eut Brent quand son regard remonta du visage furieux de Maddy à celui du géant penché sur elle eût été comique si la situation n'avait pas été aussi tendue.

— Je trouve qu'elle s'en tire avec beaucoup de dignité, murmura Brent.

— Faites quelque chose, espèce de mufle ! Cet homme a l'intention de me faire la cour !

— Mais pourquoi ne pas me l'avoir dit plus tôt ? lança Brent, perdant rapidement tout son humour.

Délicatement, il écarta Maddy de son chemin.

— Je m'appelle Brent Sinclair, et j'accompagne Miss Albright, annonça-t-il fermement, bien que contraint lui aussi, malgré sa haute taille, de s'étirer le cou pour regarder l'Ecossais dans les yeux.

— Dugan MacDonald, grommela le géant en jetant un regard intimidant à Brent. C'est vous l'homme dont Miss Albright est si éprise ?

Brent lui fit courageusement face et ne recula pas d'un millimètre.

— Oui. C'est moi. Nous allons bientôt nous marier.

A ces mots, les sourcils broussailleux de l'Ecossais se haussèrent.

— Alors, vous êtes fiancés ?

Avant qu'Andréa ait réalisé ce qu'il avait en tête, Dugan s'empara de sa main qui disparut pratiquement dans la sienne.

— Dans ce cas, pourquoi ne porte-t-elle pas de bague au doigt ? Ici aussi, à ce que je sais, la coutume veut que la jeune fille porte un signe pour indiquer aux autres qu'elle est promise à quelqu'un.

— Je ne lui ai fait cette proposition que très récemment. Nous n'avons pas encore choisi de bague, expliqua Brent. Et si j'étais vous, je lui relâcherais la main avant que je ne sois forcé de vous étrangler.

— Je ne sais pas pourquoi, mais j'ai comme l'impression que vous ne me dites pas la vérité, insista le géant. Il se pourrait même que vous ne soyez pas fiancés du tout.

— Ma relation avec Mr. Sinclair ne vous regarde en rien, glissa Andréa en tirant sur sa main. Je vous ai repoussé, un point c'est tout. Aussi laissez-moi tranquille. Je vous ferai porter votre châle d'ici une heure tout au plus.

— Et je vous le renverrai aussitôt, riposta-t-il, ses yeux marron brillant d'arrogance. Nous verrons bien qui se fatiguera le premier.

— Dernier avertissement, MacDonald, grogna Brent en posant sa main sur le poignet de l'Écossais. Lâchez-la. Et tout de suite.

Les deux hommes se toisèrent du regard, mais Brent tint bon.

Le géant pressa légèrement la main d'Andréa avant de la libérer et de se reculer.

— Passez une bonne journée, mademoiselle. Mais n'allez pas imaginer que vous n'entendrez plus jamais parler de Dugan MacDonald. Je n'abandonne pas si facilement.

Tandis qu'il s'éloignait, Andréa respira un grand coup avant de se tourner vers Brent d'un air inquiet.

— Vous pensez qu'il va revenir nous importuner ?

— Ça ne me surprendrait pas. Mais s'il le fait, je vous protégerai.

Les yeux d'Andréa s'arrondirent d'admiration.

— C'est vrai, vous seriez prêt à vous battre pour moi ?

— Bien entendu. Et ce, même s'il doit me mettre la pâtée.

— S'il continue à nous enquiquiner, nous nous battrons ensemble, ajouta Maddy, toujours aussi folle furieuse. Ce sera l'esprit contre le muscle ! David contre Goliath ! Cette brute épaisse n'aura même pas le temps de voir ce qui lui tombera dessus !

Andréa et Brent ne purent s'empêcher de rire.

— J'ai un plan, dit Brent. Nous laisserons Andréa l'attirer dans votre chambre. Et là, vous lui sauterez dessus, dans la tenue que vous aviez hier soir, avec ces papillotes entortillées dans vos cheveux. Il sera si stupéfait que je l'assommerai d'un coup de chaise. Puis nous le ligoterons solidement et nous le vendrons à des forains ambulants. Vous croyez que ça marchera ?

— A merveille ! s'esclaffa Andréa en riant.

— Prenez garde à vous, jeune canaille! l'avertit Maddy. Sinon, il faudra autre chose que les baisers d'Andréa pour vous changer de crapaud en prince.

On était un samedi. L'exposition grouillait de monde: beaucoup de gens qui travaillaient en semaine étaient venus y faire un tour. Pour la plupart, c'était le seul jour possible puisque la foire était fermée le dimanche, par respect pour les rites religieux.

Ce jour-là encore, le spectacle était fascinant, autant en raison de la qualité des objets présentés que de leur abondance. D'un commun accord, le petit groupe de Maddy termina la visite du bâtiment principal, s'extasiant sur la fontaine en cristal, le concert donné sur l'orgue colossal du Centenaire, les sculptures magnifiques, les meubles de toutes origines, les tissages et les soieries exotiques ainsi que sur de somptueux costumes. Il y avait même une démonstration de machines distribuant les tout derniers sodas, où les visiteurs pouvaient goûter de délicieuses boissons à divers parfums.

Curieusement, Brent s'intéressa à un étalage de matériel destiné aux policiers, comportant menottes, sifflets, insignes, matraques et autres accessoires. Pendant ce temps, Andréa assista pâmée d'admiration à la démonstration d'une nouvelle alarme électrique anti-cambriolage. Nombre de ses victimes se félicitèrent de cette invention, regrettant de ne pas en avoir équipé leur maison avant d'être cambriolés. Andréa aurait pu leur expliquer que cet engin n'aurait rien changé, car elle n'avait nul besoin d'entrer chez eux par effraction. Au contraire, elle était toujours accueillie avec de grands sourires et une totale confiance.

Après une courte pause, le temps de déjeuner, le groupe se scinda en deux, les hommes allant voir les derniers modèles de locomotives à vapeur, les femmes préférant explorer le rayon des textiles, où les métiers à tisser et les machines à coudre les plus modernes étaient exposés.

Cette séparation momentanée permit à Andréa de poursuivre ses larcins. Mais elle dut se contenter de délester les visiteurs de leurs biens, les étalages offrant peu de choses pouvant se dissimuler dans un sac. Les bobines de fils et les écheveaux de soie avaient peu de chance d'intéresser Ralph. Elle réussit néanmoins à accumuler un coquet butin. Ainsi la journée ne fut-elle pas totalement perdue.

Brent avait été très occupé, lui aussi, à réunir des pierres précieuses d'une tout autre nature. Si surprenant que cela paraisse, ses trois admiratrices de la matinée l'avaient déniché dans la foule, comme attirées vers lui par magie. Andréa se demanda comment elles avaient réussi à accomplir un tel exploit. L'eau de Cologne de Brent agissait-elle comme un appât mystérieux? Ou était-il tout simplement si attirant qu'aucune femme, y compris elle-même, ne pouvait lui résister?

Avant de rejoindre Andréa et ses amis, Brent se débarrassa de son joyeux harem, au grand dépit des jeunes filles manifestement fort mécontentes de devoir se séparer de lui une seconde fois. D'un pas nonchalant, Brent partit rejoindre Andréa en sifflotant gaiement.

— Vous vous êtes bien amusé? lui demanda-t-elle, le gratifiant d'un faux sourire et d'un ton railleur. Vous avez trouvé quelque chose à votre goût? En dehors de ce trio de jeunes filles qui chantent vos louanges.

Il la regarda avec un grand sourire, visiblement amusé par sa réaction.

— Rien qui m'ait fait envie, répondit-il avec désinvolture. Par contre, j'ai vu une nouvelle machine à écrire qui enchanterait Densing.

— Densing?

— Notre secrétaire, Arthur Densing. C'est lui qui s'occupe de toute la paperasse au bureau, qui prépare les dossiers pour nos clients après que papa, mes frères et moi les lui avons remis afin d'établir le document final.

Andréa haussa légèrement les sourcils.

— Je pensais que vous aviez une femme pour faire

tout cela, maintenant que de nombreuses sociétés en engagent pour effectuer ce genre de tâches. Mais peut-être n'embauche-t-on que des hommes dans votre famille ?

Brent émit un petit rire.

— Oh ! Aurais-je devant moi une militante pour les droits de la femme ? Ne craignez rien, ma douce. Si Densing n'était pas avec nous depuis l'époque où j'étais en culottes courtes, je suis certain qu'il aurait été remplacé par un plus joli minois. Mais cet homme fait un excellent travail, et quand il prendra sa retraite, former quelqu'un sera plus une corvée qu'un plaisir, si charmante soit sa remplaçante.

Il lui adressa un sourire.

— Cependant, j'imagine que je vous entendrai alors vous plaindre que je passe trop de temps au bureau avec la nouvelle secrétaire. C'est drôle, mais j'ai l'impression que vous avez tendance à être jalouse.

Andréa redressa fièrement le nez en l'air.

— Je ne vois pas pourquoi vous pensez cela. En outre, vous continuez à faire comme si vous et moi allions nous marier, alors que je n'ai pas encore accepté votre proposition.

Brent effleura son nez mutin du bout du doigt et lui sourit.

— Je suis un incorrigible optimiste, admit-il.

La prenant par le bras, il la guida vers une présentation d'aquariums remplis de plantes qui enchanta Andréa à tel point qu'elle en oublia son dépit.

— Je n'ai jamais rien vu d'aussi ravissant ! s'extasia-t-elle. Oh ! Regardez celui-ci ! N'est-ce pas étonnant ?

Brent en convint. Toutes sortes de poissons nageaient dans des réservoirs en verre au milieu de fougères et de cailloux décoratifs. Un des aquariums était agrémenté d'une cage à oiseaux, suspendue à une arche, avec un canari chantant à l'intérieur. Plusieurs autres étaient dotés de décors aussi divers qu'élaborés.

— C'est extraordinaire, dit-il. Je crois bien que je vais en commander un pour ma mère. C'est bientôt son anniversaire, et je ne sais jamais quoi lui offrir.

— Quel âge va-t-elle avoir ? demanda Andréa.

— Je ne sais pas exactement. Mère refuse de nous révéler son âge. Elle se contente de dire qu'elle a trente-neuf ans et des poussières et nous laisse deviner.

Brent la regarda soudain en penchant la tête.

— Et vous, quel âge avez-vous ?

Andréa pointa un doigt accusateur vers lui.

— Vous voyez ? Je vous disais bien que nous nous connaissions trop peu pour envisager de nous marier déjà ! Pour votre information, sachez que j'ai dix-huit ans.

Il réfléchit un instant.

— Cela vous fait huit ans de moins que moi, ce qui, à mon avis, est tout à fait idéal. Nous sommes parfaitement assortis.

— Parfaitement grotesques, vous voulez dire, fit-elle en secouant la tête. Diable, ce que vous pouvez être têtu !

— Je préfère penser que je suis quelqu'un de déterminé.

Andréa lui jeta un regard exaspéré.

— Dans votre cas, cela revient au même.

Le petit groupe termina la journée par la visite du bâtiment réservé aux métiers du verre. Apercevant un ange délicatement filé, avec des ailes d'une finesse arachnéenne, Brent l'acheta pour Andréa.

— Un ange pour mon ange, dit-il en lui tendant son cadeau avec une expression de totale adoration.

— Je le chérirai toute ma vie, murmura Andréa, le regard plongé dans ses yeux magnifiques, succombant une fois de plus à son charme irrésistible.

Dans son for intérieur, elle se demanda toutefois si le diable miniature qu'elle avait vu exposé sur le même stand n'aurait pas été plus approprié, plus représentatif en tout cas de l'horrible femme qu'elle était devenue depuis peu.

9

En retournant dans sa chambre, Andréa eut la surprise de trouver un autre paquet. Elle découvrit avec déplaisir le châle renvoyé à Dugan MacDonald juste avant de partir à l'exposition. Le plaid était enroulé autour d'un petit croquis représentant un paysage typique des Highlands.

On y voyait une forteresse en pierre, nichée près d'un *loch* et surmontée de hautes montagnes escarpées. Au premier plan, au milieu des rochers et des pins courbés par le vent, des touffes de bruyère vivace apportaient une certaine douceur au paysage, par ailleurs sinistre. Un mot accompagnait le cadeau : « Voici la beauté infinie qui pourrait vous saluer chaque jour dans les Highlands où je vis. »

Malgré l'austérité du paysage, Andréa devait reconnaître que c'était très beau. Mais l'admirer de loin, sur des photos ou des tableaux, lui suffisait amplement. En tout cas, elle n'avait nulle intention de le contempler au bras de ce géant menaçant. Dieu la garde de se retrouver jamais dans un endroit aussi lointain et désolé avec ce monstre roux, et sans doute quelques-uns de ses parents tout aussi impressionnants, pour seule compagnie !

Sans perdre un instant, elle remballa le tout et descendit à la réception.

— Veuillez retourner ce paquet à Mr. Dugan Mac-Donald, dit-elle à l'employé. Et j'apprécierais beaucoup que vous ne livriez désormais plus rien venant de lui dans ma chambre.

L'employé acquiesça poliment.

— Je vais laisser un message dans votre boîte à cet effet. Et les cadeaux de Mr. Sinclair ? Vous désirez qu'on les renvoie également ?

Andréa sourit.

— Non. Faites-les-moi porter dès que vous les recevez, merci.

Elle s'apprêtait à remonter quand elle aperçut les trois jeunes femmes qui avaient mis tant de zèle à capter l'attention de Brent. Elles venaient d'entrer dans le hall. Avec une audace qui ne lui ressemblait guère, Andréa marcha droit sur elles afin de se présenter.

— Je suis Andréa Albright, une amie de Mr. Sinclair. Je vous ai vues parler avec lui aujourd'hui à la foire, mais vous avez disparu avant que j'aie eu l'occasion de faire votre connaissance.

Et elle tendit la main, mettant pratiquement l'une d'elles dans l'obligation de lui répondre.

— Shirley Cunningham, fit la plus âgée des trois en serrant brièvement la main d'Andréa. Voici mon amie Betsy Shaw et ma cousine, Lois Kincaid.

— Ravie de vous rencontrer, déclara aimablement Andréa, en jouant quelque peu la comédie. J'espère que l'exposition vous a plu autant qu'à moi.

— C'est très bien, mais un peu fatigant, observa Betsy.

— Vous voyagez seules ? s'enquit Andréa, arrivant enfin au point qui l'intéressait. J'ai entendu dire qu'il y avait eu récemment plusieurs cambriolages, dont un dans cet hôtel-ci. J'espère que vous avez des maris pour vous protéger de telles crapules. Je dois dire que si Brent et les autres messieurs de mon groupe n'étaient pas là, je n'oserais même pas sortir de ma chambre. Ni rester seule dedans, d'ailleurs.

Deux paires d'yeux affolés s'arrondirent, mais Shirley Cunningham resta calme, son regard vert aussi perçant et imposant que celui d'un félin.

— Nous explorons ce qu'il y a à voir toutes les trois et partageons une suite, par conséquent je ne vois pas de raison de nous inquiéter. En outre, depuis la mort de mon mari l'année dernière, j'ai passé beaucoup de temps toute seule et je n'ai jamais eu d'ennuis. Mais nous vous remercions de cette aimable mise en garde. Nous nous montrerons vigilantes.

— J'ai pensé qu'il était tout naturel de vous mettre

au courant de la situation, répliqua Andréa, toisant sa rivale avec autant de soin que celle-ci venait de le faire. Bien, il faut que je m'en aille, sinon je vais être en retard pour le dîner. Ravie de vous avoir rencontrées.

— Pareillement, laissa tomber Shirley d'un ton sec.

Les deux plus jeunes femmes échangèrent un regard perplexe, s'interrogeant sans doute sur ce qui s'était passé entre Andréa et Shirley qu'elles n'avaient pas saisi.

D'un pas guilleret, Andréa se dirigea vers l'ascenseur, réfléchissant déjà à sa prochaine escapade. La Veuve Cunningham ne serait pas aussi suffisante à l'avenir.

Ce soir-là, Andréa accompagna Maddy au dîner pour découvrir que Shirley, Betsy et Lois étaient assises à leur table. Les trouver là ne la surprit pas. Cette Shirley Cunningham avait tout d'une intrigante. Elle avait même réussi à s'installer à côté de Brent et flirtait avec lui sans retenue.

Tandis qu'elles s'approchaient de la table, Maddy s'arrêta pour murmurer quelque chose à l'oreille d'Andréa.

— Il y a du poulet au menu, ce soir ? Je parie que les plumes vont voler !

Andréa gloussa de plaisir.

— Tenez-vous bien, Maddy. Ce sera très intéressant de voir comment se comporte Brent dans cette situation, et cela m'aidera à mesurer la profondeur de l'affection qu'il a pour moi.

Maddy fronça les sourcils.

— Vous êtes d'un calme olympien, et j'avoue que cela m'affole un peu.

— Ne vous en faites pas. Quoi qu'il arrive, je me débrouillerai.

— C'est justement la façon dont vous comptez vous débrouiller qui m'inquiète.

Andréa prit place sur la chaise vide à droite de Brent, ce qui obligea Maddy à s'asseoir juste en face d'eux.

Shirley s'adressa à elle aussitôt.

— J'espère que vous ne nous en voudrez pas de nous être jointes à votre charmant petit cercle, mais après avoir entendu parler de tous ces vols, nous nous sentons plus à l'aise au sein d'un groupe.

— J'en suis enchantée, railla Andréa, qui se retint d'éclater de rire en voyant Brent et Maddy froncer en même temps les sourcils. La seule chose qui pourrait rendre la soirée plus agréable serait que Mr. MacDonald décide de se joindre à nous.

A ces mots, Brent lui jeta un regard interloqué, et vaguement agacé. Maddy se contenta de lever les yeux au ciel, comme si elle espérait une intervention divine.

Au début, tout se passa bien. Le sommelier remplit les verres, et tout le monde était en train d'étudier le menu quand, tout à coup, sans aucune raison apparente, Shirley perdit l'équilibre. Sa chaise bascula vers celle de Brent, et elle sur lui. En voulant se rattraper, elle fit un grand geste de la main et renversa le verre d'Andréa. Le vin d'un rouge éclatant se répandit sur ses genoux, inondant sa robe.

Une seconde plus tard, Shirley avait récupéré son siège et se confondait en excuses abondantes, à défaut d'être sincères.

— Oh! Comme je suis maladroite! J'espère que votre jolie robe n'est pas trop abîmée.

Toute la tablée parut retenir son souffle en attendant la suite quand Brent vint à l'aide d'Andréa et lui donna sa serviette pour remplacer la sienne, complètement trempée. A la stupéfaction de l'assemblée, Andréa répondit avec le plus grand calme.

— Ne vous inquiétez pas, Veuve Cunningham. Je suis sûre que la tache partira si je la donne tout de suite à nettoyer. Et si cela peut vous déculpabiliser, je vous ferai envoyer la facture.

— Oh, j'insiste pour que vous le fassiez! Et appelez-moi Shirley, je vous en prie, déclara la jeune femme sous l'œil amusé de Maddy et de ses amis.

Andréa s'excusa, priant chacun de rester assis pendant qu'elle allait se changer.

— Il n'y a aucune raison pour que vous laissiez votre dîner refroidir. Je peux monter toute seule, et je vous rejoindrai dès que possible.

Brent lui prit la main.

— Vous êtes sûre, vous ne voulez pas que je vous accompagne ?

— Après ce qui s'est passé hier soir, Maddy préférerait vous écorcher vif plutôt que de vous laisser seul avec moi, lui confia-t-elle dans un sourire. Je ne serai pas longue.

Andréa grimpa l'escalier à toute vitesse, sans prendre le temps d'attendre l'ascenseur. Filant dans sa chambre, elle retira sa robe tachée et passa la première qui lui tomba sous la main. Toujours aussi vite, elle envoya promener ses escarpins et en enfila une autre paire, assortie à sa nouvelle robe. Elle se lissa les cheveux d'un geste rapide de la main, puis, attrapant son sac au passage, se retrouva hors de la chambre quelques minutes à peine après y être entrée.

Elle emprunta à nouveau l'escalier, mais lorsqu'elle arriva au second étage, elle s'engagea dans le couloir au lieu de continuer à descendre. Elle dut se forcer à ralentir le pas, et fut prise d'une bouffée de panique quand elle croisa un couple de clients, mais elle se trouva bientôt devant la porte qu'elle cherchait. Le couloir était heureusement désert lorsque Andréa introduisit son passe dans la serrure et se faufila dans la chambre sans être vue.

Les jeunes femmes avaient laissé brûler une lampe à pétrole, si bien qu'elle n'eut pas besoin de sortir sa bougie pour trouver son chemin. Avec encore plus de promptitude que de coutume, elle repéra leurs coffrets à bijoux dont elle vida le contenu dans son sac. Fidèle à son habitude, elle replaça les coffrets et en rabattit les couvercles.

Elle ne prit pas la peine de chercher d'autres trésors. Ni n'éprouva cette fois le besoin de mettre de l'ordre dans les pièces : soit la femme de chambre les avait déjà rangées, soit les trois femmes qui habitaient ici étaient d'un soin peu ordinaire. Son seul souci était de quitter la suite au plus vite, d'autant plus qu'elle était convaincue que la Veuve Cunningham mettrait son absence à profit pour essayer de séduire Brent. Andréa avait en effet sauté sur l'occasion pour transformer une catastrophe en une aubaine inespérée. En renversant le vin à dessein, cette femme lui avait fourni, malgré elle, une excuse idéale pour s'absenter suffisamment long-temps et lui voler ses bijoux. Shirley ainsi que ses compagnes déploreraient longtemps la perte de leurs joyaux.

La chance était avec elle. Andréa regagna sa chambre sans se faire voir, cacha soigneusement son butin, prit ses vêtements tachés de vin et ressortit. Tandis qu'elle ouvrait la porte, elle se retrouva nez à nez avec Dugan MacDonald. Le cri de surprise qu'elle poussa fut étouffé par la veste de son costume, et son nez s'aplatit contre un des boutons, juste au-dessus de la taille. A sa connaissance, personne à l'hôtel, ni même peut-être à Philadelphie, n'était aussi grand.

— Oh! Etes-vous toujours aussi maladroite, ma belle ? s'exclama-t-il, l'air surpris et amusé.

Quand Andréa recula, sans avoir tout à fait repris l'équilibre, une des mains énormes de Dugan se plaqua sur son épaule. Dans l'autre, il tenait la boîte qu'elle commençait à connaître.

— Retirez votre grosse patte de là immédiatement !

— Allons, mademoiselle, je voulais seulement vous éviter de tomber sur votre joli nez. Ou sur votre der-rière, qui doit être tout aussi charmant.

Elle leva un regard furieux sur son visage hilare.

— Vous ne le saurez jamais. Et je tiens parfaitement sur mes jambes, vous pouvez par conséquent me lâcher.

Ce qu'il fit, à sa grande surprise, tout en restant planté devant elle.

— Que faites-vous ici ? demanda-t-elle.

— J'étais venu vous rapporter votre châle et le des-sin, dit-il simplement.

— Je n'en veux pas. C'est pourquoi j'ai laissé des ins-

107

tructions à la réception afin que l'on ne monte plus vos cadeaux.

— C'est pourquoi j'ai décidé de vous l'apporter personnellement, mademoiselle, répliqua-t-il en jetant un coup d'œil à l'intérieur de la suite par la porte entrouverte. Je suppose que vous ne tenez pas à me laisser entrer, au lieu de discuter ici où tout le monde peut nous entendre?

— Vous supposez très bien, Mr. MacDonald. Maintenant, si vous voulez me laisser passer, je dois m'en aller.

Le géant écossais ne bougea pas d'un pouce.

— Il semble que vous ne m'ayez pas entendu, alors que je vous ai parlé gentiment, dit-il d'un ton lourd de menace. Je veux vous parler. En privé.

Comment trouva-t-elle le courage d'agir ainsi, Andréa ne le saurait jamais. Mais elle était furieuse et réagit instinctivement. Plongeant la main dans son sac, elle en sortit une paire de pinces plates. La paume refermée sur son arme de fortune, elle en planta la pointe acérée dans le ventre de Dugan.

— J'ai un couteau, mentit-elle, et si vous ne voulez pas que je vous fasse un second nombril, je vous conseille de vous écarter. Doucement, et mettez les mains sur la tête.

Pendant quelques secondes, il resta où il était, le regard fixe, comme s'il s'efforçait de déterminer si elle était sérieuse. Il dut conclure qu'elle l'était, car il s'écarta, ainsi qu'elle le lui avait demandé. Le paquet qu'il tenait toujours oscilla dangereusement.

— Tenez la boîte à deux mains, ordonna-t-elle. Au-dessus de la tête. Et maintenant, reculez jusqu'au mur et ne bougez plus.

Tandis qu'il reculait, Andréa claqua la porte, puis commença à s'éloigner vers l'escalier, sans oser lui tourner le dos. Il fit un pas vers elle, comme pour la suivre, mais au même moment un bruit de porte résonna dans le couloir.

— Faites encore un seul pas, et je crierai si fort que tout le monde arrivera en courant, le prévint-elle.

Dès que son pied se posa sur la première marche, elle rassembla ses jupes, pivota sur elle-même et dégringola l'escalier à toute vitesse. S'il la suivait, elle ne l'entendrait probablement pas, tant le bruit de son cœur affolé battait à ses oreilles. Ce ne fut qu'en arrivant dans le hall de l'hôtel qu'elle fut certaine qu'il n'était pas derrière elle. Hors-d'haleine, et encore secouée par le moment atroce qu'elle venait de vivre, Andréa s'étonna de penser à déposer ses vêtements au nettoyage avant de retourner dans la salle à manger.

Ses jambes flageolantes l'abandonnèrent à la seconde où elle s'écroula sur la chaise à côté de Brent.

— Eh bien, ma petite! s'exclama Maddy avant que quiconque fasse un commentaire sur son apparence. Que s'est-il passé? On dirait que vous venez de voir un fantôme!

— Au contraire, souffla Andréa qui n'arrivait toujours pas à reprendre sa respiration. J'ai vu un énorme démon écossais tout ce qu'il y a de plus vivant. Il a surgi devant moi au moment où je sortais de la chambre, et j'ai eu un mal fou à lui échapper.

Brent se leva à moitié sur sa chaise, les traits déformés par la colère.

— Où est-il? Je crois qu'il est grand temps que lui et moi ayons une explication.

Andréa le tira par sa manche et le fit se rasseoir.

— Je ne sais pas où il se trouve. Et je n'ai aucune envie de le savoir. Avec un peu de chance, je lui ai fait tellement peur qu'il devrait cesser de m'importuner.

Brent fronça les sourcils d'un air pensif.

— Que lui avez-vous donc dit pour le faire fuir?

— Ce n'est pas ce que j'ai dit, mais ce que j'ai fait, expliqua-t-elle, visiblement contente d'elle. Je l'ai menacé de le transpercer avec les ciseaux que j'avais dans mon sac. Je dois dire que cela l'a fait réfléchir.

Autour de la table, les yeux s'écarquillèrent d'étonnement.

— Je suis fière de vous, ma chère! déclara Maddy.

— Moi aussi, et très impressionné, ajouta Brent.

— Eh bien, moi, je trouve affreux de menacer quelqu'un de cette manière, s'empressa de déclarer Shirley.

— Chacun est libre de son opinion, Veuve Cunningham, répliqua sèchement Andréa. Si jamais je le croise à nouveau, je lui suggérerai d'aller vous importuner. Nous verrons alors à quelle vitesse vous changerez d'avis.

Le dîner d'Andréa était froid et dut être renvoyé en cuisine pour être réchauffé. Comme les autres avaient terminé depuis longtemps leur repas, la plupart d'entre eux décidèrent de se rendre dans la salle de bal où l'on donnait une soirée. Brent et Maddy proposèrent à Andréa de rester avec elle.

— Allez avec vos amis, Maddy. Brent et moi, nous vous rejoindrons bientôt.

— Oh, mais il m'a promis une danse, pleurnicha Shirley en faisant la moue. Il est inutile que Brent se prive de faire la fête pour rester là à vous regarder manger.

— Je suis désolé, Shirley, mais je reste avec Andréa, rétorqua Brent, faisant clairement part de son choix devant tout le monde. Je vous ferai danser plus tard.

Shirley s'éloigna, vexée, et les autres la suivirent, laissant Brent et Andréa en tête à tête.

— Vous pouvez y aller aussi, si vous voulez, lui dit-elle avec un regard glacé. Si vous vous dépêchez, vous pourrez sûrement la rattraper.

— Vous êtes en colère. Auriez-vous l'obligeance de m'expliquer pourquoi ?

Andréa haussa les épaules, comme pour signifier à Brent qu'il en connaissait déjà la raison.

— Je n'aime pas cette femme autant que vous, c'est tout, répondit-elle avec froideur.

— Shirley ?

— Oui, Shirley, railla-t-elle avec un petit sourire méprisant. Vous avez eu vite fait de vous appeler par vos prénoms, tous les deux. Et, à moins que je ne fasse erreur, il me semble que vous avez prévu de danser avec elle, ce soir.

Brent soupira de façon théâtrale.

— Si je comprends bien, il va falloir que je refrène ma gentillesse naturelle pour m'accommoder de votre tempérament jaloux.

— Ne jouez pas à l'homme brimé avec moi, lui conseilla-t-elle, toujours aussi furieuse. Si vous voulez continuer à vous conduire en célibataire coureur de jupons, ne vous gênez surtout pas. Mais inutile dans ce cas de m'imposer votre présence. Je ne vous laisserai pas jouer ainsi avec mes sentiments, Mr. Sinclair !

Le visage de Brent s'illumina.

— Ah, vous admettez donc avoir des sentiments pour moi. Il serait temps, Miss Albright. Grand temps, même, car mon cœur saigne depuis la seconde où je vous ai vue. Dites-m'en plus, mon ange. Quels sont ces sentiments que vous avez pour moi ?

Andréa le dévisagea, la gorge sèche et le cœur battant. Cette fois, il l'avait coincée, et elle ne voyait pas comment lui échapper. Mais oserait-elle lui dire ce qu'elle ressentait vraiment ? N'était-il pas un peu tôt pour le savoir avec certitude ? N'y avait-il pas un million de choses qu'elle ignorait encore de lui ? Et lui d'elle ? Toutes ces questions lui traversèrent l'esprit en l'espace d'une seconde, alors que Brent attendait impatiemment sa réponse.

Andréa se lança, laissant parler son cœur.

— Je… je crois que je suis amoureuse de vous.

Ce fut à son tour de la dévisager, le regard hésitant mais rempli d'espoir.

— Vous croyez ? répéta-t-il. Et que dois-je faire pour vous en assurer ?

— Me donner le temps de mieux vous connaître. Je vous en prie.

— Combien de temps ?

— Je n'en sais rien. J'ai quelques problèmes à résoudre dans ma vie avant de m'engager comme vous me le demandez.

— Quel genre de problèmes ? Si vous vous confiiez à moi, je pourrais peut-être vous aider.

C'était tentant. Il n'imaginait pas à quel point elle avait envie de se décharger de son fardeau. De tout lui raconter, sur Ralph, Stevie, et sur l'existence criminelle qui lui était imposée. De tout lui expliquer en le suppliant de la comprendre et de l'aider à sortir de cet horrible piège dans lequel elle était tombée.

Mais elle ne pouvait pas prendre ce risque. Pas maintenant. Pas encore. Il lui était impossible de risquer de voir l'amour qu'il lui vouait se transformer en dégoût, ni de mettre en danger la vie de Stevie à cause d'un moment d'abandon. Si seulement il acceptait d'attendre, de lui donner le temps dont elle avait besoin, il y avait encore une chance pour qu'elle parvienne à satisfaire les exigences de Ralph, à sauver Stevie et à tout arranger sans que Brent soit mis au courant de tous ces détails sordides. Alors, si tout se passait bien, elle pourrait l'épouser et vivre heureuse à jamais.

Pour l'heure, mieux valait refuser l'aide qu'il lui proposait.

— Je vous en prie. Soyez encore un peu patient avec moi, l'implora-t-elle. Et croyez-moi quand je vous dis que je vous adore.

10

Le lendemain matin, Andréa et Maddy furent réveillées par des coups répétés et violents frappés à la porte. Comme c'était dimanche, et qu'elles ne s'étaient couchées qu'au petit matin, aucune des deux femmes n'avait envie de se lever. Finalement, elles sortirent de leur chambre en même temps, décidées à trucider la personne qui avait le culot de venir les déranger aussi tôt.

Andréa arriva la première devant la porte qu'elle ouvrit à toute volée, prête à infliger une bonne correction à celui qui se trouverait derrière, lorsqu'elle réalisa qu'il s'agissait de Brent. Toutefois, le recevoir à moitié endormie et tout échevelée fut loin de la ravir.

— Que faites-vous à tambouriner ainsi à une heure

pareille ? lança-t-elle avec mauvaise humeur. Pourquoi n'êtes-vous pas dans votre lit, en train de dormir, comme je l'étais moi-même avant que vous ne vous obstiniez à enfoncer cette porte ?

— Désolé, ma chéric, mais la direction m'a demandé de les aider à questionner leurs clients.

— A quel propos ?

— Oui, bâilla Maddy, qu'y a-t-il de si important qui ne puisse attendre d'être repoussé à une heure plus civilisée ?

— Si vous me laissiez entrer, je pourrais vous l'expliquer.

— Oh, puisque vous êtes là, grommela Andréa en s'écartant et en laissant Brent refermer la porte. Mais vous auriez pu apporter le petit déjeuner. Je n'arrive jamais à me réveiller tant que je n'ai pas mangé et bu une ou deux tasses de café.

Repoussant une longue mèche de cheveux de son visage, Andréa tituba jusqu'à un fauteuil dans lequel elle se laissa tomber.

— Je tâcherai de m'en souvenir. Vous êtes charmante au saut du lit, même si vous êtes un peu grognon.

— Allez vous faire voir, Sinclair.

— Je préférerais qu'il nous explique ce qui se passe, dit Maddy. Mais vite. Moi aussi, j'ai besoin de mon café et de mes scones avant d'être à nouveau tout à fait humaine.

Brent sourit.

— J'ai le plaisir de vous informer que j'ai pris la liberté de commander un petit déjeuner avant de venir vous déranger. Il va bientôt arriver. Maintenant, revenons à nos affaires. Il y a eu un nouveau cambriolage hier soir, mais on ne l'a découvert qu'il y a quelques heures. L'hôtel veut s'assurer qu'aucun autre client n'a été dévalisé avant que les gens ne se dispersent pour la journée. J'ai été enrôlé pour les aider dans leur enquête.

— Et qui a perdu son diadème, cette fois ? demanda

Andréa sans la moindre compassion en installant un gros coussin derrière son dos.

— Mrs. Cunningham et ses amies, l'informa Brent avec un regard réprobateur. Et il ne s'agit pas de quelques bijoux égarés. On leur a volé toute leur collection. Il ne reste rien. Elles sont terriblement bouleversées, et cela ne vous coûterait rien de faire preuve d'un peu plus de sympathie. Cela aurait pu vous arriver, vous savez.

— Eh bien, excusez-moi, mais le voleur, quel qu'il soit, a dû se rendre compte que je n'avais rien qui vaille la peine d'être volé. Par contre, il a dû se douter que la suite de la Veuve Cunningham devait regorger de bijoux, avec trois femmes partageant le même appartement. Il a sans doute trouvé très commode de prendre trois fois plus en un seul coup.

— Sans doute, fit Brent, gardant cette idée dans un coin de sa tête pour y repenser plus tard.

— Je suis navrée pour elles, dit gentiment Maddy. Et vous devez excuser le manque de compassion d'Andréa. Elle n'est pas tout à fait elle-même si tôt le matin. Si vous envisagez toujours de l'épouser, vous feriez bien de vous montrer tolérant face à ses humeurs matinales.

— J'en prends bonne note. Maintenant, si je peux me permettre de vous ennuyer encore un peu, pourriez-vous aller jeter un coup d'œil sur vos coffrets à bijoux ou vos objets de valeur ? Je dois poursuivre ma ronde et questionner d'autres clients, leur rappela-t-il.

— Oh ! zut ! bredouilla Andréa en se relevant. Ça ne servira absolument à rien, mais si c'est le seul moyen pour me débarrasser de vous, j'y vais.

Elle fila dans sa chambre, et Brent lui emboîta le pas.

— Halte-là, jeune homme ! ordonna brusquement Maddy. Andréa est tout à fait capable d'examiner toute seule ses affaires. Inutile d'envahir sa chambre. Et si vous tenez vraiment à suivre quelqu'un à la trace, autant que ce soit moi.

Pendant qu'Andréa faisait semblant d'inspecter sa chambre, Brent et Maddy firent de même. A la surprise d'Andréa, Maddy revint avec une petite liste d'objets manquants.

— Je n'arrive pas à retrouver mon ombrelle verte, ni mon épingle à chapeau en ivoire, ni cet éventail jaune avec des rouges-gorges peints dessus, énuméra-t-elle. Et ma montre en ébène a disparu.

Andréa s'empressa de rappeler :

— Maddy, voyons, vous avez prêté votre montre à Mrs. Kerr il y a deux jours, quand la sienne s'est arrêtée. Votre ombrelle est dans le porte-parapluie, près de la porte et, à moins que je ne me trompe, votre épingle est restée attachée sur votre chapeau, qui est là sur cette petite table. Ce qui ne laisse plus que votre éventail, que vous avez pu oublier n'importe où.

Maddy se tourna vers Brent avec un sourire penaud.

— Vous voyez pourquoi Andréa me manquera, si jamais vous vous mariez. Si elle n'était pas là, j'aurais déjà perdu la tête sans parvenir à la retrouver.

— Je suis très content qu'elle ait résolu ce mystère, concéda Brent. Cependant, je dois aller interroger les autres pour vérifier qu'il ne leur manque rien. Je vous retrouve au déjeuner. Oh, et habillez-vous correctement, car il est prévu qu'il fera encore beau et chaud, et j'espère vous débaucher toutes les deux pour une partie de croquet.

Dès que Brent fut parti, Andréa s'écroula dans un fauteuil, avec l'impression d'avoir échappé de justesse au peloton d'exécution. Malgré toutes les possibilités qu'elle avait envisagées, jamais elle n'aurait imaginé que Brent puisse se retrouver mêlé à l'enquête sur les vols. L'épisode du matin, survenu de manière si inattendue, l'avait fortement ébranlée. Elle espérait que Brent ne s'intéresserait pas trop longtemps à cette affaire, sinon ses rêves de futur bonheur avec lui s'envoleraient vite en fumée.

Quel dommage que ce soit arrivé à la suite d'une soirée délicieuse aussi pleine de promesses ! Après le dîner, Andréa et Brent avaient rejoint les autres dans la salle de bal et avaient passé pratiquement toute la nuit dans les bras l'un de l'autre à danser. Brent avait tenu parole, mais n'avait invité Shirley qu'une seule fois, réservant ensuite toute son attention à Andréa. Ils avaient même réussi à s'éclipser un petit moment sur la terrasse, pour échanger quelques baisers fougueux au clair de lune, jusqu'à ce que Maddy les surprenne une nouvelle fois dans une étreinte passionnée et les fasse rentrer en vitesse.

La soirée avait été magique, comme dans un roman, à tel point qu'Andréa commençait à croire que les contes de fées pouvaient devenir réalité. Si on le désirait assez fort. Si on avait suffisamment confiance. Mais maintenant, après la frayeur du matin, toutes ses appréhensions et tous ses soucis étaient revenus la hanter.

Brent était perplexe, comme l'étaient d'ailleurs les autres enquêteurs chargés de l'affaire. Le cambriolage de la nuit dernière ne correspondait pas tout à fait aux autres, bien qu'il fût similaire par certains aspects. Une fois de plus, aucune serrure ou fenêtre n'avait été forcée, ce qui les amenait à conclure que le voleur était entré à l'aide d'une clé. Comme chaque fois, les coffrets à bijoux avaient été refermés, et les lieux laissés dans un ordre impeccable. Cependant, les trois jeunes femmes déclarèrent que, en dehors de leurs bijoux, rien dans les chambres n'avait été touché ou dérangé. Mais leur voleur, si toutefois il s'agissait de la même personne, était soudain devenu particulièrement gourmand et avait raflé le contenu des trois coffrets à bijoux au lieu de sélectionner les plus belles pièces. Même dans le cas du vol des Thornton, le coupable avait laissé quelques bijoux derrière lui. Cela dit, les détectives étaient plus déconcertés que jamais, et plus éloignés de trouver la solution.

Brent commençait à bien connaître un des agents, un dénommé Jenkins. De taille et de poids moyens, il n'avait à première vue rien de très particulier. Cheveux gris, yeux gris, toujours vêtu d'un costume et de chaussures d'un marron peu seyant, il se fondait sans difficulté au reste des détectives habillés de façon terne. Il n'y avait que lorsqu'il s'autorisait un rare sourire, qui illuminait son visage et changeait son apparence du tout au tout, qu'on le remarquait. Mais pour l'instant, Jenkins ne souriait pas.

— Nous n'avons plus qu'à attendre que le voleur frappe une nouvelle fois, en espérant qu'il nous laissera de meilleurs indices, dit-il avec une mine dépitée.

— Oui, c'est vraiment dommage qu'il n'ait pas commis un autre vol hier soir. Nous aurions alors pu faire des comparaisons, ajouta un autre détective.

Brent les toisa avec pitié.

— Voilà une bien curieuse façon d'envisager les choses ! Je trouve que c'est une chance pour ses malheureuses victimes qu'il se soit limité à une seule suite !

Jenkins haussa les épaules.

— Tout dépend du point de vue où on se place, et nous parlons ici en tant que policiers. Tôt ou tard, le coupable finira par faire une erreur, or plus il commet de délits, plus nous avons de chances de l'arrêter.

— Avons-nous mis définitivement hors de cause la femme de chambre chargée de la suite des Thornton ? voulut savoir Brent.

— Quand nous avons fouillé sa maison, nous n'avons trouvé aucune preuve indiquant qu'elle était coupable, répondit un détective. Ce qui toutefois ne la met pas hors de cause. Cela signifie simplement qu'elle et quelques centaines de personnes restent suspectes.

— Ce qui veut dire en fait que nous tâtonnons dans le noir le plus complet, résuma Brent. Pendant ce temps, notre voleur devient de plus en plus riche, de plus en plus habile, et se réjouit probablement de nos tentatives cafouilleuses pour l'appréhender.

Il se passa la main dans les cheveux d'un geste rageur.

— Et s'il y a une chose que je déteste, c'est de passer pour un imbécile. Je vous préviens, si jamais nous coinçons ce type, je me ferai un plaisir de mettre à sac sa cachette.

Après le déjeuner, le petit groupe se sépara en deux équipes pour faire une partie de croquet. Au grand dam d'Andréa, Shirley Cunningham et ses deux compagnes se retrouvèrent dans la sienne, qui comprenait également Maddy et Brent. Avant d'arriver au troisième arceau, Andréa dut faire un gros effort pour ne pas frapper Shirley d'un coup de maillet sur la tête.

— Je n'ai jamais rencontré quelqu'un d'aussi...

— Méchant ? souffla Maddy, voyant qu'Andréa avait du mal à trouver le mot qui traduisait sa pensée.

— Exactement. Rien ne me ferait plus plaisir que de lui clouer le bec avec une de ces boules en bois !

— Ma foi, si je m'applique à viser, je devrais y arriver, déclara Maddy. Mais il faudrait que ça ait l'air d'un accident.

Andréa gloussa d'un air ravi.

— Maddy, vous êtes incroyable ! J'aurais tellement aimé vous connaître plus tôt. Vous deviez être terriblement soupe au lait étant jeune.

— Je me défendais, avoua la vieille dame avec un sourire malin. Et il m'arrive de le faire encore.

— C'est à vous, Miss Albright ! lança Shirley d'une voix stridente. Pendant que vous racontez je ne sais quelles inepties, nous sommes tous là à attendre.

— En fait, Veuve Cunningham, Maddy et moi discutions de la théorie de l'évolution de Charles Darwin, rétorqua Andréa sans sourciller.

Maddy faillit s'étouffer de rire et ses yeux s'emplirent de larmes tandis qu'Andréa lui tapait doucement dans le dos. Un sourire radieux éclaira le visage de Brent.

— La théorie de quoi ? demanda Shirley d'un air obtus.

— Du postulat de Darwin sur l'origine des espèces, expliqua Brent en se retenant de rire. C'est un sujet qui suscite des débats houleux depuis maintenant des années.

— Mais oui ! surenchérit Andréa. Je serais très intéressée d'entendre votre opinion là-dessus, Veuve Cunningham.

— Je préfère ne pas me fatiguer à des efforts aussi

ennuyeux, proclama la jeune femme. Je laisse ce genre de choses à des bas-bleus comme vous, *Miss* Albright.

— Personnellement, je trouve les bas-bleus fascinants, annonça Brent. On ne sait jamais à l'avance ce qu'ils vont dire !

Quand Lois s'écrasa le pied avec son propre maillet et décida d'abandonner la partie en plein milieu, elle proposa sa place à qui la voulait. Dans la foule grouillante des spectateurs, un gigantesque ours roux s'avança.

— Je serai très heureux de vous remplacer, dit-il avec son fort accent écossais.

Andréa s'écria en levant les yeux au ciel :

— Oh, non ! Mais qu'ai-je donc fait pour mériter cela ?

— Sans doute quelque chose de très mauvais, commenta Maddy. Cet homme vous est plus attaché qu'une bernacle à un navire.

— Cela devient insupportable, convint Brent.

— Oh, que complotez-vous tous les trois ? cria Shirley d'une voix exaspérée. Ce n'est qu'une partie de croquet. Et si nous voulons la terminer aujourd'hui, il nous faut un sixième joueur.

Elle fit signe à Dugan de s'approcher et le considéra d'un air admiratif.

— Il fera très bien l'affaire. Oui, très bien, même.

Après s'être présenté à Shirley et à Betsy, vu qu'aucun des autres ne semblait disposé à le faire pour lui, Dugan empoigna son maillet, et la partie reprit, non sans quelque opposition.

— Je vous préviens, MacDonald, gardez vos distances avec Miss Albright, sinon je vous tranche la tête, l'avertit Brent avec un regard noir.

— Avec l'aide de quelle armée ? se moqua l'Ecossais.

— Je n'aurai besoin de l'aide de personne, assura Brent.

— Peut-être pas, mais il vous faudra au moins une échelle, reprit le géant en ricanant.

— Oh, finissons cette partie ! protesta Betsy. Il fait une chaleur épouvantable !

Le jeu se poursuivit, dans un esprit de compétition

considérablement ranimé depuis qu'un ennemi avait infiltré leurs rangs. Dugan s'avéra bon joueur et, pendant la partie, se comporta de manière supportable. Le moment arriva toutefois où il aurait volontiers expédié la boule de Maddy en dehors du terrain, ainsi que le laissait prévoir la lueur qui avivait son regard.

— Allez-y, espèce de monstre poilu! l'encourageat-elle. J'espère que vous allez vous massacrer le pied!

Alors qu'il se concentrait pour viser, Maddy brandit son ombrelle et lui donna un bon coup dans les reins avec la pointe.

Dugan rata son coup, saisit sa cheville à deux mains et poussa un hurlement à crever les tympans. Il sauta à cloche-pied autour de sa minuscule adversaire qui arborait un éclatant sourire.

— Tricheuse! grogna-t-il en lui jetant un regard féroce.

— Je suis petite, et vieille, j'ai donc le droit de prendre quelques libertés, déclara-t-elle avec une tranquille arrogance.

Elle le contourna d'un pas nonchalant pour aller se placer devant sa boule qui avait roulé à un centimètre à peine de la sienne.

— Poussez-vous de là, gros buffle, ordonna-t-elle en lui agitant son ombrelle sous le nez, avant que je vous en redonne un bon coup.

Dugan s'écarta en hâte tout en tenant sa cheville.

— Madame, si vous aviez été de notre côté quand nous avons combattu les Anglais, nous les aurions repoussés jusqu'en Chine! Pour une petite personne aussi chétive, vous êtes sacrément dangereuse!

La partie s'acheva enfin, et Andréa remporta la victoire, bien qu'elle soupçonnât Brent de l'avoir laissée gagner, car lui-même arriva second. Dugan termina troisième, après avoir admirablement remonté le piètre score de Lois, et en dépit du handicap infligé par Maddy.

— Aïe! De toute façon, ce n'est pas un sport d'homme. Le golf, voilà un jeu qui demande de l'adresse.

— Ça ne consiste quand même qu'à taper dans une balle avec un bâton, remarqua sèchement Maddy.

— Certes, mais c'est beaucoup plus difficile et bien plus excitant, insista Dugan avant de se tourner vers Brent. Connaîtriez-vous par hasard ce jeu, Mr. Sinclair?

— J'ai déjà eu le plaisir d'y jouer.

— Voudriez-vous faire une partie avec moi? Peut-être me prouverez-vous que les Ecossais ne sont pas les seuls à savoir jouer correctement. Je n'ai encore jamais vu un Américain qui en soit capable.

C'était là une provocation évidente que Brent ne voulut pas laisser passer. Toutefois, il y avait un léger problème.

— Où jouerions-nous? A ma connaissance, il n'y a pas de terrain de golf à Philadelphie.

— Il y en a un en ce moment, l'informa l'Ecossais avec un sourire insolent. Cela fait partie de ce que l'Ecosse présente à l'exposition. Ce n'est qu'un neuf trous, la moitié de la distance, mais deux fois plus difficile. Que diriez-vous de m'y retrouver de bonne heure demain matin?

Dans l'esprit de Brent, ce n'était qu'un match inoffensif. Et si cela lui permettait de rabattre le caquet au grand Ecossais, ce serait tant mieux.

— J'y serai, répondit-il.

Andréa en resta consternée, et perplexe. Dugan parti, elle se tourna vers Brent.

— Pourquoi avez-vous accepté? Je ne vois pas l'intérêt.

— Cet homme m'a ouvertement défié, dit Brent, comme si aucune explication supplémentaire ne lui paraissait nécessaire. Je ne pouvais pas me défiler.

— C'est une question d'orgueil, ma chère, glissa Maddy en voyant qu'Andréa ne comprenait toujours pas. L'ego masculin est une chose fragile et extrêmement complexe, qui a besoin d'être régulièrement regonflée en démontrant sa supériorité sur ses camarades, que ce soit sur le plan de la force brutale ou de l'intellect. Je crois que cela remonte à l'époque des hommes préhistoriques, ou peut-être, comme le laisse entendre Darwin, à celle des singes qui se bourraient la poitrine de coups de poing pour impressionner leurs semblables.

— Et se rendaient parfaitement ridicules! ajouta Andréa avec espièglerie, bien qu'en jetant un regard innocent à Brent à travers ses longs cils.

— C'est ainsi que vous me récompensez de m'efforcer de vous donner une bonne opinion de moi? protesta Brent. Par des injures?

— Oh, parce que vous cherchiez à m'impressionner? Dans ce cas, c'est tout à fait différent. C'est une chose que je peux comprendre. Néanmoins, sachez à l'avenir que vous n'êtes pas obligé d'affronter toutes les brutes que vous croiserez sur votre chemin. Je vous trouve merveilleux sans cela.

11

Brent revint de sa partie de golf rayonnant de triomphe. Il rejoignit Andréa dans le salon de l'hôtel où elle était en train de lire, si content de lui qu'elle n'eût pas été étonnée de le voir se mettre à danser la gigue.

— Je l'ai battu! annonça-t-il. J'ai battu ce gros vantard!

— Vous n'avez pas le triomphe modeste, dites-moi! remarqua Andréa avec ironie.

— Je dois reconnaître que je n'ai gagné qu'à un point d'écart, et que c'était un pur coup de chance, confessa Brent. Mais j'ai battu cet Ecossais à son propre jeu, et ça m'a fait le plus grand bien!

Il tira Andréa de son fauteuil, puis attendit patiemment qu'elle ait remis en place la lampe qu'il avait renversée au passage.

— Venez. Je veux fêter ça! Allons chercher Maddy et

partons à la foire. Je vous offrirai tout ce dont vous avez envie.

En dehors de Brent, la seule chose dont Andréa eût réellement envie était Stevie. Mais elle ne pouvait pas le lui dire. Aussi préféra-t-elle plaisanter.

— Très bien. Je voudrais une machine à coudre. La meilleure. Une Singer.

Il cessa de la tirer par la manche et la dévisagea comme si elle avait perdu la tête.

— Une machine à coudre ? Mais pour quoi faire ?

Andréa éclata de rire.

— A votre avis ? Certainement pas pour casser des noix !

— Vous savez très bien ce que je veux dire. Je suis seulement intrigué que vous en ayez envie. Ou besoin. Et je me demande si vous vous en serviriez si vous en aviez une.

— Bien sûr que je m'en servirais ! lui assura-t-elle. Vous rendez-vous compte de ce que cela coûte de faire faire des robes de qualité ? Celles que Maddy m'achète, et que l'on ne trouve pas dans le prêt-à-porter ? Je pourrais m'en faire une pour quatre fois moins cher. Non que je m'attende vraiment que vous m'offriez une machine à coudre. J'ai dit cela pour voir votre réaction.

— Andréa, ma chérie, ne vous est-il pas venu à l'esprit que, une fois que nous serons mariés, je serai à même de vous offrir les robes les plus luxueuses que vous voudrez ? Vous n'aurez nul besoin de faire des économies, bien que j'apprécie de savoir que vous ne me mettrez pas tout de suite sur la paille.

— J'apprécie tout autant que vous ne soyez pas avare, répliqua-t-elle gentiment. Mais comme dirait Mr. Franklin, « un penny mis de côté est un penny gagné ». Et pourquoi faire des dépenses extravagantes alors que, avec un peu d'ingéniosité, je pourrais me fabriquer une robe aussi belle que toutes celles qui sont suspendues dans mon armoire pour le quart du prix que demanderait un couturier ? En plus, j'en tirerais la plus grande fierté.

— Nous verrons. Pour l'instant, essayez de trouver autre chose dont vous ayez envie. Quelque chose de moins terre à terre. Quelque chose de complètement frivole.

Sans le vouloir vraiment, Andréa répondit aux exigences de Brent, et même au-delà. Entre le bâtiment où était exposée une momie égyptienne et un autre abritant une collection de taxidermie se trouvait un pavillon présentant des animaux exotiques. Outre les oiseaux des tropiques, les faucons apprivoisés, les serpents et les mammifères les plus étranges venus de tous les pays du monde, il y avait un espace réservé aux chiens et aux chats de race, parmi lesquels beaucoup étaient à vendre.

— Vous voulez un chaton ? s'exclama-t-il, stupéfait, en considérant d'un air ahuri la créature pleine de poils qui semblait captiver Andréa. J'ai dit frivole et inutile, mais vous m'avez pris au mot !

— Oh, Brent ! Regardez-la ! Elle est tellement adorable !

Sentant venir la vente, le propriétaire déposa la minuscule chatte grise angora dans les mains d'Andréa qui n'attendait que cela.

— On dirait un vieux plumeau ! fit Brent.

— Ou mon châle noir en angora sur lequel on aurait renversé de la poudre, renchérit Maddy.

A ces mots, une image un peu floue surgit à l'esprit de Brent, sans parvenir toutefois à se préciser.

— Stevie en serait fou ! insista Andréa, le tirant de ses pensées.

Brent prit un air sceptique.

— Quel âge m'avez-vous dit qu'avait votre neveu ?

— Deux ans.

— Et il est sans doute plein d'énergie. S'il est comme les enfants de mon frère, il adorera peut-être cette chatte, mais il finira probablement par l'étrangler. Au mieux, il lui arrachera les poils en moins d'une semaine.

— Certainement pas! protesta Andréa.

— Cet enfant est charmant, mais c'est un vrai petit diable. D'après ce que j'ai pu observer, les jeunes enfants sont un danger pour ces minuscules créatures. Je suis d'accord avec Brent. A moins que cette boule de fourrure n'ait neuf vies et des pattes agiles, elle n'a pas l'ombre d'une chance!

Andréa, déçue, s'apprêtait à redonner la chatte au marchand. Voyant son air abattu, Brent céda.

— Bon, d'accord. Mais vous ne pourrez pas dire que je ne vous ai pas prévenue.

Une fois Precious soigneusement installée dans une boîte en carton munie d'une poignée et percée de trous d'aération, Andréa retrouva le sourire.

Ils étaient presque arrivés au bout de l'allée centrale, près de l'arrêt du train, quand un homme vêtu d'un costume marron avachi héla Brent.

— Mr. Sinclair... pourrais-je vous parler un instant en particulier?

S'excusant en hâte, Brent s'éloigna de quelques pas de ses compagnes, et les deux hommes s'engagèrent aussitôt dans une conversation fort animée.

— Je me demande ce qu'ils peuvent bien se raconter, dit Maddy d'un air songeur.

Andréa suivait la scène avec une appréhension grandissante. Pour une raison inexplicable, elle avait peur qu'ils ne soient en train de parler d'elle. Se rapprochant discrètement, elle tendit l'oreille et perçut quelques bribes de leur discussion, suffisamment en tout cas pour accroître son inquiétude. L'homme parlait à Brent de figurines en étain et de miniatures en bois volées sur divers stands de l'exposition, dont elle avait quelques exemplaires à cette seconde même au fond de son sac, au milieu d'autres trésors qu'elle avait subtilisés cet après-midi sans se faire voir. Or, elle n'était plus tout à fait certaine maintenant de ne pas avoir été repérée.

Elle avait une folle envie de fuir, le plus loin possible, avant que Brent ne vienne l'accuser et la condamner pour ce qu'elle avait fait. Mais elle eut tout à coup l'impression d'avoir les pieds cloués au sol. Aussi resta-t-elle plantée là. Attendant. Priant. Agonisant à petit feu.

A sa grande stupéfaction, Brent revint vers elle avec un grand sourire.

— Merci d'avoir été si patiente, dit-il. Nous ferions mieux de partir avant que la chatte ne crève cette boîte à coups de griffes.

— Que voulait cet homme? demanda-t-elle en redoutant sa réponse.

— Rien de très important.

— Qui est-ce? Il me semble avoir déjà aperçu cet homme, ou quelqu'un qui lui ressemble, traînant près de l'hôtel.

Brent hésita un instant avant de lui répondre.

— C'est un des détectives de l'agence Pinkerton qui enquête sur les vols commis récemment.

A ces mots, les deux femmes échangèrent un regard interloqué.

— Pourquoi voulait-il vous parler? s'enquit Andréa. Il ne vous soupçonne quand même pas d'y être mêlé?

— Non. Jenkins voulait juste m'informer qu'il y a eu des vols similaires à la foire, expliqua Brent. Comme je les ai aidés l'autre matin, et qu'ils savent que je m'y intéresse, ils me font part de temps en temps de ce qu'ils ont appris.

— Vont-ils bientôt épingler le voleur? demanda anxieusement Andréa.

— Je crains que non. Mais ne vous en faites pas, ma chérie. Vous avez désormais un félin féroce pour vous protéger des intrus.

Maddy prit un air cynique.

— Eh bien, comme ça, je pourrai peut-être garder un peu plus longtemps mes ombrelles. Dorénavant, la chatte nous défendra contre Mr. MacDonald!

Ce soir-là, bien qu'elle eût frôlé le pire, Andréa ne se détourna nullement de son objectif. La population de Philadelphie s'était rassemblée dans les rues pour assister à un défilé aux flambeaux. A la grande satisfaction d'Andréa, la parade devait passer juste devant l'hôtel avant de se rendre à Independence Hall, où une cérémonie devait avoir lieu à minuit pour inaugurer le nouveau clocher, de manière à proclamer dignement le Jour de l'Indépendance. Dans la foule, perdre ses compagnons quelques instants lui était facile et, longtemps avant que ne retentisse le premier coup de minuit, le sac d'Andréa était rempli d'un intéressant butin.

Ils revenaient tranquillement vers l'hôtel, bousculés de tous côtés par de joyeux fêtards, quand le sac d'Andréa cogna la cuisse de Brent. Poussant un cri de douleur tout en agrippant sa jambe, il sautilla jusqu'à la première porte cochère, entraînant Andréa avec lui.

— Qu'y a-t-il? s'écria-t-elle. Quelque chose ne va pas?

— J'ai reçu un coup de couteau! hurla-t-il en faisant la grimace sans cesser de comprimer sa jambe.

Andréa écarquilla les yeux, horrifiée.

— Ô mon Dieu! Vous pouvez marcher? Dois-je vous laisser ici et courir chercher un médecin? Comment peut-on faire une chose aussi épouvantable?

— Ça n'a rien d'une blessure mortelle, la rassura-t-il. Mais ça fait un mal de chien! Vous ne l'avez sûrement pas fait exprès... Diantre, qu'avez-vous donc dans ce sac qui ait pu se planter ainsi dans ma jambe? On aurait dit une grosse aiguille!

Et c'était certainement cela, se dit Andréa avec culpabilité en pensant au nombre de broches et d'épingles qu'elle avait volées ce soir, sans prendre le temps de les refermer avant de les fourrer dans son sac.

— Ô Seigneur! Ce doit être mon épingle à chapeau, ou mon camée, ou peut-être l'attache de ma boucle d'oreille, à moins que ce ne soit une des dents de mon peigne, s'empressa-t-elle de dire. Ooooh! Je sais! C'est probablement la paire de ciseaux avec laquelle j'ai menacé MacDonald!

— Pas étonnant qu'il ait reculé si vite! Si vous m'aviez prévenu, j'en aurais fait autant. Mais d'ailleurs, pourquoi transportez-vous toutes ces choses avec vous?

Andréa chercha à toute vitesse une réponse satisfai-
sante à lui donner.

— Après vos mises en garde, je n'allais quand même
pas les laisser dans ma chambre pour que ce voleur me
les prenne ! Elles n'ont pas grande valeur, si ce n'est
sentimentale, mais c'est là tout ce que je possède.

Malgré la douleur, Brent se fendit d'un sourire.

— Nom d'une pipe !

Sans prévenir, il agrippa son sac et le soupesa.

— Mais vous avez des briques, là-dedans ! Il est surprenant que vous ne penchiez pas d'un côté quand
vous marchez !

Terrifiée à l'idée qu'il prenne son sac pour en inspecter le contenu, Andréa lui donna des tapes sur la main
jusqu'à ce qu'il le lâche.

— Des livres, dit-elle finalement. C'est aussi efficace
que des briques pour faire fuir les pickpockets. Puisque
je dois tout emporter avec moi, je ne veux pas qu'on
puisse me voler mes biens aussi facilement.

— Quitte à me transpercer le corps.

— Je suis sincèrement navrée ! Vous avez très mal ?

— Je crois que ça ne saigne plus : c'est bon signe.

— Peut-être ferions-nous mieux de rentrer à l'hôtel
pour que quelqu'un vous examine, suggéra-t-elle. Je
crois que Maddy possède des dons d'infirmière. Elle a
un baume merveilleux dont elle adore se servir. Ça
brûle atrocement, mais ça guérit n'importe quoi, si ça
ne vous tue pas d'abord !

Philadelphie était en fête. Il y avait partout des défi-
lés, des discours, des banderoles, et toutes les maisons
et les boutiques étaient parées de rouge, de blanc et de
bleu. En ce jour du Quatre-Juillet, la ville commémo-
rait le centenaire des Etats-Unis, un siècle de liberté, et
les rues étaient noires de monde. Malgré les cinq kilomètres séparant le centre-ville du lieu de l'exposition,
et une vague de chaleur accablante, la plupart des gens
avaient décidé de parcourir la distance à pied.

Brent jeta un coup d'œil sur la foule et poussa un soupir exaspéré.

— Je m'en voudrais de manquer les manifestations qui vont se dérouler à l'exposition, surtout aujourd'hui, mais cette cohue me donne envie de rester tranquillement à l'hôtel. Je ne tiens pas à me faire transpercer une nouvelle fois par ce que ces dames portent dans leur sac.

— Comment va votre blessure, ce matin? demanda Andréa. Le baume de Maddy vous a-t-il soulagé?

Brent la considéra d'un air méfiant.

— Ce remède de sorcière rance a fait disparaître les poils de ma jambe et a laissé un morceau de peau tout lisse et tout rouge à la place. Mais je dois reconnaître que je n'ai plus mal.

— J'espère que le mot rance s'applique au baume, et non à moi, observa Maddy d'un ton acide en brandissant son ombrelle.

Brent sourit.

— J'aurais dû m'exprimer plus clairement. Je voulais parler du baume, naturellement.

— Voilà qui est très sage de votre part, lui souffla Andréa.

— Et j'espère bien que vous n'étiez pas sérieux en disant que vous n'iriez pas à la foire aujourd'hui, reprit Maddy. J'ai prévu quelque chose de tout à fait spécial pour vous et Andréa. Au fait, vous savez vous tenir sur un cheval, je suppose?

Le jeune couple échangea un regard rempli de curiosité.

— Oui. Pourquoi?

— Parce que je vous ai porté volontaire comme remplaçant d'un des participants au tournoi. Le jeune homme qui devait représenter le chevalier du Centenaire s'est cassé le bras ce matin.

Brent était sidéré. Même Andréa, qui connaissait pourtant Maddy et ses côtés fantasques, resta un instant abasourdie. Brent fut le premier à retrouver sa langue.

— Vous avez en tout cas pris un risque, puisque vous

ignoriez si je savais monter, remarqua-t-il, toujours aussi stupéfait. Auriez-vous l'obligeance de m'éclairer davantage? Que suis-je censé faire exactement dans ce tournoi?

— D'après ce que je comprends, vous devez introduire une longue perche dans un anneau tout en galopant sur un cheval. Le chevalier le plus adroit est proclamé vainqueur.

— Comment cela? Il n'y a pas de joutes? s'enquit Brent.

— Ça m'a déçue autant que vous, mais ils tiennent à ce que ça reste une rencontre civilisée, laissa tomber la vieille dame avec une parfaite désinvolture. Vous porterez néanmoins une tenue appropriée. Ils m'ont d'ailleurs demandé si vous pouviez apporter vos propres bottes d'équitation. Ils tiennent un costume et un cheval à votre disposition sur le lieu du tournoi.

— Vous ne voulez quand même pas parler d'une armure? s'inquiéta Andréa.

— Oh, il s'agit d'une version largement revue et corrigée, lui assura-t-elle, ainsi qu'à Brent. Ce serait trop difficile de s'en procurer, et beaucoup trop encombrant, sans compter que, par cette chaleur, vous ne tarderiez pas à frire comme un morceau de bacon, enfermé dans un de ces machins!

12

Comme Maddy l'avait déjà inscrit au tournoi, Brent accepta d'y participer, non sans quelques réticences. Les histoires lues avant de s'endormir et les rêves de petit garçon étaient une chose; se retrouver affublé d'une tenue ridicule devant la moitié de la planète en était tout à fait une autre. Ce qu'il craignait par-dessus tout, c'était d'être la risée de tous devant Andréa.

Cependant, une fois entré dans l'arène, il régnait une telle ambiance de fête que Brent se prit à son tour au jeu. Quinze concurrents étaient en lice. Ils avaient tous un cheval, une lance de six mètres et une tenue adéquate. Les chevaliers se virent remettre des gants et des costumes coupés dans un tissu brillant gris argenté, qui, de loin, ressemblait à une authentique cotte de mailles. Par-dessus, chaque homme portait une tunique d'une couleur différente, décorée d'un blason. Sur la tête, ils avaient un chapeau rond en métal, recouvert de rubans assortis à la tunique, qui faisait penser à un heaume. Une plume d'autruche colorée flottait crânement au sommet de chaque chapeau.

En regardant ses camarades, Brent se dit qu'il devait avoir l'air tout aussi grotesque.

— Mon Dieu! J'ai l'impression d'avoir une casserole sur la tête! déclara-t-il.

— Cela vaut mieux qu'un pot de chambre! rétorqua un autre homme en riant.

— Vous avez vu comment ils ont paré nos chevaux? lança un troisième concurrent. Ils les ont drapés de couvertures assorties à nos couleurs et entièrement brodées de clochettes. Les lances aussi sont décorées. On se croirait au temps du roi Arthur.

— Ça encore, ce n'est rien, regardez un peu par là! suggéra un autre en faisant la grimace. Ne me dites pas qu'ils espèrent nous voir enfiler ces lances dans des anneaux aussi minuscules!

Quinze têtes se tournèrent vers le milieu du terrain.

— Bon Dieu! C'est une plaisanterie! s'exclama Brent, incrédule.

Il y avait trois arceaux en bois, disposés en enfilade et espacés de cinquante mètres environ, formés de deux piquets verticaux et d'une barre transversale. De cette barre partait une tige en métal à laquelle était suspendu un petit anneau rouge d'un diamètre de deux centimètres environ.

Les trompettes retentirent et la cérémonie commença. Les concurrents trottèrent jusqu'à la tribune des juges en attendant que leur nom soit annoncé. Puis, en file indienne, ils firent le tour de l'arène, chacun s'arrêtant devant la dame de son choix pour solliciter sa bienveillance.

Dans les tribunes, Maddy, qui s'agitait frénétiquement dans tous les sens, réussit finalement à capter l'attention de Brent. Andréa était à ses côtés, un foulard rouge à la main. Quand Brent passa devant elles, brandissant sa lance, Andréa y noua le foulard.

— Vous êtes superbe, lui dit-elle avec un grand sourire malicieux. J'aime tout particulièrement la plume.

— J'ai l'air d'un idiot. J'espère seulement que je ne vais pas me ridiculiser davantage.

— Efforcez-vous déjà de rester en selle, lui conseilla Maddy. Et quand vous vous élancerez, ne vous contractez pas, ne bloquez pas votre respiration, comme on a tendance à le faire. Au contraire, soufflez un grand coup et dénouez vos muscles. Lancez-vous au galop. Visez avec votre lance juste au-dessus de l'oreille droite du cheval, à la hauteur où vous estimerez être l'anneau, et gardez-la comme ça. Le truc, c'est d'être complètement détendu et de garder les yeux sur l'anneau au lieu de regarder le terrain.

Brent la dévisagea d'un air étonné, ainsi qu'Andréa.

— Ne me dites pas que vous avez déjà fait ça ! ironisa-t-il.

— Non, mais j'ai déjà assisté à ce genre de tournoi. Faites-moi confiance. Faites ce que je vous ai dit et vous vous en tirerez mieux que la plupart.

Brent se tourna vers Andréa qui se contenta de hausser les épaules.

— Ça vaut la peine d'essayer, fit-elle. Qu'avez-vous à y perdre ?

— Rien d'autre que ma fierté, que j'ai déjà abandonnée en partie aux vestiaires, répliqua-t-il avec un sourire sardonique.

— Nous serons là pour vous encourager, mon vaillant chevalier, promit joyeusement Andréa lorsqu'il partit reprendre sa place dans la file.

Au premier tour, aucun des quinze concurrents n'attrapa un seul anneau. Sous les acclamations des spectateurs en liesse, les chevaliers chargèrent à nouveau.

Quand le tour de Brent arriva, il souffla un grand coup, ainsi que le lui avait recommandé Maddy, puis talonna sa monture et s'élança au galop.

Des exclamations de dépit parcoururent la foule lorsqu'il fit tomber le premier anneau, sans réussir toutefois à l'attraper. Brent redressa légèrement sa lance et, à sa grande surprise, décrocha le second anneau. Lancé à toute vitesse, il éprouva quelques difficultés à se maintenir en selle, mais il dut y parvenir, car le troisième anneau rejoignit bientôt l'autre au bout de sa lance.

Quand il s'approcha de la tribune des juges pour leur présenter ses trophées, des tonnerres d'applaudissements retentirent dans les rangs des spectateurs, et Brent se retint de pousser un cri de joie.

Parmi les autres concurrents, deux seulement firent preuve d'autant d'adresse. Les juges décidèrent aussitôt d'organiser un dernier passage afin de départager les trois chevaliers encore en lice.

Bryan, le concurrent qui représentait le Connecticut, décrocha les trois anneaux d'affilée avec une surprenante dextérité. Vint ensuite le tour du chevalier portant les couleurs du Delaware, qui se défendit honorablement en attrapant deux anneaux sur trois. Juste après lui, prenant le temps de respirer à fond et de se détendre, Brent se mit en position. Le cavalier et sa monture s'élancèrent tel un boulet de canon.

Le premier anneau glissa facilement sur la lance, ainsi que le deuxième. Alors qu'il approchait du troisième et dernier anneau, le cheval fit un léger écart sur la gauche. Dans un ultime effort, Brent se hissa sur ses étriers et se pencha à droite en pointant sa lance dont l'extrémité heurta l'anneau métallique. Pendant une fraction de seconde, le rond oscilla follement, puis, miraculeusement, s'enfila sur la lance.

Aussitôt, la foule en délire se leva dans les tribunes, réclamant un nouveau match entre les deux meilleurs concurrents. Mais, au grand soulagement de Brent, les juges le classèrent second. Le tournoi était fini. Le jeune homme du Delaware fut déclaré vainqueur,

Brent, second, au titre de chevalier du Centenaire, et Bryan, du Connecticut, troisième.

Andréa était folle de joie, et très fière de son superbe champion. Ce fut avec grand plaisir qu'elle accepta son invitation au dîner et au bal prévus ce soir-là pour fêter l'événement. En revanche, ce fut avec beaucoup moins d'enthousiasme que Brent accepta de poser en grande tenue de chevalier devant le photographe officiel de l'exposition. Il n'y consentit qu'à la seule condition qu'Andréa soit autorisée à figurer sur la photo.

Une des dames qui espéraient être sacrées reine lors du gala de clôture prêta la couronne de fleurs qu'elle portait sur la tête à Andréa. Celle-ci fut alors hissée en selle, assise en amazone, juste devant Brent qui la tenait par la taille, tous deux formant le parfait tableau de la jeune fille amoureuse et du héros triomphant.

Avant les festivités de la soirée, ils retournèrent à l'hôtel se changer. Quand Andréa s'arrêta à la réception afin de voir s'il y avait des messages pour elle ou pour Maddy, elle eut la surprise de trouver une lettre à son attention. Le nom de l'expéditeur ne figurait pas sur l'enveloppe, mais elle avait apparemment été postée de Washington. Intriguée, elle la déchira en hâte et découvrit un bref message de Ralph. Sérieusement ébranlée, elle fourra la note dans sa poche sans la lire et se précipita dans sa chambre.

Brent l'avait vue prendre possession du message. L'expression troublée de son visage lorsqu'elle l'avait ouvert ne lui avait pas échappé, pas plus que la façon furtive avec laquelle elle l'avait dissimulé. Il était en outre vexé qu'elle ait filé aussi rapidement dans sa chambre, visiblement si préoccupée qu'elle l'avait abandonné là, à deux mètres derrière elle, sans prendre la peine de lui dire au revoir.

Que lui arrivait-il ? Qui lui avait écrit, et pourquoi paraissait-elle à ce point affectée ? Dugan MacDonald continuait-il à la harceler ? Etait-ce un message d'un autre soupirant, peut-être un ancien galant de Washington ? Ou bien quelqu'un qu'elle avait rencontré ici ? Et pourquoi s'était-elle enfuie ainsi, sans même lui dire un mot ?

Pendant ce temps, Andréa avait regagné sa chambre et parcourait la lettre, le cœur battant. Le message était bref, mais concis. Sans s'embarrasser d'aucune formule, Ralph avait écrit ceci :

J'espère que vous ramassez un maximum de choses, parce qu'il ne vous reste plus beaucoup de temps. J'en ai par-dessus la tête de ce gamin. Il me cause trop de soucis et m'empêche de vivre normalement. Payer son entretien, et tout ce qu'il esquinte, me coûte de plus en plus cher. Un nouveau matelas, vu qu'il est monté sur mon lit et a pissé dessus. Des chaussures neuves, pour remplacer celles qu'on m'a volées quand il les a balancées par la fenêtre. Vous me devez aussi une nouvelle montre. Ce sale gosse a cassé la mienne, a avalé le remontoir et m'a mordu quand j'ai essayé de l'en empêcher. Si ce n'était pour les marchandises que vous me fournissez, je l'aurais déjà envoyé au diable, alors vous feriez bien de rappliquer en vitesse avant que j'en aie vraiment assez et que je le vende à une bande de gitans pour m'en débarrasser. Ne tardez pas.

Ralph.

En bas de la page, il y avait un post-scriptum :

Vous serez contente d'apprendre que le môme est un vrai moulin à paroles quand il n'a pas son pouce fourré dans la bouche. Il jure maintenant comme un vrai charretier.

Lorsque Andréa eut fini de lire la lettre, de grosses larmes roulaient sur ses joues. Elle s'assit en pleurant, et Precious sauta sur ses genoux pour lécher les larmes salées sur son visage. Attendrie, Andréa caressa la petite boule de fourrure.

— Oh, Precious ! Tu ne peux pas savoir comme ce petit garçon me manque ! Il faut que je le récupère ! Il faut à tout prix que je l'arrache aux sales griffes de Ralph !

Au milieu de ses sanglots, elle esquissa un sourire.

— Tu aimeras Stevie, toi aussi, dit-elle à la chatte. Bien qu'il soit apparemment devenu une vraie canaille. Tu imagines ce petit tyran jetant les chaussures de Ralph par la fenêtre ! Et cassant sa montre ! Si je ne connaissais pas le caractère de Ralph, je me réjouirais qu'il le fasse tourner en bourrique. Mais j'ai peur de la façon dont Ralph pourrait réagir s'il continue à faire des bêtises. Cet homme est une bête sauvage ! Je ne serais pas étonnée d'apprendre que Stevie n'a pas fait un repas correct ni pris un bain depuis que Ralph me l'a enlevé. Cet enfant doit vivre dans une crasse épouvantable, alors que moi je suis là, à me rouler dans le satin et dans la soie, comblée dans mes moindres désirs.

Elle secoua tristement la tête.

— Non, je retire ça. Si tous mes désirs étaient comblés, Stevie serait avec moi, en sécurité. C'est ce que je souhaite le plus au monde. De toutes mes forces et de toute mon âme.

S'efforçant de masquer les traces de ses larmes, Andréa se tamponna les yeux avec des compresses d'eau fraîche, puis mit un peu de poudre et du rouge à lèvres. Elle était plutôt contente du résultat, mais Brent, qui commençait à la connaître mieux qu'elle ne le croyait, s'en rendit compte au premier regard.

— Vous avez pleuré. Qu'est-ce qui ne va pas ?

Andréa haussa gracieusement les épaules.

— J'ai reçu une lettre de Ralph, et Stevie me manque, confessa-t-elle.

— Vous serez sûrement contente de rentrer à Washington pour le revoir, répliqua Brent en la scrutant d'un regard qu'elle n'arriva pas à interpréter.

Dans son for intérieur, Brent se demandait si, malgré tout le mal qu'elle lui en avait dit, ce n'était pas Ralph qui manquait à Andréa. Se pouvait-il qu'elle nourrisse de profonds sentiments pour le père de Stevie ? Après tout, sa lettre avait eu pour conséquence de la faire fuir dans sa chambre et pleurer au point d'en avoir les yeux tout gonflés.

Une heure plus tard, au banquet, Brent était encore en train d'envisager cette possibilité. Ils avaient eu droit à un véritable festin, en hommage au temps passé, à l'époque où les rois régnaient sur de vastes royaumes et où les chevaliers combattaient le mal. Il y avait du canard rôti, du faisan, des cailles, d'énormes plats de viande et de poisson fumé. D'immenses saladiers de sauce, des pommes de terre entourées d'une variété inimaginable de légumes de toutes les couleurs. Des brioches, des scones, des biscuits et toutes sortes de pains. Un peu plus loin, sur une autre table, il y avait une montagne de desserts tous plus alléchants les uns que les autres : tartes, puddings, gâteaux... De quoi nourrir toute une armée.

Au milieu du repas, Andréa repensa à Stevie, et perdit aussitôt tout appétit. Elle reposa sa fourchette en poussant un gros soupir.

— Qu'est-ce qu'il y a ? demanda Brent, un brin agacé. Vous avez été préoccupée toute la soirée. Commencerais-je à vous ennuyer, ma chère ?

Elle répondit d'un ton quelque peu maussade.

— Bien sûr que non. Je repensais à Stevie, c'est tout. Je me demandais s'il avait assez à manger pendant que je suis là à m'empiffrer de toutes ces choses délicieuses.

— Vous ne pensez tout de même pas que son père le laisse mourir de faim ! remarqua Brent avec scepticisme.

— On voit que vous ne connaissez pas Ralph.

Brent réfléchit un instant avant de poursuivre.

— Parlez-moi de lui.

Andréa repoussa son assiette.

— J'aimerais mieux pas, si ça ne vous dérange pas.

— Oh, mais si, ça me dérange ! Je commence à éprouver une grande curiosité pour cet homme, d'autant plus que vous rechignez à en parler. Ceci m'intrigue, tout comme le fait que sa lettre vous ait mise dans un tel état. Il semble avoir un étrange effet sur vous. Se pourrait-il que, tout en vous en sentant plus ou moins coupable, vous soyez amoureuse du mari de votre sœur?

— Je vous ai dit qu'ils n'étaient pas mariés, lui rappela-t-elle avec mauvaise humeur, les yeux brillants de colère. Et il me serait impossible, quelles que soient les circonstances, de m'abaisser aussi bas et d'avoir la moindre affection pour cette créature méprisable. Ce n'est qu'un vulgaire rat d'égout, qui a autant de morale qu'un chat de gouttière et un caractère de serpent.

Brent émit un rire bref et sans joie.

— Ce qui couvre une bonne partie du monde animal. Cependant, je me demande si le poète n'a pas raison quand il dit que «la dame proteste trop fort».

— Hamlet était un crétin, sa mère une imbécile, et il semble que vous soyez les deux, Mr. Sinclair, rétorqua Andréa en prenant un air méprisant. Gardez vos citations de Shakespeare et... et étouffez-vous avec!

Sur ces mots, elle se leva dans un tourbillon de jupes, et aurait volontiers quitté le bal pour de bon sans l'intervention de Maddy.

— Ce n'est pas parce que vous avez eu une petite prise de bec qu'il faut vous priver d'une charmante soirée, lui fit remarquer la vieille dame.

Elle poussa légèrement Andréa vers un de ses admirateurs.

— Si je ne me trompe, ce jeune homme meurt d'envie de vous inviter à danser. Allez-y vite, et amusez-vous.

Andréa obéit. Elle dansa avec plusieurs jeunes gens, dont l'un était particulièrement séduisant. Jason Henderson était un garçon sympathique aux cheveux clairs et aux yeux d'un marron chocolat qui évoquèrent à Andréa ceux d'un chiot. Question couleur, en tout cas, il était l'exact opposé de Brent. L'attention émerveillée qu'il lui porta regonfla son moral qui en avait grandement besoin, surtout lorsqu'elle vit Brent entraîner tour à tour toutes les femmes célibataires sur la piste de danse, sans oublier la toujours très accommodante Shirley Cunningham.

Au moment où Maddy vint enfin lui dire qu'elle était prête à rentrer à l'hôtel, Andréa souffrait d'un mal de tête épouvantable et n'avait plus qu'une seule envie, se jeter sur son lit et s'endormir en sanglotant. Néanmoins, étant donné que la fête continuait et que beaucoup de gens s'y attarderaient, c'était l'occasion idéale de se faufiler dans les chambres vides pour y rafler tout ce qu'elle pourrait. A en croire la dernière menace de Ralph, elle ne pouvait se permettre une quelconque faiblesse, physiquement ou moralement, et laisser passer cette chance. Car ce qui était en jeu, c'était de libérer Stevie ou de le perdre à jamais.

Ah! Les hommes! songea-t-elle avec colère. Sans eux, elle n'aurait jamais eu autant de problèmes. A commencer par ce sournois de Ralph. Et, juste derrière lui, Brent Sinclair, ce grand nigaud! Qu'ils aillent tous les deux se faire pendre! Ainsi d'ailleurs que Dugan MacDonald!

13

Andréa se faufila sans faire de bruit dans le couloir pour rejoindre sa chambre — ou du moins, le plus discrètement que lui permettaient de le faire ses chaussures et ses vêtements trempés. A chacun de ses pas, ses semelles chuintaient horriblement. Car pour couronner cette désastreuse soirée, un orage avait éclaté. Et où se trouvait-elle quand le ciel s'était mis à déverser des torrents de pluie? Coincée sur un balcon, face à un caniche qui aboyait furieusement tout en tirant sur sa jupe! Sapristi, ce chien devait être un mâle! Elle lui souhaitait de périr noyé sous la pluie diluvienne avant que ses maîtres ne reviennent et ne le fassent rentrer dans l'appartement, où il avait coursé Andréa après qu'elle eut réveillé par inadvertance ce satané animal.

Et naturellement, à cause de ce caniche hurlant à réveiller un mort, elle n'avait réussi à emporter qu'un maigre butin. C'était déjà une chance qu'elle ait pu s'échapper sans se faire mordre, et ce uniquement parce qu'elle avait enfermé le chien sur le balcon pour s'esquiver par la porte d'entrée, craignant à tout instant que quelqu'un ne vienne se renseigner sur la raison d'un tel vacarme. Heureusement, son passage dans d'autres appartements s'était avéré plus fructueux, et elle pouvait maintenant rentrer, exténuée, se mettre au lit.

Au moment où elle glissa la clé dans la serrure, Andréa regretta de ne pas s'être arrêtée à la réception commander du thé brûlant pour réchauffer ses os glacés. Un bon bain chaud ferait l'affaire, à condition qu'elle ne s'endorme pas dans la baignoire. Elle était si lasse !

Tout à coup, semblant surgir de nulle part, une main s'abattit sur son épaule. Avant même de faire volte-face, Andréa laissa échapper un cri de surprise.

— Oh ! C'est vous, Miss Albright, fit l'homme qui se trouvait là, apparemment aussi stupéfait qu'elle. Je suis désolé. J'ai cru que quelqu'un essayait de s'introduire dans votre suite.

— Dieu du ciel ! gémit-elle, la main sur la poitrine, tout en dévisageant le détective de l'agence Pinkerton. Vous avez failli me faire mourir de peur !

Un peu plus loin dans le couloir, non loin de la porte de la chambre de Brent, une voix masculine familière retentit.

— Un problème, Jenkins ?

— Non, rien, Mr. Sinclair. C'était une erreur. C'est seulement Miss Albright qui rentre dans sa chambre.

— A cette heure ? s'enquit Brent en s'approchant pour découvrir Andréa toute pâle et toute mouillée. Mais vous êtes trempée ? On dirait que vous venez de sauver un chat de la noyade.

De ses longs doigts, il écarta une mèche humide sur son front, et Andréa émergea brusquement de sa stupeur.

— Ne me touchez pas, espèce de malotru!

Il l'agrippa par le bras sans ménagement et la poussa à l'intérieur de la suite.

— Vous pouvez retourner à votre poste, Jenkins. Miss Albright et moi allons résoudre notre petit désaccord en privé.

— Non, pas question! s'exclama Andréa en le repoussant. Je vais me coucher. Bonne nuit, messieurs.

Elle faillit claquer la porte au nez de Brent, qui s'empressa de l'en empêcher.

— Je vous en prie, dit-elle aussitôt en changeant de ton.

Il fallait à tout prix qu'elle se débarrasse d'eux avant qu'ils ne découvrent le contenu de son sac!

— Je suis fatiguée, et à bout de nerfs.

— Eh bien, moi aussi, lança Brent avec un regard menaçant. Nous allons discuter, Andréa. Et tout de suite.

Il la poussa dans la pièce.

— Arrêtez! Vous allez réveiller Maddy.

— Elle est probablement déjà réveillée. Je ne vois pas comment elle pourrait dormir avec le cri que vous avez poussé tout à l'heure.

— Si elle était réveillée, elle serait déjà là, en train de vous refouler dans le couloir. Maintenant, je vous en prie, allez-vous-en.

— Puisque vous insistez, fit-il alors d'un ton presque aimable en l'entraînant avec lui. Nous allons discuter de tout ceci dans ma chambre, où nous serons tranquilles.

— Brent Sinclair! Avez-vous perdu l'esprit?

— Absolument. Venez, Andréa. Et si vous avez un peu de bon sens, cessez de faire des histoires.

— Attendez! supplia-t-elle d'une petite voix. Puis-je au moins changer de vêtements avant d'attraper la mort?

— D'accord, concéda-t-il. Je reste ici à vous attendre. Mais ne vous avisez pas de me jouer un sale tour, sinon je vous traîne jusque dans ma chambre, sans me soucier de qui pourra nous voir ou nous entendre.

Andréa se précipita dans sa chambre en tremblant si fort qu'elle avait du mal à marcher. Après avoir jeté son sac à côté du lit, elle se débarrassa de ses vêtements mouillés aussi vite que le lui permettaient ses mains fébriles. Toutes sortes de questions se pressaient dans son esprit. Brent la soupçonnait-il ? Etait-ce pour cette raison qu'il se comportait si bizarrement, si rageusement ? A moins qu'il ne lui en veuille encore de leur dispute de ce soir ? Pouvait-il s'agir tout simplement de cela ? Et pourquoi l'agent de Pinkerton traînait-il dans le couloir ? Doux Seigneur ! Elle avait failli se faire prendre ! Peut-être n'était-elle d'ailleurs nullement tirée d'affaire !

Un coup discret retentit à sa porte.

— Juste une minute ! souffla-t-elle.

Renonçant à mettre des sous-vêtements, Andréa enfila rapidement une robe qu'elle boutonna tant bien que mal. Dans sa hâte à repartir, elle trébucha sur la pile de vêtements mouillés entassés par terre et faillit tomber.

— Voilà ! fit-elle d'un air furieux en rejoignant Brent dans l'entrée. Je suis prête, mais, à bien y réfléchir, je crois que nous ferions mieux de rester ici.

Brent secoua la tête avec un regard concupiscent.

— Qu'y a-t-il, chérie ? Vous ne me faites pas confiance ?

Il la poussa dans le couloir, referma doucement la porte et l'entraîna jusqu'à sa chambre.

Contrairement à Andréa et à Maddy, Brent n'avait pas loué une suite. Bien que spacieuse et joliment meublée, la chambre comprenait un coin salon et un coin pour dormir. Derrière une porte coulissante, il y avait un cabinet de toilette, et derrière une autre, une armoire.

Brent lui indiqua un fauteuil.

— Asseyez-vous. Voulez-vous une serviette pour vous sécher les cheveux ? proposa-t-il poliment.

Quand elle déclina son offre, il s'installa dans un fauteuil face à elle et s'approcha.

— Et maintenant, chère Miss Albright, je veux savoir

où vous étiez ce soir, avec qui vous avez passé la soirée et ce que vous avez fait. Et, par pitié, faites-moi grâce de vos mensonges!

Elle lui lança un regard furieux tout en réfléchissant à toute vitesse.

— Je... Je... Détendez-vous! Je suis sortie fumer une cigarette et je me suis laissé surprendre par la pluie! Alors, vous êtes satisfait, espèce de brute dominatrice?

Sa réponse le déconcerta. Il la dévisagea d'un air incrédule pendant d'interminables secondes.

— Vous avez fait quoi? demanda-t-il enfin.

— Je viens de vous le dire, grommela-t-elle.

Pour une raison qu'elle n'arrivait pas bien à saisir, elle crut bon d'ajouter quelque chose de sournois.

— Que vous étiez-vous donc imaginé, Mr. Sinclair?

— Je ne vous crois pas, déclara brusquement Brent en recouvrant ses esprits.

— Peu m'importe que vous me croyiez ou non, rétorqua-t-elle méchamment. Puis-je m'en aller? L'interrogatoire est terminé?

A l'instant où elle voulut se lever, Brent la repoussa au fond du fauteuil.

— Pas tout à fait. Dites-moi, Andréa, pourquoi étiez-vous obligée de sortir pour fumer une cigarette? Vous disposez d'une chambre à vous.

— Et Maddy a celle d'à côté, lui fit-elle remarquer. Je ne peux pas allumer une cigarette et prendre le risque que la fumée passe sous sa porte, ou s'incruste dans les rideaux ou les couvertures, et qu'elle la sente. Ou les femmes de chambre. Elles sont bavardes comme des pies.

Pendant qu'elle parlait, Brent avait sorti un étui à cigarettes de sa poche. Au grand désarroi d'Andréa, il en alluma deux et lui en tendit une.

— Tenez, ma chérie, fit-il d'une voix doucereuse. Fumez autant que vous voudrez. Je ne le répéterai à personne, à condition que vous ne fumiez pas en public. Ce qui serait tout à fait inadmissible, bien entendu.

La voyant hésiter, il insista.

— Qu'est-ce qui ne va pas, mon amour? Vous n'aimez pas cette marque? On les apprécie beaucoup à New York.

Comprenant qu'elle n'avait pas le choix, Andréa accepta la cigarette, qu'elle prit gauchement entre deux doigts, comme elle l'avait vu faire sur l'affiche d'un magasin. Prudemment, elle la porta entre ses lèvres sèches et tira dessus. De la fumée lui emplit la bouche, lui piqua le nez, mais elle réussit à ne pas en avaler.

Brent eut un rire moqueur.

— Allons, Andréa. Ce n'est pas comme ça qu'on fume. Faites-le correctement. Aspirez la fumée.

Il l'avait prise à son propre jeu. Et ils le savaient tous les deux. Mais que pouvait-elle faire? Elle prit une autre bouffée, avala à moitié la fumée, et se mit aussitôt à tousser. Brent se pencha avec beaucoup de sollicitude pour lui taper dans le dos.

— Je suppose que vous n'avez pas encore l'habitude, railla-t-il.

— Je... je viens tout juste de commencer, avoua-t-elle, éprouvant une soudaine crampe à l'estomac.

De sa main libre, Andréa s'essuya les lèvres afin d'enlever un morceau de papier et quelques brins de tabac qui y étaient restés collés. Ecartant sa main, Brent se chargea de le faire en effleurant lentement ses lèvres à plusieurs reprises. Leurs regards se croisèrent, brillants d'un éclat mystérieux.

— Dites-moi la vérité, Andréa, dit-il doucement. Vous étiez avec cet homme, n'est-ce pas?

Elle darda sa langue pour s'humecter les lèvres, et rencontra son doigt. Se sentant soudain devenir toute molle, Andréa mit un moment avant de comprendre sa question.

— Quel homme? demanda-t-elle.

— Ce type avec qui vous avez dansé ce soir. Henderson, je crois.

— Je n'étais pas avec lui. Maddy et moi sommes rentrées avec une partie du groupe.

— Mais vous êtes ressortie discrètement dès que Maddy a été endormie, c'est cela? insista-t-il.

— Non. Vous vous trompez. J'étais contrariée de m'être disputée avec vous. Je n'arrivais pas à dormir. J'espérais qu'une cigarette m'aiderait à me calmer.

Il prit la cigarette entre ses doigts alanguis et l'écrasa dans un cendrier avant de faire de même avec la sienne. Puis il se tourna vers elle.

— Vous êtes une menteuse, Andréa. Une ravissante et fieffée menteuse. Combien d'hommes avez-vous dupés ainsi? Combien sont-ils à s'être laissé prendre dans votre splendide toile d'araignée? Je ne suis sûrement pas le premier à m'être laissé séduire par votre air innocent et vos mines charmeuses?

— Vous vous trompez complètement, Brent.

Il se leva et se planta devant elle de toute sa hauteur, la réduisant à l'état de prisonnière.

— Combien sont-ils à avoir décroché le gros lot? A avoir été récompensés pour leurs loyaux services et leur stupidité?

— Arrêtez! s'écria-t-elle, à nouveau effrayée par son étrange conduite. Je n'ai pas la moindre idée de ce dont vous parlez.

— Vraiment? Alors, je vais être plus clair. Jusqu'à présent, j'avais l'arrogance de croire que vos baisers passionnés étaient une preuve de votre désir pour moi, et uniquement pour moi. Mais je réalise maintenant que vous êtes loin d'être aussi vertueuse que je le pensais. Dites-moi, Andréa, combien d'hommes se sont allongés entre vos cuisses pour goûter à la douceur de votre corps? A moins qu'il n'y en ait trop pour que vous puissiez les compter?

— Vous êtes ignoble! s'exclama-t-elle en s'efforçant de le repousser. Je n'ai été avec aucun homme! Et je ne vais certainement pas commencer maintenant, avec vous!

Les bras de Brent se nouèrent autour d'elle, il la souleva à bras-le-corps et l'emporta vers le lit.

— Réfléchissez-y bien, chère tentatrice. La chasseresse est désormais devenue la proie, et je ne vous relâcherai pas tant que je n'aurai pas obtenu entière satisfaction.

— Vous êtes dément! s'écria-t-elle, les yeux brillants d'affolement. Lâchez-moi avant de nous faire honte à tous les deux. Je vous en supplie.

— Vous me supplierez de bien autre chose d'ici peu, se vanta-t-il en la déposant sur le lit et en s'allongeant sur elle de tout son poids. Quelque chose dont nous mourons d'envie depuis longtemps tous les deux pendant que vous jouez à vos petits jeux stupides.

Sa bouche se plaqua sur la sienne, coupant court à ses plaintes, et sa langue s'enfouit dans sa bouche telle une rapière. Il sentait le tabac, le whisky… et Brent. Pendant quelques secondes, elle s'abandonna à la sensation merveilleuse et familière de ses lèvres sur les siennes. Mais lorsque sa main se referma sur son sein, tandis que l'autre se faufilait sous sa jupe, Andréa réagit et détourna brusquement la tête.

— Ne faites pas ça, Brent, dit-elle, haletante. Vous êtes ivre. Demain matin, vous vous en voudrez, mais certainement pas autant que je vous en voudrai moi.

— Vous continuez à feindre l'innocence, même à cette heure-ci! railla-t-il.

— C'est la vérité. Je vous en prie, croyez-moi.

— En vous voyant me regarder avec ces grands yeux violets, je serais presque tenté de le faire. Quel sort m'avez-vous donc jeté pour que j'accepte ce mensonge comme si c'était la vérité?

— Je ne vous ai jeté aucun sort, si ce n'est l'amour que je ressens pour vous, se défendit-elle doucement, les larmes qui brillaient dans son regard transformant ses yeux en pures améthystes. Ne gâchez pas tout en prenant de force ce qui devrait être donné avec joie.

La tête brune de Brent descendit sur elle, et il colla son front tout contre le sien. Puis il soupira en tremblant.

— Je vous aime, Andréa. Je n'y peux rien, je vous aime plus que tout au monde. J'ai failli mourir en vous voyant danser avec ces hommes, et en vous imaginant dans le lit de Henderson, je suis devenu fou.

Elle dégagea un de ses bras pour caresser doucement ses cheveux.

— Je sais. J'ai moi-même eu envie d'arracher les cheveux de la Veuve Cunningham au beau milieu de la piste de danse. C'est pour cela que je suis partie si tôt. Je ne supportais pas de vous voir avec elle, ni avec toutes ces charmantes femmes en adoration devant vous.

S'écartant légèrement, Andréa effleura ses lèvres d'un baiser.

— Je vous aime, Brent Sinclair. Comme je n'ai jamais aimé personne, comme je n'avais jamais imaginé qu'on puisse aimer.

Brent l'embrassa à nouveau, tendrement cette fois, amoureusement. Leurs lèvres se touchèrent, leurs langues se mêlèrent joyeusement. Emporté par le feu de la passion, Brent abandonna sa bouche pour déposer de minuscules et ardents baisers sur son visage et tout le long de son cou. Du bout des dents, il lui mordilla le lobe de l'oreille, son haleine douce et tiède la faisant frissonner de bonheur. A son tour, elle introduisit sa langue au creux de son oreille et rit avec délices quand il fut, lui aussi, secoué d'un long frisson.

Après avoir retiré une à une les épingles de son chignon, Brent enfouit les doigts dans sa chevelure encore humide qu'il étala comme un voile scintillant sur ses épaules. Ses mains s'affairèrent sur les boutons du devant de sa robe, comme s'il attendait sa permission.

— J'ai tellement envie de vous toucher, murmurat-il, les yeux miroitant comme deux pièces d'or. Je voudrais que mes yeux se régalent de votre beauté.

Deux petites mains tremblantes se posèrent sur les siennes, guidant ses gestes pour l'aider à déboutonner son corsage. Si Brent trouva étrange qu'elle ne portât rien en dessous, il se garda sagement de tout commentaire, mais la souleva légèrement pour libérer ses épaules. Une seconde plus tard, le haut de son corps se retrouva entièrement révélé à son regard incandescent.

Andréa resta immobile, priant le ciel avec ferveur pour qu'il la trouve jolie, et se mordilla la lèvre, le cœur battant d'impatience. Brent lui sourit tendrement avant de passer doucement un doigt sur sa lèvre gonflée.

— Tu es parfaite, assura-t-il.

Alors, sa tête brune descendit sur sa poitrine, son souffle chaud réchauffant sa peau frémissante tout en faisant se dresser les pointes de ses seins. Sa langue dessina un rond humide et tiède autour d'un mamelon, puis de l'autre, s'attardant amoureusement sur les bouts tendres comme des boutons de rose.

Instinctivement, Andréa se pressa contre lui, ayant soudain besoin de ses caresses tout autant que de respirer. Ses mains plongèrent dans ses cheveux très bruns, encourageant sa bouche à taquiner davantage ses seins douloureux. Brent s'exécuta avec empressement, et ses lèvres se refermèrent sur une des aréoles rosées qu'il suça longuement, lui communiquant la douceur brûlante de sa bouche.

Andréa était perdue dans un tourbillon de splendeur et de sensualité. Comme si un fol incendie se propageait dans sa poitrine, dans son ventre et entre ses cuisses. Chaque centimètre de son corps était extraordinairement vivant, et transpercé par un plaisir si intense qu'elle crut qu'elle allait en mourir. Un gémissement de bien-être et de désir fougueux monta entre ses lèvres, comme pour supplier tendrement son amoureux.

Il y répondit aussitôt en remontant prendre sa bouche, et ils s'embrassèrent fiévreusement, le souffle de plus en plus court à mesure que leur pouls s'accélérait. Elle agrippa sa chemise et tira dessus au point d'en faire céder les boutons. Puis elle caressa son torse nu, laissant courir voluptueusement ses doigts dans la toison de poils sombres et doux comme de la soie.

S'arrachant à sa bouche, Brent grogna de plaisir.

— Ne t'arrête pas, mon amour. Te sentir me toucher ainsi, c'est le paradis. Le paradis et l'enfer en même temps.

Malgré sa robe, Andréa devinait l'ardeur évidente de son désir tout contre sa cuisse. Si près... et pourtant si loin.

— J'ai envie de toi, murmura-t-elle d'une voix tremblante.

Brent redressa la tête pour la regarder dans les yeux.

— Tu en es sûre?

— Je ne sais pas si je devrais, mais je sais que c'est comme ça. J'ai follement envie de toi, répondit-elle avec sincérité.

La main de Brent était déjà sous l'ourlet de sa robe, ses doigts frôlaient sa jambe lorsqu'on frappa tout à coup à la porte. Andréa ne put retenir un petit cri de stupeur. Quant à Brent, il se contenta d'un vague grognement, suivi d'un bref juron.

Comme les coups reprenaient de plus belle, il se leva et fonça vers la porte, sa chemise grande ouverte.

— Ne bouge pas, dit-il à Andréa. Je reviens tout de suite.

La porte faillit sortir de ses gonds quand il l'ouvrit, sans chercher à savoir d'abord qui se trouvait derrière.

— Vous avez envie de mourir? lança-t-il d'un ton abrupt.

Andréa ne put voir qui c'était, et n'en eut guère le loisir, car Brent sortit dans le couloir en claquant la porte derrière lui. A travers l'épaisse cloison de bois, elle ne perçut qu'un échange de propos à voix basse, mais il lui sembla que la colère de Brent était retombée.

Dans le couloir, en proie à un terrible dilemme, Brent écoutait Jenkins lui faire part des cambriolages qu'on venait juste de découvrir. En tout, il y en avait eu quatre. Un dans l'hôtel, deux à Girard House, une pension située de l'autre côté de la rue, et un autre un peu plus loin, à Franklin House. Et, cette fois-ci, le voleur avait laissé quelques indices déroutants.

Sachant pertinemment qu'il aurait dû s'habiller et suivre le détective, Brent hésita toutefois, déchiré entre le devoir et le désir. Finalement, il prit congé de son visiteur et dit à Jenkins de partir sans l'attendre. Il le rejoindrait dès que possible.

De retour dans la chambre, Brent découvrit que la décision avait été prise à sa place. Andréa était entièrement rhabillée, sa robe boutonnée jusqu'au menton, en train de lisser le couvre-lit tout froissé. En croisant son regard dépité, elle eut soudain l'air gêné.

— Il faut que je m'en aille, murmura-t-elle d'une petite voix mal assurée. Avant que Maddy ne se réveille et ne s'aperçoive de mon absence. Avant que...

— Avant que nous nous laissions une nouvelle fois emporter par la passion ? demanda-t-il gentiment.

— Oui.

Deux ronds empourprèrent ses joues. Elle avança vers la porte.

Quand elle passa devant lui, Brent l'attrapa par le bras et la fit pivoter sur elle-même, puis l'embrassa chastement sur le front.

— Vous n'avez à avoir honte de rien, Andréa. Je vous aime. Et je ne cesserai jamais de vous aimer. Même si je le voulais, je crois que je n'y parviendrais pas.

— Je l'espère, chuchota-t-elle avec ferveur, désireuse de prolonger un moment aussi précieux. Moi aussi, je vous aime.

Sur ces mots, de peur de changer d'avis et de céder à la tentation, elle se sauva à toute vitesse.

Leur voleur de bijoux, bien que toujours aussi rusé, commençait à commettre quelques erreurs. Il devenait de plus en plus gourmand, ainsi qu'il l'avait démontré en s'attaquant à quatre endroits différents en une seule nuit. De plus, il se montrait moins vigilant dans le choix de ses victimes puisqu'il avait omis de se renseigner sur la présence d'un chien dans l'un des appartements. A leur retour, les propriétaires avaient découvert le caniche enfermé sur le balcon, un morceau de tissu noir encore coincé entre les dents, preuve que le cambrioleur avait failli trouver plus fort que lui, bien qu'il n'y eût aucune trace de sang indiquant que le coupable se soit fait mordre.

Dans une des pièces, Brent s'accroupit afin d'examiner une empreinte boueuse qui ressortait distinctement sur le plancher nu et ciré. Or l'homme qui habitait ici avait des pieds beaucoup plus grands. Et il n'avait amené personne chez lui. En toute déduction logique, cette empreinte de pas appartenait donc au voleur.

— Je suis prêt à parier que c'est une femme, observa l'un des détectives.

— Ne pourrait-il s'agir d'un jeune homme ayant des petits pieds ? demanda Brent.

— C'est possible, mais j'en doute. Si c'était un jeune homme qui avait laissé cette empreinte, on verrait une marque de semelle. Alors que là, on dirait plutôt une trace de ballerines, comme les femmes en mettent parfois.

— Une femme cambrioleuse, commenta Brent d'un air songeur, vaguement mal à l'aise. Il s'agirait dans ce cas d'une dame très astucieuse.

Le détective émit un petit rire sec.

— Astucieuse, peut-être. Mais je doute qu'il s'agisse à proprement parler d'une dame. Néanmoins, il nous arrive quelquefois d'avoir des surprises.

— Notre coupable pourrait très bien être un homme portant des chaussures spéciales, afin de se déplacer sans bruit, remarqua Jenkins. Quoi qu'il en soit, je pense que nous le saurons bientôt. Notre voleur devient imprudent. Il, ou elle, ne tardera pas à se trahir d'ici peu.

Ce qui apparut alors à Brent comme une bien piètre consolation, dans la mesure où l'une des victimes de ce soir se trouvait être un gentleman de New York, client du cabinet d'avocats Sinclair & Sons !

14

Après cette tumultueuse soirée, Andréa dormit jusqu'à une heure avancée de la matinée. Lorsqu'elle se leva, Maddy était déjà descendue retrouver ses amis pour organiser un déjeuner/petit déjeuner. Andréa était donc seule lorsqu'on frappa à la porte. Pensant que c'était probablement Brent, et quelque peu embarrassée de se retrouver devant lui, elle hésita à répondre. Lorsqu'elle se décida finalement à ouvrir la porte, il n'y avait personne. En revanche, un gros paquet avait été déposé sur le seuil.

Andréa tira la boîte à l'intérieur et l'ouvrit en hâte, convaincue qu'il s'agissait d'un cadeau de Brent. Au lieu de quoi, elle trouva une série de cadeaux de Dugan MacDonald. Il y avait là le châle écossais, le dessin et, nouveau présent, un nécessaire de coiffure, composé d'un peigne, d'une brosse et d'un miroir en argent.

— Que cet homme aille au diable! N'abandonnera-t-il donc jamais? se lamenta-t-elle tout en admirant le dos finement ciselé de la brosse.

On frappa à nouveau, et Andréa se jeta sur la porte qu'elle ouvrit d'un geste rageur, s'apprêtant à traiter l'Ecossais de tous les noms. Elle se retrouva nez à nez avec Brent.

— J'arrive trop tôt? demanda-t-il. A voir l'expression de votre visage, j'aurais dû vous accorder une demi-heure de plus pour vous laisser le temps de boire votre café.

— Je viens juste de recevoir un autre cadeau de Mr. MacDonald. Je vous assure, Brent, j'ai fait tout mon possible pour tenter de décourager ce gros balourd, mais il ne veut rien entendre.

— Peut-être finira-t-il par le faire aujourd'hui, remarqua le jeune homme en termes sibyllins.

Il regarda sa montre.

— J'espère que vous êtes prête à sortir. J'ai une surprise pour vous, et il ne faudrait pas que nous soyons en retard.

Andréa alla chercher son ombrelle et son sac.

— Quel genre de surprise? demanda-t-elle tandis qu'il la poussait vers la porte.

Brent eut un rire bref.

— Si je vous le dis, ce ne sera plus une surprise.

Lorsqu'ils sortirent de l'ascenseur, Andréa s'arrêta.

— Nous ne passons pas d'abord prendre Maddy?

— Pas aujourd'hui. Elle et ses amis sont partis

devant. Nous les retrouverons à l'exposition un peu plus tard.

— C'est là que nous allons ?

Brent lui fit un joyeux clin d'œil.

— Pour commencer. Et maintenant, assez de questions, ou vous allez finir par tout gâcher.

Et il resta muet comme une tombe, une tombe plutôt souriante, pendant tout le reste du trajet. Andréa abandonna l'idée de lui soutirer des informations et profita de la promenade. Lavée par la pluie de la veille, la ville resplendissait plus que jamais sous un magnifique soleil. L'herbe paraissait plus verte, les fleurs plus fraîches, bref, la journée s'annonçait splendide. Jusqu'au moment où la calèche franchit les portes de l'exposition et poursuivit sa route jusqu'à l'aire réservée aux montgolfières.

Quand Brent voulut l'aider à descendre, Andréa résista.

— Ceci a-t-il un rapport avec votre surprise ? s'enquit-elle d'un air soupçonneux.

— En partie. Vous allez faire l'expérience la plus excitante de toute votre vie, ma chérie.

— Nous allons monter dans un de ces machins ?

— Absolument.

— Pas question ! Allez-y si ça vous chante, mais, personnellement, je préfère rester sur la terre ferme.

— Allons, Andréa ! dit-il avec un sourire qui lui fit penser à un petit garçon essayant d'obtenir un gâteau de plus au dessert. Où est passé votre sens de l'aventure ?

— Je ne crois pas en avoir, rétorqua-t-elle. Ou si j'en ai, il ne va pas jusqu'à faire des choses aussi périlleuses.

— Il n'y a aucun danger, mon amour. Pensez-vous que je vous ferais prendre ce risque, s'il y en avait un ? Le temps est parfaitement serein, avec juste ce qu'il faut de brise, et pas un nuage dans le ciel.

Brent la prit par le bras et l'entraîna vers un immense ballon rouge et jaune qui était prêt à décoller.

— Venez vite. Le pilote nous attend.

— Je n'aime pas l'altitude, lui avoua-t-elle en considérant d'un œil méfiant l'énorme engin gonflé comme
une baudruche.

— Vous changerez d'avis dès que vous découvrirez
la vue qu'on a au-dessus des arbres.

— Je vous assure, ça ne me tente pas du tout, insista-
t-elle.

Sans lui laisser le loisir de discuter davantage, Brent
la souleva et la déposa dans la grande nacelle en osier
avant d'y grimper à son tour. Leur pilote sauta à bord
et entreprit de détacher les cordes qui retenaient le ballon au sol. La nacelle fit une embardée, ce qui valut à
Andréa la frayeur de sa vie, puis se stabilisa et commença à s'élever lentement vers le ciel.

Andréa s'obligea à respirer à fond, mais elle s'agrip-
pait avec tant de force au bastingage que les jointures
de ses mains commençaient à devenir toutes bleues.

— Ce ne sera peut-être pas si mal, après tout,
concéda-t-elle d'une toute petite voix, comme si elle
cherchait à se convaincre elle-même.

Soudain, se décidant bravement à jeter un coup d'œil
par-dessus bord, Andréa resta pétrifiée d'admiration.

— Oh! C'est absolument incroyable! Brent, regardez! On voit toute la ville!

Il la prit par la taille et l'attira contre lui en manifes-
tant lui aussi son enthousiasme.

— C'est magnifique!

Ils se félicitèrent tous deux que Brent ait tenu fermement Andréa lorsqu'elle hasarda un coup d'œil en dessous de l'engin. Le spectacle donnait le vertige, et à
cette distance, les gens avaient l'air de minuscules four-
mis courant dans tous les sens.

— Ô Seigneur! gémit-elle en redressant brusquement la tête et en titubant. Finalement, ce n'était pas
une bonne idée du tout…

— J'ai oublié de vous prévenir qu'il ne fallait pas
regarder en bas, surtout si vous avez le vertige, dit
Brent. Mais si vous regardez droit devant vous, vous
verrez ce que seuls les oiseaux ont d'ordinaire le privi-
lège de voir.

Dès qu'elle eut retrouvé l'équilibre, et de belles couleurs, Andréa ne résista pas à la beauté spectaculaire du panorama.

— Je suis contente que vous m'ayez entraînée là-dedans, avoua-t-elle enfin. C'est une expérience que je n'oublierai jamais de ma vie.

— Et j'espère la rendre plus mémorable encore, répliqua Brent.

De sa main libre, il sortit un petit écrin en velours de sa poche. Puis, sans la lâcher, il mit un genou en terre et ouvrit l'écrin où scintillait une bague de fiançailles en diamants avant de formuler sa demande d'une manière solennelle.

— Andréa, mon seul et unique amour, me feriez-vous l'immense honneur de consentir à devenir ma femme ?

Andréa resta sans voix. Soudain, entre l'altitude vertigineuse et la proposition de Brent, elle se retrouva incapable de respirer normalement. Le vide s'était fait dans son esprit, la tête lui tournait et ses genoux menaçaient de se dérober sous elle à tout instant.

— Je vous saurais gré de ne pas vous évanouir avant de me répondre, plaisanta-t-il tout en resserrant son étreinte. Et vous seriez gentille de le faire avant que mon genou ne faiblisse et que je ne me casse la figure.

— Brent, je vous aime, mais...

— Non, Andréa. Assez de faux-fuyants. Nous nous aimons à la folie. Ce qui me paraît amplement suffisant.

— Il y a des choses de moi que vous ignorez totalement. Des choses importantes.

— J'aurai de longues années devant moi pour les découvrir.

— J'accepte votre proposition à une condition, reprit-elle, cédant à ce que lui dictait son cœur : que nous ne fassions aucun projet dans l'immédiat tant que je ne serai pas retournée à Washington et que je n'aurai pas pris des dispositions concernant Stevie.

— Alors, c'est une réponse affirmative ? s'écria-t-il, plein d'espoir. Venez-vous enfin d'accepter de m'épouser ?

— Oui, répondit Andréa avec un sourire rayonnant. Je crois bien que oui.

Brent s'empressa de lui passer la bague au doigt et se releva pour la serrer dans ses bras. Sa bouche aspira la sienne en un baiser qui faillit à nouveau lui faire tourner la tête.

— Farber est témoin, vous savez, lui dit Brent quand il la laissa enfin reprendre son souffle. Vous ne pourrez pas vous dédire comme ça.

Andréa songea aussitôt que si l'un d'eux décidait de rompre leurs fiançailles, il y avait toutes les chances pour que ce soit Brent, si jamais il découvrait ses activités clandestines.

— Il n'y a qu'un avocat comme vous pour penser à une chose pareille ! observa-t-elle.

Elle lui sourit joyeusement.

— Et il n'y a que vous pour imaginer une façon aussi farfelue de faire une demande en mariage. Nous sommes probablement le premier couple à échanger ce genre de promesse dans un ballon gonflable.

Brent lui sourit d'un air satisfait.

— Je me suis dit que c'était le seul endroit où vous ne pourriez pas m'échapper.

— Vous êtes une canaille, Brent Sinclair, murmura-t-elle en le dévisageant de ses yeux brillants. Une canaille très romantique.

Ils s'étreignirent une fois encore avec passion, indifférents au paysage splendide et à tout ce qui les entourait quand le pilote se mit à crier.

— Sainte Marie, mère du ciel ! Qu'est-ce que fabrique cet abruti ?

Brent et Andréa s'écartèrent l'un de l'autre et virent alors ce qui avait alarmé Farber. A moins d'une centaine de mètres se trouvait un autre ballon qui fonçait droit sur eux ! Au fur et à mesure que l'engin se rapprochait, ils aperçurent plus nettement le pilote, ainsi que son passager, un homme immense et roux ! Les deux hommes affichaient des sourires ravis en leur adressant de grands signes de la main.

— Si on faisait la course ? hurlèrent-ils en chœur.

156

— Vous êtes fous! rétorqua Farber. Virez de bord en vitesse avant de nous tuer tous!

Il se tourna vers Brent et Andréa.

— Vous feriez bien de vous accrocher, jeunes gens, et tenez bon! J'ai la sale impression que ça va tanguer et je vais être trop occupé pour vous dorloter.

— Puis-je faire quelque chose pour vous aider? proposa Brent tandis qu'Andréa continuait à regarder le ballon fou d'un air horrifié.

— Vous pourriez m'aider à larguer quelques sacs de sable, répondit Farber. Si nous nous dépêchons, ils passeront juste en dessous de nous.

— Ce n'est pas un peu risqué?

Farber acquiesça.

— Mais pas plus que de rester là à ne rien faire en attendant qu'ils nous percutent de plein fouet.

Les deux hommes se mirent au travail et commencèrent à lancer de lourds sacs par-dessus bord. Cependant, dès que les autres les virent, ils firent de même, si bien que les deux ballons s'élevèrent de concert.

— Ô Seigneur! gémit Andréa, terrifiée. Nous allons mourir!

— Ce n'est pas le moment de paniquer, mon amour, cria Brent.

— Quel est le bon moment, alors? rétorqua-t-elle, le regard rivé sur l'autre ballon qui n'était plus qu'à une cinquantaine de mètres.

— Nous allons devoir nous montrer plus malins qu'eux, suggéra le pilote.

— Et comment? voulut savoir Brent.

Farber le lui expliqua.

— Ce ballon du dernier modèle a été fabriqué spécialement en vue de l'exposition. Au lieu d'avoir un seul trou au centre pour laisser passer l'hydrogène, celui-ci est constitué de plusieurs panneaux, chacun ayant une poche séparée contenant de l'hydrogène, avec sa propre valve. Si nous lâchons un peu de gaz, le ballon descendra, comme sur les vieux modèles. Mais comme nos amis semblent vouloir imiter chacun de nos gestes, nous devrons le faire subitement, d'un seul coup, avant qu'ils aient le temps de faire la même chose, et pile au bon moment.

Il montra à Brent où étaient situées les valves, qui étaient au nombre de huit.

— Quand je vous donnerai le signal, vous libérerez ces deux-là, et je ferai la même chose de l'autre côté. Les panneaux encore fermés nous permettront de garder l'équilibre, mais attention, l'engin va tomber très vite, alors accrochez-vous! Vous aussi, Miss Albright! Et une petite prière ne serait pas superflue.

— Si jamais nous survivons à tout ceci, je jure de tuer Dugan MacDonald! lança Andréa avant de se recroqueviller au fond de la nacelle en fermant les yeux.

— Vous devrez attendre pour cela que j'en aie fini avec lui, promit fièrement Brent.

— Préparez-vous! ordonna Farber. Tirez!

Comme le pilote l'avait prédit, le ballon tomba de plusieurs dizaines de mètres, et Andréa eut l'impression que son estomac faisait de même, suffoquant et criant en même temps. Juste au moment où le ballon semblait ralentir un peu et se stabiliser, elle entendit un claquement épouvantable au-dessus de sa tête.

— Nous avons perdu un des panneaux! Cet abruti a dû le heurter!

A peine eut-il prononcé ces mots, le ballon recommença à descendre à toute vitesse, penché d'un côté. Andréa se cramponna de toutes ses forces en priant de plus belle. Pendant ce temps, Brent et Farber s'activèrent à essayer de maintenir l'équilibre en libérant le panneau situé à l'opposé de celui qui avait été arraché. En même temps, ils durent refermer les valves qu'ils avaient ouvertes précédemment afin de ne pas laisser s'échapper tout l'hydrogène.

Ils descendaient à une allure inquiétante. Aplatie au fond de la nacelle en osier, Andréa voyait le sol se rapprocher à une vitesse folle. A tout instant, elle s'attendait à voir sa vie défiler devant ses yeux, comme cela se produit quand on est sur le point de mourir.

— Je vous en prie, Seigneur, je vous en supplie!

158

implora-t-elle, l'esprit trop embrouillé pour se rappeler une prière digne de ce nom.

Farber, aidé de Brent, avait sorti la réserve d'hydrogène de secours et était en train de le pomper frénétiquement dans les panneaux dégonflés, tentant dans un ultime effort de réduire la vitesse de leur chute. A une centaine de mètres du sol, l'engin ralentit, attrapa une brise et sembla dériver avec le courant.

— Je crois qu'on va y arriver! s'exclama le pilote. Oh, non! Accrochez-vous, jeunes gens! Nous filons droit vers les arbres!

La nacelle frôla la cime des arbres en arrachant violemment plusieurs branches. L'une d'elles traversa les mailles en osier de la nacelle, manquant transpercer les genoux d'Andréa. Puis, comme par miracle, l'engin s'arrêta en oscillant doucement.

— Que personne ne bouge, dit calmement Farber. Et ne respirez pas trop fort.

— Pourquoi? Ne venons-nous pas d'atterrir? demanda Andréa d'une toute petite voix.

Partout autour d'elle, elle ne distinguait qu'un entrelacs de branches et de feuilles tandis que, au-dessus de sa tête, le ballon à moitié dégonflé sifflait dangereusement.

— Pas vraiment, fit Brent dans un murmure. Nous avons atterri au sommet d'un arbre, à environ quarante mètres au-dessus du sol. Et je suppose que nous sommes en équilibre instable.

— Ce qui signifie, ajouta le pilote, que le moindre mouvement risquerait de nous faire basculer.

— Mais… comment allons-nous descendre? s'inquiéta la jeune fille.

— Nous sommes à l'extrémité de Fairmount Park, près de la rivière. Je suis sûr que les secours ne tarderont pas à arriver… si toutefois nous restons tranquilles.

— Ils vont sans doute nous envoyer un camion de pompiers équipé d'une grande échelle.

— Si quelqu'un nous a vus! souligna Andréa.

Farber émit un léger ricanement.

— Oh, pour ça, ils n'ont pas pu nous rater, mademoiselle ! Nous sommes passés juste au-dessus de leurs têtes, nous les avons frôlés de si près que nous aurions pu embarquer quelques passagers supplémentaires au passage !

— Et vous avez poussé de tels hurlements, ajouta Brent d'un air espiègle, qu'il est peu probable que personne ne nous ait repérés.

— Vous m'en remercierez plus tard, leur dit-elle à tous les deux.

Au loin, des bruits de sifflets et de cloches annoncèrent l'arrivée imminente des pompiers, qui arboraient fièrement leur tout nouvel équipement présenté à la foire.

— J'espère seulement qu'ils auront le bon sens de ne pas allumer les chaudières. Une seule petite étincelle à proximité de tout cet hydrogène suffirait à nous expédier au royaume des oiseaux.

Andréa recommença à prier, et ne cessa que lorsque Brent lui assura que tout allait bien.

— Je n'arriverai à respirer normalement que lorsque mes pieds auront retrouvé la terre ferme, répliqua-t-elle en tremblant. Et le jour où vous me ferez remonter dans un ballon, les poules auront des dents.

Il se passa encore presque une heure, le temps que les pompiers décident du meilleur moyen de les faire descendre en toute sécurité, avant que le pilote et ses passagers ne se retrouvent sur le sol. Des acclamations retentirent tout autour d'eux. Un fort accent écossais se détacha nettement de la foule, attirant instantanément l'attention de Brent.

Sa réaction fut celle d'un fou. Tête baissée, il fonça à travers la foule tel un taureau furieux et donna un coup de tête en plein dans le ventre de Dugan MacDonald. Sous le choc, les deux hommes roulèrent à terre, Brent à cheval sur le gros Ecossais. Sous l'effet de surprise, et le genou de Brent lui labourant l'estomac, Dugan n'eut pas le temps d'empêcher son adversaire de l'empoigner par sa cravate qu'il se mit à serrer comme un nœud coulant.

— Espèce de salopard ! tonna Brent. Vous avez failli nous tuer !

— C'était un accident ! se défendit Dugan, tirant tant bien que mal sur sa cravate afin de la desserrer suffisamment pour pouvoir parler. Jamais je ne ferais de mal à Miss Albright.

— C'est vrai, renchérit le pilote de Dugan. Nous avons seulement pensé qu'une petite course corserait un peu les choses.

Le poing de Farber s'abattit violemment sur sa bouche.

— Et ça, c'est assez corsé, imbécile !

— Doucement, monsieur, conseilla un des pompiers à Brent en voyant le visage de Dugan rouge comme une pivoine. Laissez-le respirer.

Brent obtempéra, mais seulement après avoir imité Farber et expédié un solide coup de poing dans l'œil de MacDonald.

— Si jamais vous vous approchez encore d'Andréa ou de moi, je vous achève, promit-il d'un air sombre. Elle est à moi, MacDonald. A moi. Et si vous ou qui que ce soit tente de s'interposer entre nous deux, je lui conseille de faire ses prières.

15

Maddy était dans un état d'hystérie comme Andréa ne l'avait encore jamais vue.

— Dieu soit loué ! déclara-t-elle, les larmes aux yeux. Quand j'ai vu ce ballon tomber, mon cœur a failli s'arrêter net !

Elle agrippa Andréa et la serra de toutes ses forces.

— Ma petite, ma chère petite, j'ai eu si peur pour vous... Je suis soulagée que vous et Brent en ayez réchappé après avoir frôlé la mort de si près !

Andréa étreignit la vieille dame avec tendresse.

— Brent vous avait mise au courant de son plan, si je comprends bien ?

— Oh, oui ! Mais il n'avait pas prévu que les choses tourneraient ainsi quand il a décidé de vous faire sa demande en mariage d'une façon aussi originale.

Brent sourit, retrouvant son sens de l'humour maintenant que tout danger était écarté.

— Andréa m'a dit qu'elle se souviendrait de ce jour toute sa vie. Personne n'aurait pu deviner qu'il serait à ce point inoubliable !

— A part cet accident de ballon, comment ça s'est passé ? demanda Maddy avec curiosité.

Brent prit la main d'Andréa pour lui montrer le diamant qui brillait à son doigt.

— Elle a dit oui, annonça-t-il fièrement.

Maddy battit des mains joyeusement.

— Oh, je suis tellement heureuse pour vous deux ! A quand est fixé le mariage ?

— Laissez-moi un peu de temps pour me retourner, Maddy ! rétorqua Andréa. Quand nous serons de retour à Washington, et que j'aurai réglé quelques détails concernant Stevie, nous pourrons commencer à penser à l'organisation du mariage. Ça me ferait plaisir que vous m'y aidiez, si vous le voulez bien.

— Vous auriez du mal à m'en empêcher !

Andréa se tourna vers Brent.

— Vous rendez-vous compte qu'en m'épousant vous devrez prendre également Stevie ? Je veux qu'il vive avec nous.

— Son père n'y verra pas d'objections ? demanda Brent.

— Je me débrouillerai, si je le peux, mais j'espère que cela ne vous dérangera pas trop. J'imagine que la plupart des hommes préféreraient ne pas avoir la charge de l'enfant de quelqu'un d'autre, surtout dès le départ, mais Stevie et moi sommes très proches, et je ne peux pas l'abandonner.

— Du moment que le père de Stevie ne fait pas partie du lot, ça ne me dérange pas du tout.

— Vous êtes un prince ! s'exclama Andréa en se his-

162

sant sur la pointe des pieds pour l'embrasser sur la joue.

— Je veillerai à répéter cela à ma mère quand je télégraphierai cette bonne nouvelle à ma famille, dit-il, une lueur malicieuse dans ses yeux dorés. Ils vont tous être très impatients de vous rencontrer.

Andréa soupira.

— Je suis moi-même très angoissée à cette idée.

Brent éclata de rire.

— Ne vous en faites pas. Ils vont vous adorer, ne serait-ce que parce que vous les débarrassez de moi. De plus, il va se passer encore un bon moment avant que nous puissions faire les présentations, puisque vous êtes si désireuse de retourner à Washington, et que je dois bientôt rentrer à New York. Mais je suis sûr que mon père m'accordera des congés pour venir à Washington le plus souvent possible d'ici notre mariage. Ça ne me surprendrait d'ailleurs pas qu'ils décident de m'accompagner pour faire la connaissance de ma future épouse.

Au cours du dîner, ils fêtèrent leurs fiançailles en buvant du champagne. La nouvelle enchanta tous leurs amis. A l'exception de Shirley Cunningham qui, affichant une moue boudeuse, s'excusa de bonne heure et partit se mettre en quête de partis plus intéressants.

Andréa eut un instant de panique quand Brent sortit sa paire de pinces de sa poche.

— Ceci est tombé de votre sac quand nous nous sommes écrasés contre les arbres, dit-il en les lui tendant.

D'une main tremblante, Andréa s'empressa de les récupérer.

— Merci, parvint-elle à articuler, la gorge nouée à l'idée de ce qu'il allait pouvoir dire ensuite.

Savait-il ce que c'était ? La soupçonnait-il ?

— Je dois dire que ce sont de drôles de ciseaux. Je suis certain que ma mère et ma sœur n'en ont pas de semblables. On dirait qu'ils sont faits pour couper du fil de fer.

— Euh, non... ça sert à enlever les boutons des vêtements, inventa-t-elle en vitesse.

Et elle se hâta de fourrer les pinces dans son sac afin d'éviter que les autres dames ne l'assaillent de questions.

— Ils sont également très pratiques pour repousser les indésirables, ajouta-t-elle dans l'espoir de détourner la conversation.

Ce qui s'avéra fort judicieux, car tout le monde recommença à parler de leur terrifiante mésaventure de l'après-midi. Un peu plus tard, Andréa prétexta une immense fatigue, due à l'extrême excitation de la journée.

— Je suis désolée, Brent, dit-elle en retenant un léger bâillement. Je ne sais pas ce que j'ai, mais je n'arrive plus à garder les yeux ouverts ni à me concentrer sur la conversation.

— C'est sans doute une réaction à la frayeur que nous avons eue aujourd'hui, observa-t-il tendrement. A moins que ce ne soit le grand air de l'altitude. Vous feriez bien de filer vous mettre au lit avant de vous endormir à table.

— Vous ne m'en voudrez pas ? Après tout, nous fêtons nos fiançailles — et notre survie ! — en dépit de Dugan MacDonald et de tout ce qui s'est ligué contre nous. Je ne voudrais pas gâcher cette soirée.

— Nous aurons des milliers de soirées devant nous pour nous rattraper. Et puis, vous avez eu une journée bien remplie. Il faut que vous gardiez un peu d'énergie pour le temps qu'il nous reste à passer ensemble à Philadelphie.

— Et si je vais me coucher, que ferez-vous ?

Brent ébaucha un sourire.

— Vous avez peur que je n'invite la Veuve Cunningham à danser ? fit-il d'un air moqueur.

Andréa fronça les sourcils.

— Je crois que vous avez déjà fait l'expérience de la douleur que mes pin... ciseaux peuvent infliger, répliqua-t-elle.

Il leva les mains en prenant un air défait.

— Oh, non, merci! Je sais quand m'avouer vaincu, dit-il en riant. Je pense que je vais plutôt accepter l'invitation de Harry Andrews à jouer aux cartes. J'ai refusé tout à l'heure, mais je suis sûr qu'ils me laisseront me joindre à eux.

Andréa le gratifia d'un éclatant sourire.

— Bien. Je ne voudrais pas que vous vous sentiez seul, mais je n'ai pas envie non plus que vous vous comportiez comme si vous étiez encore tout à fait libre. Désormais, vous êtes fiancé, Brent Sinclair. C'est vous qui l'avez voulu. Alors à vous d'assumer les conséquences de votre conduite irréfléchie.

Elle le considéra un bref instant en battant des cils.

— Vous le regrettez déjà?

— Pas vraiment, répondit-il en portant sa main à ses lèvres. Je suis l'homme le plus chanceux de toute la terre.

Brent eut toutes les raisons du monde de réviser son jugement quelques heures plus tard. Au milieu de la partie de cartes, ils firent une pause, et il attendit patiemment que le jeu reprenne. Il regardait par la fenêtre lorsqu'il baissa les yeux et aperçut une femme qui s'apprêtait à traverser la rue entre Girard House et le Continental Hotel. Bien qu'elle fût un peu loin, et entièrement vêtue de noir, ses cheveux clairs attirèrent son attention. Il plissa les yeux, essayant en vain de mieux distinguer son visage. Ce n'était pas possible — évidemment pas — mais cette femme ressemblait de façon troublante à Andréa!

Sans un mot, Brent écrasa sa cigarette dans le premier cendrier qui lui tomba sous la main et sortit en trombe de la pièce pour se précipiter dans l'escalier. Si c'était Andréa, il en aurait bientôt le cœur net, et exigerait d'elle quelques explications.

Dissimulée dans l'ombre en attendant le passage d'une diligence pour traverser la rue, Andréa eut brusquement l'impression étrange que quelqu'un l'observait. Levant les yeux, elle aperçut un homme derrière une des fenêtres du Continental Hotel où elle rentrait après une longue soirée consacrée à cambrioler des appartements. Il la dévisageait avec une curieuse intensité. Quand l'homme se retourna, et que son visage entra dans la lumière, Andréa faillit suffoquer. C'était Brent ! Et il était livide !

Son cœur se mit à battre à tout rompre. A cette distance, il n'avait pas pu la reconnaître. Et pourtant, si elle-même l'avait reconnu, il y avait de grandes chances pour qu'il en eût fait autant. Tandis qu'elle restait là, les yeux rivés sur la fenêtre, Brent s'écarta de la vitre avec ce qui lui parut une évidente précipitation. Ô Seigneur, que faire ?

S'en remettant à sa bonne étoile, Andréa s'élança dans la rue en courant, manquant se faire renverser par les chevaux de la diligence qui arrivaient à toute vitesse. Avec un peu de chance, Brent emprunterait l'escalier, ou l'ascenseur, ce qui lui laissait la possibilité de passer par l'escalier de service. Si elle se dépêchait. Si aucun détective de l'agence Pinkerton ne lui barrait le passage. Si elle courait assez vite.

Elle s'engouffra dans la ruelle qui longeait l'hôtel en priant de ne pas croiser un ivrogne en train d'y traîner. Elle arriva saine et sauve devant l'entrée de service, et remercia le ciel que personne n'eût refermé à clé la porte par laquelle elle était sortie quelques heures plus tôt. Prudemment, elle jeta un coup d'œil à l'intérieur, et, cette fois encore, faillit s'étrangler. Jenkins était au milieu du couloir, en train de bavarder avec une jolie femme de chambre. Espérant que la porte ne grincerait pas, elle se faufila discrètement et fila vers l'escalier sur la pointe de ses ballerines qui ne faisaient presque aucun bruit.

Le temps d'arriver au troisième étage, Andréa était

hors d'haleine et souffrait d'un douloureux point de côté. Mais elle ne pouvait se permettre de ralentir le pas. A tout instant, Brent risquait de se lasser d'attendre dans le hall et de venir s'assurer qu'elle était bien là. Le cœur battant, elle rasa le mur du couloir, introduisit la clé dans la serrure et referma doucement la porte en prenant garde de ne pas réveiller Maddy.

Alors, avant de succomber définitivement à la fatigue, elle gagna sa chambre dans l'obscurité, manquant trébucher sur la chatte, et alluma sa lampe de chevet. Andréa se débarrassa en hâte de ses vêtements qu'elle jeta en tas au fond du placard avec son butin. Elle avait sa chemise de nuit dans une main et sa robe de chambre dans l'autre quand on gratta à la porte.

— Oh, zut! grommela-t-elle en enfilant sa chemise de nuit.

Un autre coup, légèrement plus fort, résonna contre la porte. A peine sortie de sa chambre, Andréa revint sur ses pas pour défaire le lit, froisser les draps et donner un coup de poing dans l'oreiller. Si Brent avait des soupçons, cela le ferait peut-être hésiter. Puis, fonçant vers la porte, elle retira les épingles de son chignon qu'elle jeta dans le porte-parapluie tout en se débattant pour enfiler sa robe de chambre et débloqua le verrou.

Au moment où elle ouvrait la porte, Brent frappa à nouveau en criant.

— Ouvrez immédiatement!

— Dieu du ciel! s'exclama-t-elle. Que se passe-t-il?

Brent était visiblement perplexe. Il la dévisagea pendant plusieurs secondes avant d'ouvrir à nouveau la bouche.

— Euh... Andréa? Vous êtes là?

Elle lui lança un regard furieux.

— Et où croyiez-vous donc que j'étais? Vous avez bu?

— Pas assez en tout cas pour avoir des hallucinations, marmonna-t-il. Du moins, je ne pense pas.

Il entra dans la suite et jeta un coup d'œil furtif alentour, remarquant le lit défait à travers la porte ouverte de sa chambre.

— Vous êtes restée ici toute la soirée?

Andréa fit semblant de ne pas comprendre et étouffa un bâillement.

— Je dormais profondément jusqu'à ce que vous veniez me réveiller aussi brutalement. Auriez-vous l'obligeance de m'expliquer ce qui se passe?

— Je… j'ai cru vous voir, ou quelqu'un qui vous ressemble, dans la rue. Il y a quelques minutes à peine. J'aurais pourtant juré que c'était vous.

— Vous vous êtes manifestement trompé, remarqua-t-elle d'un air bougon.

Brent semblait toujours aussi éberlué.

— Je suppose, en effet. Pardonnez-moi de vous avoir réveillée. Je vais m'en aller et vous laisser dormir.

— Voilà une excellente idée! tonna la voix irritée de Maddy depuis sa chambre. Ça commence à devenir chez vous une très mauvaise habitude, jeune homme. Si vous n'arrêtez pas, je vais finir par être tentée de me procurer un fusil. Et n'allez pas croire que je ne saurai pas m'en servir. J'ai été championne de tir au pigeon pendant trois années consécutives!

— C'est vrai? murmura Brent, étonné, à l'intention d'Andréa.

Celle-ci haussa les épaules en souriant comme une gamine.

— Je n'en sais rien, mais je veux bien le croire. Maddy a mené une vie riche en événements, vous savez. Si vous tenez à garder vos deux oreilles, vous feriez mieux de la prendre au sérieux.

— Dehors, jeune voyou! s'écria Maddy. Et je compte sur mes scones et ma marmelade d'orange à dix heures demain matin!

Andréa mit Brent à la porte qu'elle referma sur lui et se laissa tomber par terre en tremblant comme une feuille. Ce fut seulement alors qu'elle constata que, dans sa hâte, elle avait mis sa chemise de nuit à l'envers.

Le lendemain matin, Maddy et Andréa trouvèrent des cadeaux au milieu de leur petit déjeuner. Andréa reçut un luxueux flacon de parfum qui sentait divinement bon. Une carte l'accompagnait : « Portez-le à vos risques et périls. S'il vous plaît. Amoureusement, Brent. »

Quant à Maddy, elle eut droit à un carillon composé de ravissants oiseaux en cuivre. Le mot qui y était attaché disait : « Suspendez-les au-dessus de votre porte, et je n'arriverai plus jamais sans m'être fait d'abord annoncer. Mais je vous en supplie, ne chargez pas ce fusil ! Respectueusement, Brent Sinclair. »

— Quel vaurien ! dit affectueusement Maddy. Il sait en tout cas s'y prendre pour charmer une dame ! Vous avez beaucoup de chance de l'avoir déniché, Andréa. Ne prenez pas le risque de le perdre en le faisant attendre trop longtemps. Une autre femme, à commencer par moi si j'avais un demi-siècle de moins, pourrait bien vous le piquer sous le nez.

— Je vais mettre le parfum qu'il m'a offert, décida Andréa en éclatant de rire. Cela devrait encourager mon fidèle lévrier à ne pas perdre ma trace !

Paroles qui devaient bientôt s'avérer plus prophétiques qu'elle n'aurait pu l'imaginer...

Lorsqu'elles retrouvèrent Brent un peu plus tard, Andréa et Maddy prirent la décision de repartir à Washington le dimanche suivant par le train de l'après-midi. Comme on était jeudi, cela ne laissait plus au jeune couple que trois journées à passer ensemble. Aussi préférèrent-ils partir découvrir ce jour-là un autre coin de Fairmount Park plutôt que de visiter le reste de l'exposition dont ils avaient vu la plus grande partie.

Grâce au personnel de la cuisine de l'hôtel, un grand pique-nique fut préparé, de façon à nourrir tous les amis de Maddy et d'Andréa invités à participer à l'excursion... au grand regret de Brent. Il avait espéré avoir Andréa pour lui tout seul, mais Maddy était déterminée à jouer les chaperons jusqu'à ce qu'ils soient effectivement mariés.

Ils étendirent des couvertures sur la berge verdoyante d'une rivière d'où l'on voyait passer des bateaux, ce qui inspira à Brent une nouvelle idée qui lui garantirait de passer un petit moment en tête à tête avec sa bien-aimée, tout en évitant les reproches. Quelques minutes plus tard, les jeunes gens glissaient sur l'eau dans une barque de location, enfin seuls tous les deux.

— Comment vous y êtes-vous pris pour que Maddy accepte de nous laisser partir ? demanda Andréa. Elle semble tellement tenir à ne pas nous laisser seuls plus d'une seconde.

— Elle a accepté pour la même raison qu'elle m'a laissé vous emmener faire ce tour en ballon. Selon elle, nous ne pouvons rien faire de répréhensible dans cette barque sans risquer de tomber à l'eau. Elle s'est dit la même chose pour la promenade en ballon, sans compter qu'il y avait Farber pour nous surveiller.

— Et il y a d'autres canoteurs pour garder un œil sur nous aujourd'hui, remarqua Andréa. Quand elle le veut, Maddy est aussi rusée qu'un vieux renard.

Brent sourit.

— Mais moi aussi. Nous sommes finalement seuls, non ?

Cet intermède se déroula dans un calme délicieux, à l'exact opposé des aventures dramatiques de la veille. Andréa s'y abandonna avec plaisir et se laissa bercer au rythme apaisant de la barque. Grâce à son ombrelle qui la protégeait du soleil et à la présence rafraîchissante de l'eau, elle ressentait un bien-être qu'elle n'avait pas éprouvé depuis longtemps. Ils parlèrent tranquillement d'une foule de choses : des spectacles extraordinaires qu'ils avaient admirés à l'exposition, du travail de Brent et de sa famille, de la décision d'Andréa d'habiter chez Maddy jusqu'au jour de leur mariage, ainsi que de l'appartement de Brent à New York, où ils s'installeraient avant de trouver ou de se faire construire une maison à eux.

Ils rejoignirent leurs amis pour déjeuner. Au grand émerveillement de chacun, un homme poussant un orgue de Barbarie et accompagné d'un singe apprivoisé leur joua une ravissante sérénade. Ils décidèrent ensuite d'aller faire une petite promenade digestive au parc zoologique qui abritait une fascinante collection d'animaux. Ils achetèrent des glaces à des vendeurs ambulants, ainsi que des cacahuètes et du pop-corn qu'ils partagèrent avec les oiseaux et les éléphants. Avant de repartir, le petit groupe fit halte dans une brasserie en plein air pour boire une bière et manger des bretzels.

Dans la calèche qui les ramenait à l'hôtel, la tête confortablement nichée contre l'épaule de son fiancé, Andréa aurait souhaité que cette journée ne finisse jamais. Comme s'il avait lu dans ses pensées, Brent se tourna alors vers elle.

— Ce soir, je voudrais que vous mettiez votre plus jolie robe, car je compte vous emmener avec Maddy dans un restaurant français, et ensuite au théâtre.

Andréa n'avait même pas pensé à lui demander quelle pièce ils allaient voir, et ce ne fut qu'une fois installée dans la loge qu'elle réalisa que *Hamlet* figurait au programme. Ne pouvant s'empêcher de trouver ça drôle, elle éclata de rire.

— Vous n'avez pas choisi cette pièce par hasard, n'est-ce pas ?

— Non, confessa Brent avec un sourire malin. Comme nous semblons avoir des opinions divergentes sur cette pièce, j'ai pensé qu'il serait intéressant de la voir ensemble.

Vers le milieu de la représentation, Maddy fut tentée de les étrangler tous les deux.

— Auriez-vous la gentillesse de cesser de pouffer de rire ? Vous vous donnez en spectacle ! Au cas où vous ne l'auriez pas remarqué, c'est une tragédie, pas une comédie.

Cette réprimande n'eut pour effet que de déclencher de plus belle leur hilarité. A la fin de la pièce, Andréa avait les yeux larmoyants de joie.

— Je ne me souviens pas de m'être autant régalé en voyant une pièce, déclara gaiement Brent en se penchant vers elle. Et je dois reconnaître que vous aviez raison. La reine est une imbécile et Hamlet un parfait idiot.

Andréa acquiesça.

— Oui, mais il fait seulement semblant de l'être, concéda-t-elle généreusement. Il n'était pas vraiment fou.

— Contrairement à vous ! s'indigna Maddy. En tout cas, je ne suis pas près de retourner au théâtre avec l'un de vous deux !

16

Andréa n'avait aucune envie de repartir à la chasse ce soir-là. Il y avait un millier de choses qu'elle aurait préféré faire, comme de se mettre au lit en rêvant à sa vie future, en tant qu'épouse de Brent et mère de Stevie. Ah, vivre à New York, loin de Ralph Mutton et de son insatiable cupidité ! Mais le temps passait. Et il ne lui restait plus que trois nuits à Philadelphie pour rassembler le reste de la rançon de Stevie.

Une heure plus tard, Andréa put se féliciter d'avoir fait du bon travail. En si peu de temps, elle avait réussi à s'introduire dans trois chambres et à récolter suffisamment de bijoux pour pouvoir enfin aller se coucher, contente de sa soirée. La dernière des chambres était celle d'une comtesse italienne et de son amant. Andréa l'avait choisie à bon escient, car la dame se pavanait partout couverte de bijoux, qui se trouvaient maintenant au fond de son sac, notamment un fabuleux diamant, un collier en rubis et des boucles d'oreilles assorties. A elles seules, ces pièces auraient dû satisfaire aux exigences de Ralph, qui prétendrait certainement qu'elles valaient beaucoup moins une fois écoulées.

Cette fois, elle allait pouvoir s'arrêter pour de bon. Elle n'aurait plus jamais à se faufiler dans la nuit et à louvoyer entre les sbires de Pinkerton et les chiens aboyants, craignant à tout instant de se faire prendre et d'être jetée en prison. Elle serait libre, tout comme Stevie bientôt. Il ne lui restait plus désormais qu'à regagner sa chambre saine et sauve avec son butin.

Andréa entrouvrit la porte pour jeter un coup d'œil dans le couloir. A son immense surprise, et à son grand désarroi, le couloir n'était pas désert comme elle l'avait espéré. Et les deux personnes qui arrivaient dans sa direction n'étaient autres que l'illustre comtesse et son amant!

Zut! A une seconde près, elle était partie. Maintenant, elle allait devoir soit se cacher, soit s'éclipser par le balcon.

— Pas question de me retrouver encore une fois coincée sous un lit pour assister à des ébats amoureux dans le genre de ceux de Freddy et de Lucille, marmonna-t-elle entre ses dents.

A la seconde où la clé tournait dans la serrure, Andréa était déjà sur le balcon en train de contempler par-dessus la rambarde les deux étages qui la séparaient du sol, en se demandant comment descendre sans se rompre le cou ou alerter quelqu'un de sa présence. Il y avait de fortes chances pour qu'elle soit encore là demain matin, ou quand la comtesse et son ami décideraient de sortir admirer les étoiles.

Elle aperçut alors une treille qui courait le long du mur de l'hôtel, à environ deux mètres à gauche du balcon. Si elle parvenait jusque-là, et si la treille s'avérait assez solide, il lui restait encore une chance de se sortir de cette fâcheuse situation.

Prudemment, avec l'impression d'être une funambule débutante, son énorme sac pendouillant à son bras, Andréa escalada la rambarde. S'agrippant fermement d'une main, elle se hissa jusqu'à la treille, écrasant les fleurs entre ses doigts crispés. Son pied gauche lui posait toutefois un nouveau problème, ou plutôt sa jupe, trop étroite pour lui permettre de lever la jambe.

Suspendue entre la rambarde et la treille, Andréa était bloquée. A ce stade, elle ne pouvait plus ni avancer ni reculer, et encore moins retirer une de ses mains pour remonter ses jupes! Elle était bel et bien coincée! A moins de tout lâcher et d'aller s'écraser quinze mètres plus bas.

Affolée, furieuse et près de fondre en larmes, Andréa donna un vigoureux coup de pied. Le tissu en se déchirant lui fit l'effet d'une ravissante musique. Après deux autres coups de pied, elle parvint finalement à glisser ses pieds chaussés de ballerines dans un interstice de la treille. Les bras en croix, elle mit un moment avant de rassembler son courage et ses forces. Prenant une grande inspiration, elle descendit le long de la treille à laquelle elle s'accrocha en tremblant, telle une mouche à une toile d'araignée — quoique la mouche eût sans doute été plus stable, faute d'être à l'abri de tout danger.

Alors qu'elle était à cinq mètres du sol, presque assez bas pour sauter et se retrouver en sécurité, une liane plus fragile céda sous son poids. Laissant échapper un cri étouffé, Andréa dégringola par terre au milieu d'une pluie de pétales écrasés.

Brent faisait une dernière ronde autour de l'hôtel avant d'aller se coucher, à l'affût de toute personne ou de toute chose paraissant bizarre. Il espérait repérer le cambrioleur, bien qu'il doutât d'y parvenir. Ce type était par trop malin, avec toujours un temps d'avance sur Brent et la police.

Il venait de tourner à l'angle du bâtiment pour longer la façade qui donnait sur la rue lorsqu'il entendit un léger craquement, de bois ou de branches. Il se retourna juste à temps pour voir quelqu'un tomber de la treille, à quelques mètres à peine devant lui. Quelqu'un qui, il le savait, n'était autre que le fameux voleur. Avant que celui-ci ait eu le temps de se relever, Brent fonça vers lui en courant.

Andréa était en train de vérifier qu'elle n'avait rien de cassé quand elle entendit quelqu'un courir vers elle. Se relevant en hâte, elle jeta un bref coup d'œil par-dessus son épaule avant de se précipiter dans la rue, son poursuivant sur ses talons. Juste avant de passer sous un réverbère, elle eut la présence d'esprit de relever le capuchon de sa cape sur sa tête et obliqua dans une ruelle obscure en remontant le foulard qu'elle portait autour du cou pour dissimuler le bas de son visage.

Ses jupes maintenant déchirées du haut en bas lui permettaient de courir à toutes jambes. Elle faillit rentrer dans une poubelle qu'elle jeta en travers de la rue pour ralentir l'homme qui la pourchassait. Elle l'entendit trébucher et tomber en jurant de rage.

Arrivée à un croisement, Andréa tourna à droite, s'élança dans la pénombre et tourna à gauche aussitôt. Plaquée contre la façade d'un immeuble, hors de vue, elle s'arrêta pour reprendre son souffle, l'oreille aux aguets, espérant s'être débarrassée de son poursuivant. S'il partait dans l'autre direction, elle serait sauvée. Sinon…

A la différence de ses ballerines silencieuses, les chaussures de l'homme résonnaient sur les pavés comme un marteau sur une enclume. Elle l'entendit s'arrêter et retint sa respiration en priant qu'il choisisse de partir dans l'autre sens. Il se remit à courir… dans sa direction. Andréa détala vers le coin le plus sombre en agrippant son précieux sac sous sa cape. Derrière elle, les pas résonnaient, de plus en plus près, de plus en plus fort.

A l'instant où elle sentit qu'il allait la rattraper, elle reconnut le théâtre où elle avait passé la soirée avec Brent et Maddy. Instinctivement, telle une jeune antilope pourchassée par un lion, elle se rua dans l'étroit passage qui longeait l'arrière du théâtre. Une soudaine panique s'empara d'elle quand elle réalisa que c'était un cul-de-sac. La seule façon de sortir de là était de retourner là d'où elle venait ! Pivotant sur ses talons, elle aperçut l'homme qui bloquait la seule issue possible.

Elle fit demi-tour et s'engouffra par la porte de l'entrée de service, s'attendant à la trouver fermée, mais ne sachant que faire d'autre. Par miracle, elle était ouverte. Andréa entra et se retrouva dans une complète obscurité. Momentanément perdue, mais ne pouvant rester plantée là à ne rien faire, elle avança à tâtons. Au bout de quelques mètres, elle se cogna contre un mur, fit quelques pas, puis en heurta un autre. Il y avait un étroit couloir entre les deux.

Derrière elle, la porte de service claqua avec un bruit sinistre. Son poursuivant était là, probablement aussi aveuglé qu'elle-même l'était. Il n'y avait pas une seconde à perdre. En silence, elle avança dans le passage. Sa main rencontra une porte, qu'elle fut tentée d'ouvrir, mais son intuition la poussa à ne pas entrer dans la première cachette disponible. Elle se força à continuer, passa devant deux autres portes et tourna tout doucement la poignée de la quatrième derrière laquelle elle se glissa. Les doigts tremblants, elle chercha un loquet à refermer, mais n'en trouva aucun. De même qu'il n'y avait aucune fenêtre pour diffuser un peu de lumière et l'aider à s'échapper.

Lorsque la porte claqua derrière lui, Brent se figea sur place, plongé subitement dans une totale obscurité. Pendant quelques secondes, il resta immobile, guettant le moindre bruit. Hormis son cœur qui battait à tout rompre et son souffle rauque, aucun son ne lui parvint. Pas le moindre bruit susceptible de lui indiquer de quel côté se cachait le voleur. L'homme était peut-être à quelques centimètres de lui, prêt à l'assommer.

Mentalement, il compta jusqu'à soixante et attendit. A l'affût du moindre mouvement. Rien. Mettant la main dans sa poche, il en sortit une boîte d'allumettes et en alluma une qu'il tendit devant lui. Il n'y avait personne en vue. Toutefois, il aperçut une lanterne accrochée à une patère près de la porte.

Brent disposait maintenant d'un avantage. Qui que fût le voleur, et bien qu'il fût dissimulé par une grande cape à capuche, il avait remarqué que l'homme était de petite carrure. Peut-être n'était-il qu'un tout jeune garçon, mais un garçon très efficace. Si Brent parvenait à mettre la main sur lui, le voleur n'aurait pas l'ombre d'une chance. A moins qu'il n'ait un revolver. Ou un couteau.

Cette idée fit réfléchir Brent. Si faible que puisse être sa proie, il devrait prendre des précautions pour l'appréhender. Cherchant une arme autour de lui, Brent ne trouva qu'un long bout de bois de la taille d'une matraque de policier. Muni de sa lanterne et de son gourdin, il partit à la recherche de son astucieux gibier.

Andréa, plaquée tout contre la porte, l'entendit arriver dans le couloir. Elle déduisit au bruit de ses pas et au grincement des gonds qu'il s'arrêtait à chaque porte pour jeter un coup d'œil dans chacune des pièces. Lorsqu'il approcha de la porte derrière laquelle elle se trouvait, elle paniqua plus encore en apercevant un rai de lumière sur le plancher. Zut! Il avait déniché une lanterne! Comme il n'y avait pas de verrou, et qu'elle n'avait pas le temps de trouver un autre moyen de bloquer la porte, elle ne pouvait pas faire grand-chose pour l'empêcher de la débusquer. A moins que...

Brent poussa la quatrième porte qui résista. Il appuya plus fort, et elle bougea un peu. Apparemment, elle n'était pas fermée à clé. Mais quelque chose la bloquait, peut-être un meuble tiré contre le panneau — ou un petit cambrioleur.

Il tenta d'ouvrir la porte à plusieurs reprises, mais en vain. Finalement, il se recula pour prendre son élan et l'enfonça d'un grand coup d'épaule. La porte céda brusquement, si brusquement qu'il perdit l'équilibre et atterrit par terre, uniquement préoccupé de garder la lanterne bien droite, et plus encore de ne pas se brûler ou de mettre le feu au théâtre. Il se redressa juste à temps pour discerner une silhouette sombre qui se sauvait par la porte.

Grâce à la lueur de la lanterne qui éclairait le couloir, Andréa repartit vers la porte de service, plus affolée que jamais après avoir entrevu le visage de l'homme qui la poursuivait. En voyant Brent débouler dans la pièce, elle avait failli s'étouffer de stupeur ! Elle était à quelques mètres de la sortie quand elle l'entendit s'élancer derrière elle. L'extrémité de son foulard s'enroula autour du bâton que brandissait son poursuivant, manquant l'étrangler, mais le foulard se détacha de son cou, et elle retrouva sa liberté.

Sachant qu'elle n'avait aucune chance d'arriver jusqu'à la porte, Andréa obliqua vers la gauche. Elle s'engagea dans un petit escalier et déboucha sur la scène, Brent juste derrière elle. Si près qu'elle l'entendait haleter et sentait presque l'espèce de bâton avec lequel il essayait de l'assommer. Puis, tout à coup, il y eut un cliquetis et un grincement tout aussi étrange. Immédiatement suivis par un cri surpris de Brent qui lui sembla venir de plus loin et de plus haut.

Relevant un pan de sa cape pour se masquer le visage, Andréa jeta un rapide coup d'œil par-dessus son épaule. Le spectacle qu'elle découvrit la fit se figer sur place, les yeux écarquillés d'étonnement. Brent était là, suspendu par un pied au bout d'une corde, tournant en rond à environ six mètres au-dessus de la scène. Les jurons furieux qu'il proférait montraient que seul son orgueil avait été gravement blessé. Comme par miracle, il avait toujours la lanterne à la main.

Pendant un instant, elle ne put rien faire d'autre que le regarder tourbillonner. Recouvrant enfin ses esprits, elle s'efforça de prendre une voix le plus grave possible pour lui parler.

— Ça va ?

— Vous voyez bien que non ! Faites-moi descendre de là !

— Sûrement pas! cria-t-elle en continuant à déguiser sa voix. Vous me croyez stupide? Je suis bien plus tranquille comme ça, avec vous là-haut et moi en bas!

Brent fit un effort évident pour maîtriser sa rage.

— Si vous m'aidez à me libérer, je vous promets d'essayer de vous obtenir une sentence plus clémente devant le tribunal. Je suis avocat. Je sais comment il faut s'y prendre.

— Que vous soyez roi ou avocat m'importe peu. Je ne peux pas vous faire descendre pour la bonne raison que je ne sais pas comment faire. Je ne comprends d'ailleurs pas comment vous vous êtes retrouvé dans un tel pétrin.

— J'ai trébuché sur un rouleau de cordes qui doivent servir à faire monter et descendre les décors, et j'ai dû déclencher le mécanisme. Si vous allez jeter un coup d'œil dans les coulisses, vous trouverez sûrement un panneau avec plusieurs leviers. En actionnant l'un d'eux, vous devriez pouvoir me faire redescendre.

— Il me faudrait une lampe, fit-elle d'un ton bourru.

— Eh bien, prenez-la. Mais dépêchez-vous. Tout le sang me descend à la tête.

Apercevant un escabeau, Andréa le tira en dessous de Brent. Puis, tout en prenant soin de ne pas lui montrer son visage, elle attrapa la lanterne et redescendit aussitôt. Après avoir posé la lampe à une distance raisonnable, elle se retourna vers lui.

— Vous avez un couteau, m'sieur?

— Oui, un petit couteau de poche. Pourquoi?

— Parce que vous allez en avoir besoin pour couper cette corde. Etant donné l'épaisseur, ça ne devrait pas vous prendre plus d'une vingtaine de minutes.

— Hé! Mais ce n'est pas ce dont nous étions convenus! hurla Brent.

— Nous n'étions convenus de rien du tout! Mais ne vous en faites pas. Pour vous faciliter les choses, je vais vous laisser la lampe pour que vous ne risquiez pas de vous entailler le pied. Et je vais même trouver quelque chose pour amortir votre chute.

Brent laissa échapper une bordée de jurons. Pendant

ce temps, au milieu des accessoires de scène, Andréa repéra un lit, doté d'un bon matelas et de gros ressorts, qu'elle fit rouler juste en dessous de lui.

— Et voilà, m'sieur! s'exclama-t-elle dans un ricanement rauque. Bon courage!

— Attendez! cria Brent tandis qu'elle s'éloignait. Vous ne pouvez pas me laisser suspendu ici comme un singe au bout d'une liane!

— Si vous êtes aussi malin qu'un singe, vous aurez vite fait de vous tirer de là, cria-t-elle. Vous feriez bien de vous mettre au boulot, m'sieur l'avocat!

Ayant la certitude que Brent ne pourrait se libérer sans quelque difficulté, Andréa retourna en courant à l'hôtel, réintégra discrètement sa chambre et cacha son butin au fond du placard où se trouvait le reste de son trésor. Elle était enfin en sécurité et soulagée que Brent n'ait pu la reconnaître. Auquel cas, il aurait été dix fois plus furieux. Elle lui avait échappé de justesse, et elle remercia le ciel de pouvoir enfin abandonner cette vie de criminelle.

Brent regagna sa chambre, fou de rage, en continuant à jurer, malgré la migraine qui lui martelait le crâne pour être resté si longtemps la tête en bas. Si jamais il remettait la main sur cette petite crapule, il le lui ferait chèrement payer! Il se laissa tomber sur son lit sans même prendre la peine de se déshabiller, et marmonnait encore des menaces quand le sommeil eut finalement raison de lui.

Le lendemain matin, son humeur, ainsi que son mal de tête ne s'étaient guère améliorés. Après s'être lavé, rasé et changé, il vida le contenu de ses poches lorsqu'il trouva le foulard en satin noir arraché la veille au voleur. Il resta là, à le triturer en rêvant de l'étrangler avec, quand il remarqua quelque chose de bizarre. Approchant le foulard de son nez, il le renifla. Seigneur! Ce satané foulard sentait exactement le parfum qu'il avait offert à Andréa le matin précédent, ce parfum même qui l'avait mis au supplice toute la journée, lui donnant une folle envie de respirer sa peau douce et parfumée !

Ahuri, Brent tituba jusqu'au premier fauteuil dans lequel il s'écroula. Non, ce n'était pas possible ! Ce n'était sans doute qu'une coïncidence ! A moins que... Tout à coup, il repensa à tous ces soirs où Andréa s'était retirée de bonne heure et où il l'avait croisée plus tard, comme par hasard. Mais elle avait toujours trouvé une excuse, logique ou pas, pour endormir ses soupçons. Et il était prêt à parier son dernier dollar que c'était bien elle qu'il avait aperçue l'autre soir, quand il avait abandonné la partie de cartes et s'était précipité dans la rue pour la retrouver quelques minutes plus tard en chemise de nuit, prétendant dormir sagement depuis des heures !

Ce qui signifiait en outre qu'elle était la personne qu'il avait failli coincer hier soir au théâtre ! Et elle l'avait abandonné là, pendu dans le vide par un pied, pour filer se mettre à l'abri en vitesse ! En y repensant, il se souvint d'avoir vaguement entraperçu une robe sous la grande cape que portait le voleur. Mais oui... Il avait beau tourner comme un cochon pendu à ce moment-là, il en était maintenant certain !

C'était décidément trop incroyable ! Le voleur de bijoux qui lui avait échappé tant de fois n'était autre que son adorable et fourbe fiancée ! Cachée là, juste sous son nez... Mais il avait été trop aveuglé par l'amour — et le désir — pour s'en rendre compte ! Quel idiot il avait été ! Elle n'avait pas dû se priver de rire derrière son dos ! Et devait probablement en rire encore. Mais plus pour très longtemps.

— Non, bon sang, pas une minute de plus ! jura-t-il avec véhémence en serrant le foulard dans sa main.

Et, se relevant d'un bond, il se précipita vers la porte.

181

17

A la seconde où Andréa ouvrit la porte, l'air innocent et tout ensommeillé, Brent entra en trombe sans la saluer.

— Refermez cette porte! grogna-t-il. A moins que vous ne vouliez que tout l'hôtel apprenne la crapule que vous êtes?

Tout en le dévisageant d'un air stupéfait, Andréa fit ce qu'il lui demandait. Soudain affolée par la fureur qui brillait dans son regard doré, elle s'empressa de s'éloigner de lui, mais il la suivit pas à pas tout autour de la chambre.

— Mais qu'est-ce qui vous prend? demanda-t-elle en tremblant.

Brent sortit de sa poche le foulard noir et le lui agita sous le nez.

— Ceci vous dit quelque chose, ma chère? lâcha-t-il avec cynisme.

Avant qu'elle n'ait pu réagir, il lui passa le foulard autour du cou et tira sur les deux extrémités pour l'attirer vers lui. De sa main libre, il effleura ses lèvres tremblantes.

— Quelles lèvres adorables vous avez... Et que de doux mensonges s'en échappent!

Sans ménagement, il la repoussa, comme si sa présence lui faisait soudain horreur. Elle atterrit lourdement sur le canapé, le foulard accusateur encore autour du cou. Et il prononça alors les mots qu'elle redoutait entre tous en la considérant d'un air méprisant.

— Je sais que c'était vous, hier soir, au théâtre. Ainsi que toutes les fois où je vous ai surprise rentrant de vos escapades nocturnes de cambrioleuse. Mais je ne comprends pas pourquoi. Pourquoi, Andréa?

Avant qu'elle puisse répondre, Maddy surgit de sa

chambre, emmitouflée dans sa robe de chambre, les cheveux en bataille.

— Qu'est-ce qui justifie de pareils mugissements ?

— Le fait d'avoir été trompé par la femme que j'aime, l'informa Brent. Parce que Andréa sort chaque nuit pour cambrioler des chambres d'hôtel et voler une fortune en bijoux ! Elle a même eu le culot de me voler ma montre et de me la rendre ensuite !

Il se tourna vers Andréa.

— Ça vous a bien fait rire, j'imagine ? Vous moquer de moi a dû beaucoup vous amuser ?

— Non ! s'exclama-t-elle, ravalant les sanglots qui l'étranglaient, tout autant que Brent mourait visiblement d'envie de le faire. Je vous en prie ! Ce n'est pas ça ! Vous ne comprenez pas !

— Ah, ça non, en effet ! Vous n'allez quand même pas tout nier en bloc ? Et inventer je ne sais quel beau mensonge pour vous disculper ?

Sans attendre sa réponse, Brent fila dans sa chambre et commença à ouvrir tous les tiroirs en en jetant le contenu dans tous les sens.

— Où est votre butin, Andréa ? Dites-moi où vous l'avez caché, ou je vous jure de tout retourner dans cette pièce jusqu'à ce que je le trouve !

— Dans… dans le sac bleu au fond du placard, bredouilla-t-elle d'une toute petite voix.

Maddy ouvrit la bouche, puis la referma, suffoquée par tout ce qu'elle venait d'apprendre en quelques secondes. Sous son regard incrédule, Brent sortit le sac, l'emporta dans le salon et en renversa le contenu à même le sol. Le petit tas de bijoux emmêlés et scintillants apporta tout à coup la preuve des accusations invraisemblables avancées par le jeune homme. Cette fois encore, la vieille dame faillit suffoquer.

— Pourquoi, Andréa ? demanda-t-il à nouveau entre ses dents serrées. Je suis impatient d'entendre vos explications, si fantaisistes soient-elles, mais je vous préviens que j'en ai plus qu'assez de votre prétendue innocence. Pour une fois dans votre vie, tâchez de dire la vérité, si vous savez encore ce que cela veut dire.

De grosses larmes roulèrent sur les joues d'Andréa. Elle les essuya de ses doigts tremblants en levant vers lui un regard suppliant.

— Je ne voulais pas le faire, dit-elle d'une voix sourde. Je n'ai jamais voulu voler quoi que ce soit. Chaque seconde où j'y ai été forcée a été pour moi un enfer, surtout quand j'ai dû m'en prendre aux amis de Maddy et qu'elle a failli se retrouver accusée.

Brent esquissa un petit sourire en coin en montrant la pile de bijoux.

— Il semble que vous ayez admirablement surmonté votre aversion.

— Comme vous dites! murmura Maddy, regardant tour à tour Andréa et les bijoux étincelants d'un air médusé. Mais pourquoi, chère petite? Quel démon vous a pris?

Devant l'expression consternée de Maddy, Andréa ferma les yeux, puis les rouvrit et les regarda tous les deux avec franchise.

— Je ne pouvais pas faire autrement! Ce n'était pas pour moi, mais pour Stevie. Pour le sauver de…

— Pour le sauver de quoi, Andréa? coupa Brent avec un sourire railleur. De devoir travailler un seul jour dans sa vie? Pour lui acheter tous les jouets en vente sur la terre? Ou peut-être une maison à lui, avec une centaine de domestiques à sa botte? Ou simplement histoire de le gâter?

— Non! s'écria-t-elle, les surprenant tous les deux par l'intensité de son cri. Pour lui sauver la vie! Il y va de sa vie, bon sang! Ralph l'a enlevé et m'a menacée des choses les plus épouvantables! Il refuse de me rendre Stevie tant que je ne lui aurai pas remis la somme qu'il exige! Vous ne comprenez pas que je n'avais pas le choix? Il fallait que je le fasse! Il faut que je récupère Stevie avant que Ralph ne lui fasse du mal!

Brent leva les mains en signe d'impuissance.

— Cette fois, j'aurai tout entendu! Vous voulez me faire croire que cet homme irait faire du mal à son propre fils? Que c'est un tel monstre qu'il exige une somme d'argent pour rendre l'enfant?

— Oui ! s'exclama Andréa. Il a exigé vingt-cinq mille dollars, ou l'équivalent en bijoux qu'il revend à un ami receleur, en les estimant très largement en dessous de leur véritable valeur. Il y a maintenant des semaines que j'essaie de réunir cette rançon, désespérant y arriver avant que Ralph ne fasse du mal à Stevie, ou le vende, ou pire encore !

Maddy, l'air profondément bouleversé, vint se percher à l'extrémité du canapé à côté d'Andréa.

— Ma petite, pourquoi ne m'avez-vous rien dit ? Pourquoi ne m'avez-vous pas demandé de l'argent ?

— Oh, Maddy, je ne pouvais pas ! Je sais bien que vous auriez voulu m'aider, mais vous n'êtes pas aussi riche que certains l'imaginent. De plus, Ralph m'a interdit de prévenir la police ou qui que ce soit. Il m'a dit que je ne reverrais jamais Stevie si je le faisais. Je... j'ai eu peur qu'il ne le tue !

— Son propre fils ? Sa chair et son sang ? railla Brent. Allons, Andréa, vous ne croyez pas que vous dramatisez un peu ? Cet homme voulait certainement dire qu'il ne vous laisserait plus rendre visite à son neveu, si toutefois les bêtises que vous nous racontez sont vraies, ce dont je doute.

— C'est la vérité ! Rien d'autre que la vérité ! affirmat-elle d'un ton catégorique. J'en ai la preuve !

— Oh ? s'exclama Brent en haussant les sourcils. Je vous en prie, chère petite menteuse, épargnez-nous cet intolérable suspense. Si vous avez une preuve, montrez-la-nous.

Andréa se leva, fila dans sa chambre et revint avec la lettre de Ralph qu'elle tendit à Brent.

— Tenez. Lisez ceci, et peut-être vous déciderez-vous enfin à me croire.

Brent parcourut rapidement la lettre, puis releva les yeux en fronçant les sourcils.

— C'est un peu vague, non ? Rien qui puisse en tout cas retenir l'attention d'un tribunal. Toute personne lisant ceci pourrait en tirer diverses conclusions, et pas nécessairement celles que vous avez invoquées.

— Que peut-on en penser d'autre ? insista Andréa. Il

parle des « marchandises » et dit lui-même que le prix a augmenté... Cela devrait suffire à prouver que je dis la vérité.

— Les « marchandises » pourraient être n'importe quoi. Par exemple des objets qu'il vous aurait chargée d'acheter à l'exposition. Quant au prix, il pourrait s'agir de la somme qu'il vous demande pour garder Stevie en attendant votre retour à Washington.

— Mais non, vous ne voyez donc pas ? Il traite Stevie de sale môme et le menace clairement.

Brent secoua la tête.

— Je vous accorde que ce type a l'air d'être une brute, qui en a assez de cet enfant et serait ravi de s'en débarrasser, mais...

— Il menace de le vendre à des gitans ! coupa Andréa d'un air anxieux.

— De nombreux parents font des déclarations de ce genre quand ils en ont par-dessus la tête de leur progéniture, mais ils ne disent pas cela sérieusement, objecta Brent. Mon frère clame souvent qu'il accrocherait volontiers ses enfants au mur pour qu'ils ne l'embêtent pas autant. Ce sont des mots, des menaces vides de sens. Nous savons tous pertinemment qu'il ne ferait jamais une chose pareille.

— Mais Ralph, si ! reprit Andréa dans un sanglot en l'agrippant par la manche. Je vous en prie, Brent ! Je sais que vous êtes en colère contre moi, et à juste titre, mais ne vous laissez pas influencer dans votre jugement. Je vous en supplie, ne faites pas payer à Stevie ce que j'ai fait. Il est en danger, et je suis la seule à pouvoir le sauver !

Maddy prit calmement la parole.

— Je la crois, Brent. Je connais Andréa depuis maintenant plus de deux ans, et je ne l'ai jamais vue autrement que sincère, prévenante et... honnête.

Brent eut beau tiquer en l'entendant, la vieille dame poursuivit.

— J'ai vu Andréa avec Steven, et je sais qu'elle l'aime tendrement. Je ne doute pas un instant qu'elle serait prête à donner sa vie pour le protéger. Toutefois, depuis quelques semaines, elle se comporte bizarrement, elle est plus renfermée, plus capricieuse, comme si quelque chose l'inquiétait beaucoup. J'attendais qu'elle se confie à moi, mais elle n'en a rien fait. Je comprends maintenant pourquoi, et je regrette de ne pas lui avoir demandé d'explications. Si je l'avais fait, peut-être aurions-nous évité toute cette vilaine affaire. Néanmoins, elle garde toute ma confiance, et je l'aiderai du mieux que je le pourrai... comme j'espère que vous le ferez, conclut Maddy en jetant à Brent un regard implorant.

Il la considéra d'un air profondément ennuyé.

— Avez-vous idée de ce que vous me demandez là ? Pour l'amour du ciel, Maddy ! Je suis issu d'une longue lignée d'hommes de loi !

— Peu m'importe que vous veniez ou non d'une famille de babouins, rétorqua la vieille dame d'un air vexé. Andréa est votre fiancée, et le sens de l'honneur commande que vous l'aidiez.

A ces mots, Andréa jugea bon d'intervenir.

— Je crois bien que nos fiançailles sont rompues, Maddy. Après tout ce qui s'est passé... dit-elle doucement, des larmes dans la voix.

Elle retira la bague en diamants qui ornait son doigt et la tendit à Brent.

— J'espère que vous pourrez vous la faire rembourser. Après tout, je l'ai à peine portée.

La gorge nouée, le cœur battant, elle attendit qu'il reprenne sa bague et sa promesse.

La main de Brent se ferma sur la sienne et il remit la bague à son doigt.

— Gardez cette bague jusqu'à ce que je vous dise le contraire, grogna-t-il. Et ne vous avisez pas de la mettre en gage !

— Jamais je ne ferais ça, dit-elle d'un ton docile, entrevoyant une vague lueur d'espoir.

Mais la faible flamme vacilla quand il recommença à lui faire des reproches.

— Vous rendez-vous compte dans quelle position vous me mettez ? Je travaille main dans la main avec l'agence Pinkerton sur cette affaire ! Le saviez-vous ? Je suis censé appliquer la loi, pas l'enfreindre, ni encourager qui que ce soit à le faire !

Il se mit à faire les cent pas dans la pièce.

— Si je vous aide, c'est ma carrière que je risque de mettre en péril, sans compter que j'agirais contre les principes mêmes que je défends. Et comme si cela ne suffisait pas, deux de vos victimes sont des clients de mon père. L'un d'eux est un sénateur de New York qui était venu passer quelques jours à Washington quand vous avez commencé à commettre vos forfaits. Pourriez-vous me dire ce que je suis supposé faire de ça ?

— L'ignorer, suggéra Maddy. Du moins pendant quelque temps, jusqu'à ce que nous ayons mis sur pied un plan pour tirer Andréa de ce mauvais pas.

— Et sauver Stevie, ajouta Andréa.

— Si seulement nous arrivions à trouver un moyen de faire accuser Ralph Mutton de ces vols, car c'est quand même lui le vrai responsable de tout ce désastre, ajouta la vieille dame. Si nous y réfléchissons tous ensemble, nous devrions y parvenir sans trop enfreindre la loi. Vous aurez peut-être à la tordre un peu ici ou là, comme les juristes savent le faire à l'occasion. Je suis sûre que vous êtes très doué, quand vous le voulez.

— Si c'est un compliment, il est plutôt malvenu, maugréa Brent. Cependant, votre suggestion ne manque pas d'intérêt, si toutefois Andréa nous a dit la vérité sur le caractère de Ralph Mutton et ses menaces.

— Je vous jure que c'est la vérité, dit Andréa d'un air grave.

Brent la considéra un instant, puis poussa un long soupir.

— Que vais-je faire de vous, Andréa ? Vous m'avez tellement tourné la tête et le cœur que je ne sais plus que croire...

Il s'arrêta devant le tas de bijoux scintillants.

— Et tout ceci ? Qu'allons-nous en faire ? Je ne peux pas faire comme si ça n'existait pas, comme si vous ne l'aviez pas volé.

— Et si elle rendait tout? proposa Maddy.

— Mais j'en ai besoin pour libérer Stevie!

— Parce que vous comptez continuer à vivre en hors-la-loi? demanda Brent d'un air incrédule. Vous espérez vraiment que je vais fermer les yeux sur tous ces cambriolages, alors que le droit et ma conscience m'ordonnent de prévenir immédiatement la police?

— Non! Oh, Brent, ne me dénoncez pas! Je vous en conjure! Je ne volerai plus, et je vous promets de ne plus jamais rien faire de malhonnête. Dès que Stevie sera sain et sauf, je redeviendrai une citoyenne modèle et respecterai la loi pour le restant de mes jours. Je le jure sur la tête de Stevie! Je suis certaine qu'il y a là de quoi payer sa rançon, mais il faut absolument que je remette ces bijoux à Ralph!

— Allons, Andréa, inutile de vous mettre dans tous vos états, conseilla Maddy. Je suis sûre qu'il existe un moyen de vous tirer de là, même si je dois pour cela contacter Lyss et lui demander d'envoyer toute l'armée américaine sur la piste de Mr. Mutton.

Elle hésita un instant avant de poursuivre.

— Bien que, en y réfléchissant, cela risque de mettre l'enfant en danger, ce que nous devons à tout prix éviter. Mais si j'expliquais la situation à certains de mes amis, je suis persuadée qu'ils accepteraient de réunir les fonds nécessaires à la rançon. Vous pourriez alors donner de l'argent liquide à ce monstre, sans vous soucier de savoir s'il triche sur la valeur réelle des bijoux. Et vous pourriez rendre tous les objets volés à leurs propriétaires.

— Et comment s'y prendrait-elle? s'enquit Brent d'un air sceptique. Il y a là des centaines d'objets tout mélangés! Comment voulez-vous qu'elle sache à qui elle a volé quoi?

— J'ai fait une liste, avoua Andréa avec candeur.

— Vous avez fait *quoi*? s'exclama-t-il, incrédule.

— J'ai noté tout ce que j'avais volé, dans l'infime espoir d'avoir un jour l'occasion de rendre les choses ou de les rembourser.

— L'idée ne vous a jamais effleuré l'esprit qu'une

telle liste, si elle tombait entre de mauvaises mains, pourrait vous expédier derrière les barreaux pour un bon demi-siècle ? Diable, mais qu'avez-vous donc dans la tête ?

Andréa le regarda droit dans les yeux, apparemment vexée.

— Quoi que vous pensiez de moi, je n'ai pas l'habitude de me livrer à des activités clandestines. J'ai beau être devenue voleuse, ça ne m'empêche pas d'avoir des scrupules. En outre, vous me condamnez pour avoir volé, et voilà maintenant que vous me reprochez d'avoir fait preuve d'intégrité ! Décidez de quel côté vous êtes, que je sache au moins où j'en suis !

— C'est vrai, renchérit Maddy avec chaleur. Vous allez l'aider, oui ou non ? Et vous seriez gentil d'arrêter de marcher comme ça de long en large ! Vous me donnez le vertige !

— Evidemment, je vais l'aider, grommela Brent. Vous croyez que je vais rester là avec un sourire béat en attendant qu'on la pende ?

Andréa poussa un gros soupir de soulagement, et il commença à exposer les détails de son plan.

— Allez chercher cette liste qui vous accuse, et commencez à trier les bijoux pour les renvoyer à qui de droit. Mais, pour l'amour du ciel, ne mettez pas votre adresse, ajouta-t-il avec ironie. Et cessez de prendre cet air revêche. Je vais télégraphier à ma banque pour qu'on m'envoie immédiatement des fonds. Le sale individu qui retient votre neveu aura son argent.

— Je veux moi aussi apporter ma contribution, annonça Maddy avec fermeté.

— Ce n'est pas la peine, dit Brent. Je peux m'en charger tout seul.

A son tour, Andréa déclina l'offre généreuse de son amie.

— C'est très gentil à vous, Maddy, mais je ne peux pas accepter. Cet argent est tout ce dont vous disposez pour vivre confortablement dans les années à venir.

— Oh, balivernes ! s'exclama la vieille dame. Je ne vais pas vivre éternellement, vous savez, et j'ai de toute façon l'intention de vous léguer ce que j'ai, alors autant que vous en disposiez maintenant. Néanmoins, si cela peut vous soulager, nous allons passer un accord. Si jamais je me retrouve à court d'argent avant ma mort, vous devrez me prendre chez vous et vous occuper de moi. Qu'en dites-vous ?

— D'accord, répondirent les deux jeunes gens d'une même voix.

Maddy hocha la tête.

— Bien. Voilà qui est réglé. Et maintenant, pourriez-vous me dire si vous avez toujours l'intention de vous marier ? demanda-t-elle abruptement.

— Je ne m'attends nullement que... commença Andréa.

— Oui, trancha Brent aussitôt.

Andréa se tourna vers lui, le regard émerveillé et brillant d'espoir, le cœur près d'éclater.

— Vraiment ? murmura-t-elle. Vous voulez encore de moi ?

— Si incroyable que cela puisse paraître, oui. Nul doute qu'il me faudra apprendre à ne dormir que d'un œil pour m'assurer que vous ne mettez pas tous mes pyjamas au clou, mais je vous veux pour femme.

Il lui tendit la main pour l'aider à se lever et la prit dans ses bras, l'enlaçant tendrement tout en cherchant ses lèvres. Le baiser qu'il lui donna valait toutes les promesses de la terre, et Andréa se fit une joie d'y répondre avec ferveur.

— Je vous aime, Brent Sinclair... de tout mon cœur, lui déclara-t-elle.

S'écartant de sa bouche, il la regarda d'un air solennel.

— Je suis follement épris de vous, Andréa, et je ne suis pas près de guérir. Ce qui est une sacrée chance pour vous, ma jolie voleuse, car un mari, à moins qu'il ne le veuille, n'est pas obligé de témoigner contre sa femme devant un tribunal. Sachant cela, nous ferions bien de nous marier au plus vite, avant que qui que ce soit ne découvre par hasard ce que vous avez fait.

— Ô mon Dieu, ce serait épouvantable ! reconnut

Maddy. Mais moi, Brent? Si on en arrivait là, me demanderait-on de venir témoigner sous serment de tout ce que je sais?

Pour la première fois ce jour-là, Brent se fendit d'un large sourire.

— Heureusement pour vous, Maddy, vous avez la réputation d'être une vieille farfelue aussi légère qu'une brise de printemps. N'y voyez aucune offense, chère madame, mais j'ai dans l'idée que votre témoignage ne servirait qu'à embrouiller la cour, et sans doute à convaincre le juge de vous déclarer incompétente, en tout cas comme témoin, ce qui jouerait certainement en notre faveur.

Maddy lui lança un regard noir.

— Bien que certaines personnes me considèrent comme plus ou moins gaga, je suis loin d'être sénile. En outre, je vous défie, vous ou n'importe quel juge, de me traiter d'incompétente.

Les poings sur les hanches, ressemblant à une poule naine aux plumes hérissées, elle recommença à l'admonester.

— Cette fois, vous avez dépassé les bornes, jeune homme, et permettez-moi de vous assurer que je n'oublierai pas votre impudence. Je ne suis pas aussi toquée que vous semblez le dire. Quant à votre remarque de tout à l'heure sur le fait de ne dormir que d'un œil, à l'avenir, je vous engage plutôt à avoir le sommeil léger et à garder les deux yeux bien ouverts. Ce n'est pas d'Andréa qu'il faudra vous méfier, espèce de jeune insolent. Je suis peut-être vieille, mais j'ai acquis pas mal d'expérience en matière de vengeance.

Elle ne cessa ses rodomontades que pour le gratifier d'un sourire malicieux.

— Ce n'est pas pour me vanter, mais c'est un domaine dans lequel j'excelle aussi, et je me ferai un plaisir de vous rendre la monnaie de votre pièce au moment où vous vous y attendrez le moins.

18

Dès le lendemain, Andréa avait fait le tri des bijoux et renvoyé anonymement leurs biens à chacun des propriétaires. Même les objets qu'elle avait dérobés à l'exposition furent réexpédiés par courrier, à l'exception des diverses miniatures volées pour Stevie. Elle comptait les rapporter en personne, aussi discrètement que possible, en faisant de son mieux pour ne pas se faire voir. Brent, qui avait accepté de la suivre de près, avait immédiatement acheté les petits animaux après son passage.

— Vraiment, vous m'étonnez, lui dit-il un peu plus tard lorsqu'ils eurent regagné l'hôtel. Et je dois dire que cela me met un peu mal à l'aise. En moins d'une heure, je vous ai vue de mes yeux charmer trois messieurs sans méfiance, et je ne peux pas m'empêcher de me dire que je me suis montré aussi crédule et que vous m'avez dupé tout aussi facilement.

— J'ai été obligée de vous mentir, Brent, dit-elle en voyant son air sombre. Agir ainsi ne me plaît pas et n'a aucun rapport avec les sentiments que j'éprouve pour vous. Lorsque je vous dis que je vous aime, je ne mens pas. Quand vous avez découvert que j'étais la voleuse, mon cœur a failli se briser. J'étais sûre que cela détruirait définitivement votre amour pour moi.

— J'en viens presque à regretter que ce ne soit pas le cas, avoua-t-il avec aigreur. Quoi qu'il en soit, ça m'a fait un choc.

— J'ai essayé de vous mettre en garde, lui rappela-t-elle. J'ai repoussé vos propositions à plusieurs reprises. Je vous ai même dit qu'il y avait des choses de moi que vous ignoriez, que j'avais des problèmes à résoudre.

Il la regarda d'un air triste.

— Vous auriez pu m'éclairer davantage sur la nature de ces problèmes, rétorqua-t-il.

Andréa lui lança un regard moqueur.

— Evidemment! Il aurait sûrement été beaucoup plus simple de vous déballer toute la vérité! J'imagine votre réaction si je vous avais annoncé: «Au fait, chéri, il se trouve que je suis le voleur de bijoux que vous cherchez.» M'auriez-vous crue? M'auriez-vous assommée d'un coup de poing avant de me traîner en prison? Ou peut-être vous seriez-vous contenté d'éclater de rire, en pensant que je plaisantais?

— Il n'en demeure pas moins que vous m'avez trompé, sur plusieurs plans, en prétendant être fatiguée ou malade de manière à vous livrer à vos petites escapades, en me mentant sur le contenu de votre sac, sans parler de cette soi-disant poudre contre la migraine sur vos gants.

Voyant son air surpris, Brent hocha la tête.

— Eh oui, j'ai fini par mettre toutes les pièces du puzzle en place. Découvrir à quel point j'ai été stupide me rend amer.

— Vous aussi, vous m'avez trompée, s'empressa-t-elle de souligner. Pendant tout ce temps où vous m'avez fait la cour, me proclamant votre amour et me parlant de votre vie d'avocat à New York, vous travailliez aussi en secret pour l'agence Pinkerton. Si j'ai menti, vous aussi.

— Seulement par omission, insista-t-il. Je ne vous ai jamais menti de but en blanc, comme vous-même l'avez fait.

— Arrêtez de couper les cheveux en quatre! Un mensonge est un mensonge, quelle que soit l'étiquette légale que vous y apposiez. Le résultat, c'est que vous n'avez pas été tout à fait honnête non plus.

— En tout cas, je ne vous ai pas complètement couverte de ridicule, affirma-t-il en fronçant les sourcils. Vous ne pouvez pas en dire autant.

— Tout de même, vous avez fini par me découvrir, ce que personne n'avait réussi à faire. Vous devriez être très fier de vous, lui dit-elle avec une pointe de dérision.

— Et vous, vous êtes-vous sentie fière de vous quand vous avez volé les bijoux de Shirley Cunningham ?

— C'était quelque peu malveillant de ma part, n'est-ce pas ? D'habitude, je m'arrangeais pour sélectionner les plus belles pièces en laissant derrière moi les bijoux ayant une valeur sentimentale. Mais ce soir-là, j'étais si furieuse contre elle que j'ai tout emporté. Je peux dire franchement que c'est la seule fois où mon rôle de cambrioleuse m'a amusée.

— Et quand vous m'avez subtilisé ma montre et que vous me l'avez rendue ? lança-t-il, le regard toujours aussi sombre. Ou quand vous m'avez laissé suspendu au bout d'une corde au théâtre ? Cela a dû bien vous amuser.

— A vrai dire, je ne me suis jamais sentie aussi coupable, confessa-t-elle.

Brent haussa les épaules, nullement apaisé.

— Ce qui m'agace, c'est que vous ayez fait tout cela sans que je me doute de quoi que ce soit. Vous avez même fait semblant de fouiller votre chambre pour vérifier que le voleur ne vous avait rien pris. Tout comme cette nuit où je vous ai aperçue en train de traverser la rue, et où vous m'avez ouvert la porte quelques minutes plus tard en prétendant avoir sagement dormi.

— Si ça peut vous aider à vous sentir mieux, j'ai failli me rompre le cou en regagnant ma chambre, de peur de me faire rattraper. Dans ma précipitation, j'ai même enfilé ma chemise de nuit à l'envers.

— Ça me permet d'apprécier jusqu'où vous êtes capable d'aller et d'imaginer toutes les histoires que vous m'avez racontées et qu'il me reste à élucider.

— Par exemple ?

— Le soir où vous êtes sortie pour fumer une cigarette. Dois-je comprendre que vous avez inventé cette excuse et que vous reveniez vraiment d'une de vos expéditions ?

— Je ne pouvais quand même pas tout vous avouer,

se défendit-elle. Autant que je me souvienne, vous avez cru que je vous avais trompé avec un autre homme. Toutes proportions gardées, vous devriez être soulagé de savoir que j'ai commis un cambriolage plutôt qu'une infidélité.

— Ah, mais c'est justement là le point crucial de mon dilemme, ma chérie, rétorqua-t-il d'un ton caustique. Je ne suis toujours pas convaincu que vous n'étiez pas ce soir-là avec Henderson, ni que vous êtes aussi chaste que vous le prétendez. Après tout, vous m'avez menti si brillamment sur tant d'autres choses que je ne sais plus quand vous dites la vérité.

Andréa bondit de son siège et se planta devant lui avec un air furieux.

— Vraiment? Eh bien, dans ce cas, vous feriez sans doute mieux de revenir sur votre proposition de mariage.

— J'ai une meilleure idée. Vous pourriez dissiper mes doutes en me donnant la preuve de votre innocence avant que nous soyons mariés, suggéra-t-il tranquillement.

— Ha! Pour quel genre de fille me prenez-vous, Brent Sinclair? Je ne vais pas vous offrir ma virginité pour vous voir m'abandonner à deux pas de l'autel, si c'est ainsi que vous envisagez de vous venger.

— Non, chère petite menteuse, c'est peut-être votre style, mais ce n'est pas le mien. Cependant, j'aurais tout intérêt à passer la nuit sur ce divan, histoire de m'assurer que vous n'essayez pas de vous envoler avant la cérémonie.

Il lui jeta un regard plein d'arrogance.

— A moins que vous ne préfériez m'inviter dans votre lit, où nous pourrions régler la question une bonne fois pour toutes.

Les poings sur les hanches, Andréa soutint fièrement son regard.

— Je préférerais vous voir dormir dans une bauge ou sur un tas de fumier, déclara-t-elle d'un ton acerbe. Tout seul, ou avec la première imbécile venue qui voudra de vous. Mais ne comptez pas sur moi. D'ailleurs, il vaudrait mieux oublier ce mariage. La dernière chose dont j'aie besoin, c'est bien d'un mari qui refuse de me faire confiance et me jette sans cesse mes fautes passées à la figure. J'aime encore mieux mourir vieille fille que de vous laisser me toucher.

— Vous irez d'abord en prison, reprit-il d'un ton solennel. Soit vous m'épousez demain, soit vous passez le reste de vos jours derrière des barreaux. A vous de choisir, ma chère, mais réfléchissez bien avant de vous emballer et de dire des choses que vous risqueriez de regretter. Si vous êtes accusée de cambriolage, ce qui ne manquera pas d'arriver, vous ne reverrez jamais votre précieux neveu. Et tous vos sublimes efforts et sacrifices n'auront servi à rien.

— Vous n'êtes pas sérieux! s'exclama-t-elle, sidérée. Ne me dites pas que vous seriez prêt à mettre Stevie en péril par pur esprit de vengeance!

— Pas délibérément, mais si je suis appelé à témoigner contre vous, le résultat ne pourra être que désastreux, pour vous comme pour l'enfant. Que cela vous plaise ou non, la seule solution pour vous en sortir est de m'épouser.

Ses yeux dorés la mettaient au défi. Vierge ou pas, sainte ou voleuse, Andréa serait sa femme, même s'il devait utiliser le chantage ou la tirer par les cheveux jusque devant l'autel. Après avoir attendu toute sa vie pour la trouver, il n'allait pas la laisser lui échapper si facilement.

— Je devrais vous haïr pour oser dire une chose pareille! souffla-t-elle.

— Il y a trois minutes à peine, vous me juriez que vous m'aimiez, railla-t-il.

— Mais oui, et c'est vrai! Oh, j'en ai assez, je suis tellement furieuse que je ne sais plus ce que je ressens! Je ne sais plus où j'en suis!

Lorsqu'elle éclata en sanglots, il lui tendit la main et la fit asseoir sur ses genoux.

— Moi non plus, admit-il en lui caressant gauchement les cheveux. Il n'y a qu'une chose dont je sois certain. Demain midi, vous et moi serons mariés, pour le meilleur et pour le pire.

Le mariage étant prévu le dimanche, Andréa modifia la date de son départ, tout comme Maddy et Brent. Ils partiraient de Philadelphie un jour plus tard et regagneraient Washington tous les trois par le train du lundi matin.

Entre-temps, Brent avait obtenu l'autorisation nécessaire et trouvé un pasteur pour célébrer la cérémonie. Ne voulant pas être en reste, Maddy s'était activée comme un vrai tourbillon, accomplissant des prouesses afin d'organiser à la dernière minute un mariage qui soit tout de même grandiose, charmant et mémorable. En conséquence, le personnel de l'hôtel était en pleine ébullition, le chef et ses aides faisant de leur mieux pour répondre à ses exigences et préparer un banquet raffiné, avec une énorme pièce montée de six étages et une fontaine de champagne.

L'influence de Maddy se révéla des plus impressionnantes. Pour Andréa, elle avait acheté la magnifique robe de mariée en satin brodé de perles que la compagnie des machines à coudre Singer présentait sur son stand, puis elle s'était débrouillée pour louer le Pavillon d'horticulture, où se dérouleraient le mariage et la réception. L'exposition étant fermée le dimanche, il pourrait y avoir une centaine d'invités : des dignitaires, des hommes d'Etat, de nombreux amis ou relations et les gens que Maddy, Andréa et Brent avaient rencontrés au cours de leur séjour à Philadelphie. Maddy avait même invité des membres de sa petite cour de Washington qui feraient un saut en train pour assister au mariage, tout comme le feraient les amis et la famille de Brent. Et pour commémorer l'événement, le photographe officiel du Centenaire avait été embauché.

Non contente d'avoir joué le rôle de la bonne fée, Maddy serait la dame d'honneur d'Andréa, tandis que le maire de la ville escorterait la mariée. Le frère de

Brent, Dan, serait son témoin. Le comble était que Brent avait demandé à Jenkins et aux détectives de l'agence Pinkerton de constituer la haie d'honneur.

— Quel culot ! marmonna Andréa en se débattant avec son voile de mariée. J'imagine qu'il trouve très drôle d'avoir ses collègues de Pinkerton sous la main pour m'empêcher de renoncer au dernier moment, de peur de me faire arrêter.

— Allons, ma chère, vous savez bien que ce garçon est follement amoureux de vous. Sinon, pourquoi vous épouserait-il ? remarqua Maddy en prenant la défense de Brent. Il cherche seulement à protéger la femme qu'il adore.

— Ha ! Tenter d'intimider sa future épouse n'est pas la meilleure façon de démarrer un mariage du bon pied. En tout cas, cela ne me met pas de bonne humeur.

— Il vous a envoyé un ravissant bouquet, avec ses excuses.

Andréa se tourna vers son amie d'un air perplexe.

— Pourquoi le défendez-vous, tout à coup ? La dernière fois que je vous ai vus ensemble, vous étiez folle de rage contre lui. Vous avez même promis de vous venger, autant que je me souvienne.

Maddy lui fit un grand sourire.

— Je suis ravie que vous me le rappeliez, ma chère petite, car j'ai trouvé quelle serait ma revanche, mais j'aurai besoin pour cela de votre coopération. Puisque vous êtes aussi furieuse contre lui, ce sera un moyen idéal pour nous deux de donner un petit coup de canif dans sa belle assurance. Au sens figuré, bien sûr.

Maddy lui exposa son plan, et lorsqu'elle eut terminé, Andréa gloussa de bonheur.

— Oh, c'est si merveilleusement rusé ! s'exclama-t-elle. Ce sera parfait pour l'occasion.

— C'est ce que j'ai pensé, ajouta fièrement Maddy. Jusqu'à ce que nous puissions passer à l'action, je veux cependant que vous pardonniez à Brent, que vous mettiez un sourire sur votre jolie frimousse et que vous passiez une belle journée. Après tout, on ne se marie généralement qu'une fois dans sa vie, et il ne faut pas le faire avec le cœur amer. Je veux que vous repensiez à ce jour avec un souvenir ému. Souvenez-vous que vous épousez l'homme que vous aimez, mon enfant, et qu'il vous aime. C'est le plus important. Du moment que vous vous chérissez l'un l'autre, tout le reste se passera bien.

Maddy n'aurait pu choisir décor plus spectaculaire pour le mariage. Le Pavillon d'horticulture, construit dans le style mauresque, était par conséquent extrêmement décoré à l'intérieur comme à l'extérieur. Les fleurs, les fougères, les arbustes décoratifs et les arbres de toutes espèces et de toutes couleurs abondaient dans tous les coins, transformant la structure de marbre et de verre en un jardin luxuriant et parfumé qui exaltait les sens. Des fontaines jaillissaient joyeusement au milieu de tonnelles fleuries et de grottes pittoresques, tandis que des arches tapissées de fleurs enjambaient les passages menant aux salles de réception. Le tout ressemblait à une clairière enchantée, surtout quand on regardait du haut de la galerie qui courait tout autour de la salle principale, et d'où s'échappaient les accords mélodieux d'un quatuor à cordes.

Brent fut heureusement surpris quand sa future femme l'accueillit avec un radieux sourire, et non pas avec la mauvaise humeur à laquelle il s'était plus ou moins attendu. La voir venir vers lui, glissant gracieusement dans l'allée jonchée de pétales de fleurs, lui coupa le souffle. Elle était absolument magnifique, sa chevelure resplendissante couronnée d'une brume de dentelle et ses yeux brillant plus intensément que des joyaux. La somptueuse robe de mariée semblait avoir été faite exprès pour elle, et les pierres de lune et le bouquet de lis blancs complétaient sa tenue à la perfection. Elle était l'image même de la beauté, une déesse vivante, et il ne l'avait jamais tant aimée qu'en cet instant.

L'amour qui anima le regard de Brent quand il l'aperçut suffit à dissiper toute trace de doute dans l'esprit d'Andréa. Il lui tardait sincèrement d'appartenir à cet homme pour le reste de sa vie. Il se tenait là, devant un massif de roses, l'attendant, ses yeux dorés remplis d'admiration, en lui faisant signe de venir le rejoindre. Grand, brun et follement séduisant dans sa redingote de cérémonie. Oubliant sa nervosité, elle lui adressa un sourire radieux. Auquel il répondit en souriant à son tour. Alors, au son délicat et rêveur de la harpe, elle s'avança, semblant flotter pour parcourir les derniers mètres qui la séparaient de lui.

D'aimer. D'honorer. De chérir... Jamais échange de promesses ne fut répété avec autant d'émotion et de sincérité. Au moment où Brent glissa l'alliance au doigt d'Andréa, et où le pasteur les déclara mari et femme, il n'y avait pratiquement plus un œil de sec dans la salle. Quand Brent prit sa femme dans ses bras pour consacrer leur union par le baiser traditionnel, des exclamations enthousiastes s'élevèrent parmi la foule. Rayonnants de fierté et d'allégresse, les jeunes mariés rejoignirent leurs invités pour faire la fête.

Bien que peu timide de nature, Andréa se montra très réservée quand Brent la présenta pour la première fois à sa famille. Ils étaient arrivés en force, constituant à eux seuls à ses yeux une véritable légion. Il y avait ses parents et sa sœur, ses trois frères et ses deux belles-sœurs. Seuls les enfants étaient restés à New York.

A première vue, Grace Sinclair était une femme séduisante et distinguée d'une cinquantaine d'années. Vêtue de volants et de dentelles, elle avait l'air douce et délicate, bien que ceux qui la connaissaient pussent attester de sa tendance à vouloir tout régenter. Ce qui lui manquait de sens pratique, elle le compensait par un esprit acerbe qui la faisait craindre de toute la famille, laquelle s'empressait de lui obéir au doigt et à l'œil.

Lors de sa première rencontre avec Andréa, Grace écrasa une larme, s'extasia sur la beauté de la mariée, puis changea de ton aussitôt.

— Dieu du ciel, pourquoi fallait-il que vous vous mariiez tous les deux aussi rapidement ? Si vous vous aimez, attendre quelques semaines ou quelques mois de plus n'aurait rien changé, et cela nous aurait évité de faire nos bagages à la hâte pour sauter dans le premier train. C'est vrai, je n'ai même pas eu le temps de m'acheter une nouvelle robe pour le mariage : tout le monde a dû s'en apercevoir. En outre, si vous aviez pris plus de temps pour tout préparer, vous auriez pu avoir une cérémonie traditionnelle à l'église, au lieu de vous marier dans cette... cette forêt tape-à-l'œil.

Robert Sinclair, en gentleman courtois qu'il était, sourit et endossa immédiatement son rôle habituel de pacificateur.

— Allons, Grace, ce n'est pas comme s'il n'y avait eu qu'un mariage civil. Ils ont été bénis par un pasteur. De plus, je doute que qui que ce soit ait remarqué ta tenue. Les gens sont ici pour féliciter les mariés, pas pour assister à un défilé de mode.

— Cela prouve bien que tu n'y connais rien, rétorqua Grace d'un air bougon, nullement convaincue.

Robert secoua sa tête grisonnante en soupirant. Puis il jeta à Brent un regard d'une patience à toute épreuve.

— Nous aurions apprécié que tu nous préviennes quelques jours de plus à l'avance, fiston.

Brent sourit, ne se sentant pas coupable le moins du monde.

— C'est comme tu me l'avais dit, papa. L'amour vous tombe dessus sans prévenir. Avant que j'aie pu comprendre ce qui m'arrivait, Andréa m'avait capturé.

— Ce n'est pas tout à fait exact, les informa la jeune mariée. A vrai dire, votre fils m'a harcelée jusqu'à ce que je cède.

Brent lui fit un clin d'œil.

— Je tiens mon obstination de papa et mon charme de maman.

Personnellement, Andréa estimait que c'était plutôt le contraire...

Bob, le frère aîné de Brent, était la version de son

père en plus jeune : sympathique, mais des plus sérieux dès qu'il s'agissait d'affaires de famille. Sa femme, Caro, était une grande brune charmante au sourire éclatant. Il émanait d'elle une sorte d'assurance et d'élégance, et Andréa pensa que si Bob envisageait un jour de se lancer dans la politique, Caro ferait une parfaite épouse d'homme d'Etat.

Sheila, en revanche, complétait la personnalité d'Arnie très différemment. C'était une rousse pleine de vie, un vrai moulin à paroles, tandis qu'Arnie avait hérité à la fois de la séduction de sa mère, en version masculine, et de sa vivacité d'esprit, que venait tempérer toutefois un grand sens de l'humour. Dans leur cas, le vieil adage selon lequel les contraires s'attirent se vérifiait pleinement.

Cependant, ce furent Dan et Hope qui parurent les plus sympathiques à Andréa. Peut-être parce qu'ils étaient les plus jeunes des Sinclair, et plus proches de son âge. A dix-sept ans, Hope était enjouée, audacieuse et débordante de vie, avec de beaux cheveux brillants et des yeux bruns étincelants. Dan, à l'instar de Brent, avait hérité de la personnalité chaleureuse et des yeux magnifiques de leur père. Très intelligent, il n'en était pas moins l'attachant bouffon de la famille.

Ce fut Dan qui embrassa le premier Andréa sur la joue.

— Bienvenue dans la famille, jolie dame. Et merci d'avoir eu pitié de mon pauvre frère sans attraits.

— Oui, peut-être qu'il va maintenant se concentrer sur vous, au lieu de passer son temps à gâter nos enfants, ajouta Sheila.

— Et donner enfin à maman d'autres petits-enfants, renchérit Hope avec un sourire espiègle.

Elle se tourna vers sa mère.

— Après toutes ces années passées à embêter Brent pour qu'il se marie, tu devrais être contente. Il a finalement fait ce que tu souhaitais.

— Et, en plus, il a choisi une femme ravissante, déclara Caro en adressant un sourire aimable à sa nouvelle belle-sœur. Andréa, laissez-moi vous dire que je suis verte de jalousie. Je serais prête à tuer n'importe qui pour avoir des cheveux de la couleur des vôtres! Et cette robe est divine! Il faut absolument que vous me disiez où vous l'avez fait faire en si peu de temps!

— Oublie la robe, reprit Dan, les yeux remplis d'admiration. Ce que je voudrais savoir, c'est où Brent l'a trouvée, et si elle a une sœur qui se promène quelque part.

— Désolé, p'tit frère, dit Brent en lui tapant amicalement dans le dos. Andréa est unique, et elle est à moi. Il faudra que tu te trouves une femme à toi, si toutefois tu arrives à lever le nez de tes bouquins de médecine. Je te conseille de le faire avant que maman ne te rende complètement sourd.

— A propos, Dan, nous avons invité un de vos camarades, dit Andréa. Harry Andrews. Il est venu en ville voir l'exposition. En fait, c'est lui qui m'a présentée à Brent.

Dan haussa les sourcils.

— Ma foi, son goût a dû s'améliorer. D'ordinaire, j'évite ce crétin prétentieux comme la peste, mais je vais peut-être aller le saluer, en espérant qu'il me présentera à une femme presque aussi belle que vous.

Les présentations faites, Andréa se détendit un peu. A l'exception de la mère de Brent, sa nouvelle famille semblait tout à fait charmante et prête à l'accepter en son sein. Heureusement, elle ne serait pas obligée de vivre sous le même toit que sa belle-mère, puisque Brent avait son propre appartement à New York, où ils s'installeraient une fois Stevie arraché aux griffes de Ralph. Les réunions de famille du dimanche suffiraient largement à ce que Grace et elle s'habituent peu à peu l'une à l'autre.

Le reste de la journée passa à la vitesse d'un éclair, du moins pour Andréa. Brent n'était sans doute pas du même avis. Au cours du dîner, qui se composait de huit plats, on porta de nombreux toasts de félicitations aux nouveaux époux, puis, fidèles à la tradition, les jeunes mariés découpèrent le gâteau. Au dixième toast, Brent supplia ses amis et parents d'en rester là, afin que sa femme et lui ne soient pas trop ivres pour savourer leur nuit de noces.

Repoussant le verre de champagne d'Andréa, il se pencha à son oreille.

— Se détendre est une chose, mon amour, s'abrutir en est une autre. Je tiens à ce que vous soyez pleinement consciente de tout ce qui se passera dans notre lit cette nuit.

— Moi aussi, lui assura-t-elle avec coquetterie, en repoussant à son tour le verre de son mari.

Une étincelle malicieuse illumina l'améthyste de ses yeux.

— Venez danser avec moi, mon chéri. Plus vite nos invités seront occupés à s'amuser, plus vite nous pourrons nous éclipser pour en faire autant.

19

Un peu plus tard, la calèche des jeunes mariés filait en direction de l'hôtel, tirant derrière elle un méli-mélo de chaussures accrochées par des ficelles. Ils avaient été retenus plus longtemps qu'ils ne l'auraient voulu. De même qu'ils n'avaient pu s'éclipser discrètement, car Andréa avait dû jeter son bouquet de mariée à une bande de jeunes filles pleines d'enthousiasme, et Brent, la jarretière de son épouse à un groupe de célibataires exultant de joie. Ils avaient finalement quitté la salle sous une pluie de riz, dont une bonne partie s'était infiltrée dans le décolleté d'Andréa.

— Vos parents devraient être rassurés, lui dit-elle joyeusement. Votre sœur a attrapé le bouquet au vol et Dan s'est emparé de la jarretière. Cela devrait quelque peu les apaiser, vous ne croyez pas ?

— Ne vous inquiétez pas. Il est vrai que la précipitation de notre mariage les a un peu contrariés, mais ils s'en remettront très vite. Surtout quand nous leur présenterons un nouveau petit-fils d'ici un an ou deux.

— Nous leur présenterons d'abord Stevie, lui rappela-t-elle. Du moins, je l'espère.

— Je l'espère aussi.

Brent lui offrit son épaule pour qu'elle y pose la tête et changea de sujet avant qu'elle ne devienne trop mélancolique.

— Quelle est la raison du petit conciliabule que vous avez tenu avec Maddy dans les toilettes, juste avant notre départ ? demanda-t-il.

— Euh… une affaire privée… entre femmes, bredouilla-t-elle, le visage brûlant.

Il ricana.

— Oh, je vois. Des instructions de femme sur la procédure à suivre au lit, je suppose ?

— Quelque chose comme ça, murmura-t-elle.

Andréa bougea légèrement pour tenter de déloger un grain de riz qui la gênait.

— Pourquoi vous tortillez-vous comme ça ?

— Il y a assez de riz dans mon décolleté pour nourrir une armée, grommela-t-elle. Et ça démange !

Brent rit à nouveau.

— Si seulement il était cuit, je pourrais m'en régaler ! Ce serait sans doute là le meilleur plat que j'aie jamais goûté. Et si j'essayais ? La chaleur de votre corps l'a peut-être cuit à la perfection, suggéra-t-il d'un air canaille.

— Rentrez votre langue et vos dents, espèce de loup lubrique ! fit-elle en riant. Du moins, jusqu'à ce que nous soyons seuls dans notre chambre.

Une fois de plus, Maddy s'était surpassée. En pénétrant dans la chambre de Brent, ils trouvèrent des brassées de fleurs et du champagne qui les attendaient, ainsi qu'un grand plateau de petits gâteaux. Le lit avait été refait, les draps tout frais légèrement parfumés avec le parfum favori d'Andréa et la courtepointe soigneusement retournée. Les lampes à pétrole réduites à leur minimum et les chandelles éclairaient la chambre d'une douce lueur dansante, créant une atmosphère romantique.

Brent s'approcha du bout du lit où une robe de chambre d'homme en satin noir était posée près d'un négligé lilas scintillant, très excitant.

— Faites-moi penser à remercier Maddy demain matin, dit-il d'une voix rauque en froissant le tissu léger entre ses doigts.

Il imaginait déjà sa jeune épouse rougissante sous le voile arachnéen...

— Je... euh... oui. Je le ferai.

— Ne soyez pas aussi nerveuse, mon ange, lui dit-il gentiment. Nous sommes sur le point de nous embarquer pour une merveilleuse aventure, nous ne montons pas à l'échafaud, vous savez.

Il lui tendit la chemise de nuit, la fit pivoter sur elle-même et commença à déboutonner d'une main experte le dos de sa robe de mariée. Déposant un rapide baiser sur sa nuque, il la poussa vers la salle de bains.

— Prenez quelques instants pour vous changer et pour reprendre vos esprits. Je vous attends ici.

Andréa s'exécuta avec plaisir, et Brent commençait à se demander si elle allait finir par ressortir lorsqu'elle ouvrit la porte et s'avança vers lui. S'il l'avait trouvée magnifique dans sa robe de mariée, elle l'était maintenant plus encore. La chemise de nuit diaphane était profondément échancrée, soulignant joliment ses seins hauts et fermes et sa taille fine, tandis que le bas retombait le long de son corps mince dans un tourbillon de tissu mousseux et transparent. Ses cheveux épars cascadaient jusqu'au milieu de son dos en boucles d'or pâle.

— Vous êtes superbe, dit-il dans un souffle, le cœur serré. Absolument divine.

— Je n'aurais pas dû manger autant, dit-elle en tremblant. J'ai l'estomac complètement noué.

Il lui tendit la main en riant.

— Venez, mon ange. Je vais vous aider à vous détendre.

Il la fit asseoir au bord du lit, tout près de lui, de manière à pouvoir lui masser les épaules.

— Vous vous souvenez de cette nuit, dans votre suite, quand je vous ai massé le cou ? J'ai bien cru que Maddy allait nous étrangler tous les deux. C'est une sacrée petite mégère quand elle s'y met.

Andréa poussa un soupir et inclina la tête pour offrir son cou à ses baisers.

— Elle est petite, mais pleine d'énergie, admit-elle en frissonnant légèrement. Oh, c'est divin ! Ne vous arrêtez pas.

— Je n'en ai pas l'intention, chuchota-t-il au creux de son oreille, la faisant frémir à nouveau.

Il entreprit de couvrir son cou de minuscules baisers en descendant jusqu'à l'épaule.

— Vous m'avez gardé quelques grains de riz ? plaisanta-t-il. Ou bien dois-je me contenter de votre chair si douce ?

Les fines bretelles du négligé glissèrent sur ses épaules, dévoilant son dos et sa poitrine à son regard émerveillé. Elle se retourna et se serra tout contre lui en lui nouant les bras autour du cou.

— Peut-être en trouverez-vous un ou deux dans quelque endroit caché, roucoula-t-elle d'une voix sensuelle. Si vous les cherchez suffisamment vite.

— Je vous promets d'explorer chaque millimètre de votre corps sublime, répliqua-t-il, la voix grave et vibrante de désir.

Joignant le geste à la parole, il approcha sa bouche d'un de ses seins frémissants et en dessina le contour du bout de la langue avant de prendre le tendre mamelon entre ses lèvres.

Andréa laissa échapper un gémissement de plaisir en sentant la chaleur de sa bouche se propager dans tout son être. Son ventre lui fit l'effet de se contracter au rythme des succions fébriles de sa bouche. Le sang bouillonnait dans ses veines, tel un torrent fougueux.

Enfin, Brent abandonna son sein pour se concentrer sur l'autre. Quand il engloutit la pointe soyeuse qu'il parsema de baisers tièdes et mouillés, Andréa écarta sa robe de chambre, et ses doigts fins s'aventurèrent dans la toison duveteuse de son torse. Ses ongles griffèrent le bout des seins virils. Brent poussa un grognement, une sorte de feulement, comme un gros chat avide de caresses.

— Oui, touche-moi, dit-il d'une voix rauque, fais connaissance avec moi.

Sa bouche se referma plus goulûment sur la pointe de sein durcie lorsque ses mains se promenèrent sur son dos musclé, ses épaules puissantes et son large torse, en caressant la peau brûlante. Lentement. Inexorablement. Excitant follement son désir, elle voulut lui donner autant de plaisir qu'il lui en donnait.

Une douleur sourde monta en elle au fur et à mesure qu'elle découvrait son corps, augmentant à chaque respiration, à chaque battement de cœur. Mais elle n'était pas seule à endurer ce tourment, car, sous sa paume, elle sentit le pouls de Brent s'accélérer comme le sien. Elle ne put retenir un petit cri quand sa main se faufila sous le négligé pour remonter sur sa cuisse. Instinctivement, elle serra les jambes, bien que tout son corps tendu fût assoiffé de ses caresses.

— Non, chuchota-t-il aussitôt, tandis que ses doigts glissaient avec autorité entre ses cuisses tremblantes. Laisse-moi découvrir tes secrets les plus doux, mon amour.

Comme s'ils avaient attendu son ordre, tous les muscles d'Andréa se relâchèrent subitement, et elle écarta les cuisses, comme il le lui demandait. Sa main s'aventura plus haut. De plus en plus impatiente, elle se mit à haleter.

Tout à coup, Brent émit une exclamation de stupeur. Elle sentit qu'il retroussait le négligé jusqu'à la taille pour la regarder d'un air incrédule.

— Mais... qu'est-ce que c'est que ça ?

Il fallut un instant à Andréa pour comprendre le sens de sa question, et quand elle réalisa de quoi il voulait parler, elle laissa échapper un gémissement de frustration.

— Oh! Zut! J'avais oublié ce fichu machin !

— De quoi diable s'agit-il ? reprit-il brusquement.

— Ne sois pas bête ! rétorqua-t-elle en essayant de s'écarter de lui, ce qui n'eut pour résultat que de lui faire resserrer son étreinte. C'est une ceinture de chasteté !

— Une quoi ? s'écria-t-il, sidéré, en découvrant le maillage en cuivre mettant sa féminité à l'abri de ses caresses.

— Une ceinture de chasteté, répéta-t-elle. Un accessoire archaïque qui permet de protéger et de préserver la pureté d'une femme.

— Je sais ce que c'est, gronda-t-il. Je veux savoir où tu te l'es procurée et pourquoi diable tu la portes.

— N'est-ce pas évident ? répliqua-t-elle en se débattant pour échapper à son emprise, affreusement embarrassée d'être exposée ainsi à son regard. Pourrais-tu me lâcher ?

— Où as-tu trouvé ça ? redemanda-t-il, ignorant ouvertement sa remarque.

— Eh bien, Maddy t'a prévenu qu'elle se vengerait de toi au moment où tu t'y attendrais le moins. J'ai bêtement accepté d'entrer dans son jeu, histoire de te faire regretter les horribles insinuations que tu as osé faire concernant ma vertu.

Brent respira un grand coup avant de la relâcher, s'efforçant de maîtriser sa colère.

— Très bien, dit-il enfin. Tu as eu ta revanche, et tu t'es bien moquée de moi. Mais maintenant, retire ça.

Andréa esquissa un sourire insolent.

— Je ne peux pas, fit-elle en montrant le petit cadenas attaché à la chaîne qui lui ceignait les hanches. C'est Maddy qui a la seule et unique clé.

Brent proféra un bref juron, puis se releva et se mit à arpenter nerveusement la chambre.

— Que cette vieille folle aille au diable ! Je vais l'étrangler !

Il se passa la main dans les cheveux, fou de rage.

— Pour cela, il faudrait d'abord que tu la trouves, se moqua Andréa.

Elle se redressa et remonta pudiquement les draps

sur ses jambes, sans se rendre compte qu'elle avait toujours les fesses à l'air.

— De plus, je crois qu'elle attend tes excuses pour te remettre la clé.

— Oh, je la trouverai, jura Brent. Même si je dois fouiller entièrement cet hôtel ! Mais je doute que ce soit nécessaire. En ce moment même, elle doit dormir paisiblement dans son lit, un sourire de satisfaction au coin des lèvres !

Il revint à grands pas vers le lit en lui jetant un regard furieux.

— Pour l'instant, je préférerais me ronger les ongles plutôt que de faire des excuses à cette vieille sorcière ! Il y a sûrement un autre moyen de te débarrasser de ce truc infernal.

Sans prévenir, il fit allonger Andréa sur le dos et retroussa sa chemise de nuit.

Elle poussa un petit cri de surprise.

— Tu ne pourrais pas faire attention ? protesta-t-elle. Ce n'est pas la culotte la plus confortable qui soit, tu sais !

— La faute à qui ? Tu n'avais qu'à ne pas te prêter au plan machiavélique de Maddy, répliqua-t-il sans la moindre trace de compassion.

Saisissant le cadenas, il tira dessus un grand coup.

— Aïe ! Arrête ! Ne sois pas brutal !

Brent fit une nouvelle tentative, essayant cette fois de tirer sur la chaîne par les deux extrémités.

— Enfer et damnation ! Ce truc refuse de céder ! s'exclama-t-il en soupirant. Puisque je n'arrive pas à forcer le cadenas, je suppose qu'il ne me reste plus qu'à aller récupérer la clé, dussé-je pour cela ravaler ma fierté.

Il se débarrassa de sa robe de chambre et remit ses vêtements qu'il avait pliés avec soin sur un fauteuil.

— Je reviens tout de suite. En attendant, reste là, et ne t'avise pas de tenter quoi que ce soit avant mon retour.

Andréa lui lança un sourire malicieux.

— A ta place, je ne m'inquiéterais pas. Ma chasteté ne risque pas grand-chose d'ici ton retour.

Il était minuit passé quand Brent claqua la porte de la chambre, pour découvrir sa jeune épouse au lit, en train de grignoter tranquillement du fromage et des crackers.

— Je ne l'ai pas trouvée, rugit-il.

— Ça ne m'étonne pas, remarqua Andréa en étouffant un bâillement. Nous ferions aussi bien de ne plus y penser et de dormir. Maddy sera là demain matin pour me libérer de cet engin. Après tout, ce n'est pas à moi qu'elle en veut, c'est à toi, aussi je ne vois pas pourquoi elle me laisserait souffrir à ta place.

— Oh non, insista Brent. Elle ne va pas gagner aussi facilement que ça. Quand on veut, on peut, et je crois avoir trouvé un moyen. Où sont tes cisailles ? Nous allons couper ce truc et te libérer.

— Brent ! Tu ne vas pas faire ça ! J'ignore totalement où Maddy s'est procurée cette antiquité, mais il est possible que ça ait de la valeur, ou même que ça vienne d'un musée ! Tu ne peux pas le couper en petits morceaux !

— Non seulement je peux, mais je vais le faire, si c'est la seule façon de t'en débarrasser et de consommer notre mariage, comme nous aurions dû le faire depuis des heures.

Andréa soupira.

— Oh bon, d'accord ! Apporte-moi mon sac... Là-bas, sur la commode.

Dès qu'il le lui donna, elle en renversa le contenu sur le lit. Apercevant les tenailles le premier, Brent s'en empara, mais Andréa lui donna une tape sur la main.

— Pas si vite, mon cher et fougueux amant. J'ai une autre idée, qui devrait préserver la ceinture de chasteté et éviter à ma peau fragile de subir d'autres outrages. Grâce à toi et à ton impatience, je suis couverte de bleus.

— Je suis désolé, marmonna-t-il. Si tu as un autre plan, je ne demande pas mieux que de t'écouter.

Andréa fouilla parmi tout son fatras et sélectionna plusieurs outils qu'elle étala sur le lit.

— Nous allons essayer avec des pinces plus petites. Peut-être que l'une d'elles viendra à bout de ce cadenas.

Brent lui jeta un regard noir.

— Tu aurais pu y penser plus tôt. Cela nous aurait fait gagner du temps et épargné pas mal de désagréments à tous les deux.

Elle lui adressa un sourire enjôleur.

— Oh, mais tu m'avais fait promettre de ne plus toucher à tout ça, tu ne te souviens pas ? Ta petite femme ne doit ni voler, ni mentir, ni forcer les cadenas...

— Comme tu le sais, il s'agit ici de circonstances un peu particulières.

— Oh, je vois. Du moment que tu donnes ton accord, et que la situation est à ton avantage, je peux voler, mentir et forcer tous les cadenas que je veux avec ta bénédiction. C'est bien ça ?

— Pas exactement, lui assura-t-il en prenant les pinces. Bon, allonge-toi et laisse-moi voir si j'y arrive.

— J'ai l'habitude de ce genre de travail : ça irait peut-être plus vite si je le faisais moi-même.

— Je m'en charge, dit-il avec brusquerie. Je ne voudrais surtout pas t'obliger à rompre le serment que tu m'as fait, et encore moins que tu te casses un ongle !

Au bout de plusieurs longues minutes, le cadenas finit par céder. Brent et Andréa, en chœur, poussèrent un soupir de soulagement. Aussitôt, elle s'écarta de lui, impatiente d'être débarrassée de ce fâcheux objet.

Brent, en revanche, avait maintenant une tout autre idée en tête. Il l'agrippa fermement en la dévisageant, une lueur malicieuse dans ses yeux dorés.

— Non, pas question, petite maligne. Tu as commencé ce jeu, mais c'est moi qui vais le terminer. Tout à l'heure, tu as essayé de me rendre fou, à mon tour maintenant de te mettre au supplice.

D'un revers de main, il balaya son sac et toutes ses affaires qui tombèrent au pied du lit.

— Et maintenant, mon ange, allonge-toi et laisse-toi faire comme une bonne petite épouse docile.

— Que... que vas-tu faire ?

Brent se pencha sur elle, un sourire diabolique au coin des lèvres.

— Tu vas te consumer de désir pour moi, mon amour. Tu auras tellement envie de moi que rien d'autre ne comptera plus pour toi que d'obtenir la satisfaction que moi seul pourrai te donner. Et je vais te faire attendre longtemps. Avant que j'en aie terminé, tu me supplieras de te prendre, prête à me promettre n'importe quoi.

Tout en parlant, il s'était débarrassé de ses vêtements, et elle le découvrit pour la première fois, entièrement nu et vibrant de désir. Jusqu'à présent, le seul homme qu'elle eût jamais vu tout nu était Freddy, mais Brent lui parut nettement plus impressionnant.

Sa bouche descendit sur la sienne, ses lèvres la frôlant de si près qu'elle se mit à frémir, avide de ses baisers.

— Eh bien, ma chère, tu ne dis rien ? fit-il d'une voix douce et vaguement moqueuse.

La gorge soudain toute sèche, Andréa avala sa salive, et prépara sa réponse.

— Tu es sûr de toi, n'est-ce pas ?

— C'est dans ma nature d'exceller dans tout ce que je fais.

Et sans autre commentaire, Brent aspira ses lèvres en un baiser autoritaire. Sans plus chercher à lui témoigner la moindre douceur, mais simplement comme un homme demandant son dû. Sa langue se faufila dans sa bouche. Chaude. Insistante. Exigeante. Ses dents se refermèrent sur sa lèvre inférieure qu'il mordilla légèrement, puis suça longuement afin d'apaiser la douleur. Les orteils d'Andréa se recroquevillèrent sous les draps.

Elle enroula les bras autour de son cou en l'attirant contre lui, mais, cette fois encore, il n'en fit qu'à sa tête. Il commença par faire glisser son négligé jusqu'à la taille, dénudant sa poitrine. Puis il la saisit par les poignets, lui remonta les bras au-dessus de la tête et les maintint là, fermement, d'une seule main.

Ses yeux de tigre se posèrent sur elle d'un air lascif.

— A moi de jouer. Selon mes règles, ronronna-t-il d'une voix sensuelle qui déclencha en elle un long frisson.

De sa main libre, il caressa lentement le galbe parfait d'un sein, la mettant au supplice de se demander ce qu'il allait faire ensuite. Finalement, incapable de se retenir, elle s'arc-bouta sous lui en lui offrant sa poitrine.

— Dis-moi, demande-moi ce que tu veux, murmura-t-il.

— Mes seins, dit-elle dans un souffle. Caresse-les. Embrasse-les. S'il te plaît.

Ses doigts effleurèrent ses seins en cercles de plus en plus petits. La pointe rose se dressa, implorant son attention. Pas un instant Brent ne la quitta des yeux, et il vit ses pupilles s'assombrir et se dilater à mesure qu'augmentait son désir. De sa langue humide, il lécha lentement sa chair tendre et brûlante, effleurant son mamelon avec la légèreté d'une plume. Ce qui suffit à arracher un gémissement ravi à Andréa et à la faire frémir sous lui. Après avoir excité lentement son désir, il prit soudain le bout de son sein dans sa bouche chaude et humide, avec tant de ferveur qu'elle cria de plaisir.

Il le suça goulûment, avec l'intensité d'un homme affamé s'apprêtant à faire un festin, lui communiquant peu à peu son ardeur. A chacune de ses caresses, Andréa sursautait, se contractait davantage, jusqu'à ce que tout son corps soit finalement tendu comme un arc.

Lentement, Brent fit glisser le tissu léger du négligé sur ses hanches, puis sur ses longues jambes et sur ses pieds. Elle ne portait maintenant plus rien, hormis la dentelle en cuivre de la ceinture de chasteté qui dissimulait encore ses secrets les plus précieux à son regard doré. La dévorant des yeux, il la contempla un long moment, étendue devant lui, telle une déesse païenne fière et superbe.

— Tu es parfaite, dit-il d'une voix rauque.

A cette seconde même, Andréa était loin de se sentir parfaite. Elle avait l'impression d'être plus vulnérable que jamais. Exposée. Intimidée. Troublée par une sensation mêlée d'appréhension et d'excitation. Son cœur cognait follement dans sa poitrine, et son souffle s'accélérait.

Comme pour dissiper ses scrupules, Brent lui lâcha les bras et commença à la caresser avec une infinie lenteur, en laissant courir ses mains sur tout son corps. L'adorant du regard et l'honorant de ses caresses. Parsemant sa peau douce de délicats baisers. Tout en murmurant des mots d'amour et des louanges à sa beauté.

Très vite, elle lui rendit ses caresses, chercha sa bouche tout en pressant ses seins durcis contre son torse et en labourant son dos de ses ongles.

Brent abandonna ses lèvres pour embrasser son oreille dont il mordilla tout doucement le lobe délicat. Andréa pouffa de rire en frissonnant.

— Ça chatouille…

— C'est fait exprès, dit-il en riant à son tour.

Ses lèvres descendirent alors le long de son cou gracieux pour s'attarder un instant à la naissance de sa gorge. Puis elles glissèrent dans la vallée moite entre ses seins, déposant tout le long d'amoureux baisers. Une fois encore, sa bouche rendit hommage à sa glorieuse poitrine, l'entraînant dans un tourbillon d'émotions à donner le vertige.

Sa main se faufila plus bas et s'arrêta sur son ventre frémissant. Sa langue, comme une abeille assoiffée de nectar, plongea dans son nombril. Andréa sentit les muscles de son ventre se contracter violemment, et ce fut soudain comme si un feu liquide coulait en elle, comme si une rosée tiède et nacrée jaillissait au seuil.

Comme attirées par son odeur voluptueuse, ses mains écartèrent ses cuisses fébriles entre lesquelles il enfouit son visage. Elle poussa un long soupir, chercha à reprendre son souffle. A travers les mailles qui préservaient son mystère, elle sentit la tiédeur de sa bouche, comme une brume chaude et terriblement érotique. Elle gémit, se relâchant soudain de tout son être, les nerfs à vif. Sa bouche se pressa plus fermement contre les mailles de cuivre, et sa langue se faufila dans une fente pour la lécher avec gourmandise.

— Tu es douce, chuchota-t-il. Si douce et si brûlante.

Sa main remplaça sa langue, frottant délicieusement le maillage de cuivre contre sa chair tendre, faisant monter la fièvre qui brûlait en elle. Elle était en feu, et s'étonna que ses gestes provocateurs ne fissent pas fondre la dentelle de métal entre ses cuisses. Elle était toute chaude. Toute mouillée. Elle le désirait comme elle n'avait jamais désiré personne. Vibrant frénétiquement sous ses caresses.

Lorsque Brent détacha la ceinture de chasteté, elle le sentit à peine, trop intriguée par sa main qui se faufila sous le maillage serré. Ce ne fut que lorsque ses doigts effleurèrent la partie la plus intime de son corps qu'elle sursauta. L'incendie qui se propagea alors en elle menaça de la consumer.

— Je t'en prie! supplia-t-elle en remuant la tête de droite à gauche sur l'oreiller, déchirée entre l'envie qu'il cesse de lui infliger cette torture sublime et qu'il ne s'arrête jamais. Oh! Brent, je t'en supplie!

Elle avait mal. Elle se sentait vide. Et à la fois folle d'envie de quelque chose qu'elle n'arrivait pas très bien à définir. Brent, en revanche, savait parfaitement ce qui lui manquait en cet instant. Un long doigt entra en elle, envahissant le sanctuaire qu'aucun homme n'avait jamais pénétré jusqu'alors. Le gémissement qui lui échappa fut à la fois surpris et débordant de reconnaissance. Lentement, il caressa la vallée brûlante, douce comme les pétales d'une fleur, l'explorant délicatement, la préparant à l'union de leurs deux corps. Puis sa bouche rejoignit sa main pour exciter le petit bouton de rose vibrant d'une excitation fébrile.

Ce double assaut fut trop fort pour Andréa. Elle se raidit, chaque fibre de son corps tendue de désir. Soudain, ce fut comme si un barrage cédait en elle, l'inondant de sensations magnifiques d'une force inouïe. Des milliers de couleurs explosèrent dans sa tête, l'entraînant dans une spirale vertigineuse, et elle se laissa flotter à la dérive dans un ravissement tourbillonnant.

Tandis qu'elle était là, alanguie et le regard vague, en proie à une foule de sensations voluptueuses et enchanteresses, Brent retira la ceinture de chasteté et s'allongea sur elle. Dans un élan de reconnaissance, il plongea en elle, unissant leurs deux corps, franchissant l'ultime et fine barrière qui les séparait encore. Andréa poussa un petit cri désemparé, puis s'immobilisa sous lui. Etendu sur elle, Brent s'efforça de maîtriser son désir et cessa de bouger.

— C'est fini ? murmura Andréa en ouvrant les yeux pour le regarder.

— Pas tout à fait, dit-il dans un souffle. Tu veux qu'on en finisse ?

Elle essaya de remuer légèrement. La douleur avait maintenant disparu, et elle s'émerveilla en pensant que son corps avait accepté si facilement le sien.

— Non. Mais j'aimerais voir ce qui va se passer ensuite.

Brent sourit et baisa tendrement ses lèvres.

— Je vais essayer de me montrer à la hauteur de tes exigences, ma petite chatte goulue.

Doucement, avec une extrême délicatesse, il commença à bouger sur elle, en elle. Leur passion monta peu à peu, de plus en plus fort. Très vite, elle se mit à onduler en rythme avec lui, timide tout d'abord, puis avec de plus en plus d'enthousiasme. Ensemble, ils s'envolèrent, projetés dans un univers d'une incomparable splendeur. Et brusquement, ils basculèrent tous deux dans l'extase. Frénétiquement. Ils crièrent de plaisir, leurs corps tremblants étroitement enlacés, tandis que le monde tournait follement tout autour d'eux et que des milliers d'étoiles dégringolaient du ciel au milieu d'une pluie de comètes étincelantes.

Quelques minutes plus tard, Andréa leva de grands yeux écarquillés vers lui.

— Alors, c'est donc ça ! soupira-t-elle doucement.

Seigneur ! Ce n'est pas étonnant que les couples mariés passent leur temps à chuchoter et à pouffer. Et qu'ils ne soufflent mot de tout ceci aux jeunes filles. Si elles savaient ce qu'elles ratent, il n'y aurait bientôt plus une seule vierge sur terre !

Ce commentaire éhonté amusa Brent. Il roula sur le côté et la serra tout contre lui.

— Je suis content que ça t'ait plu, mon amour. Car, à partir de maintenant, nous allons faire l'amour souvent.

— Oh, j'espère bien, roucoula-t-elle en posant la tête sur son épaule et en promenant ses longs doigts fins sur son torse puissant. Je pourrais très facilement devenir obsédée par autant de plaisir... et par toi.

20

Le lendemain matin, Andréa donna un dernier baiser langoureux à Brent avant de s'arracher à son étreinte.

— Si je ne retourne pas tout de suite dans mon ancienne chambre terminer mes bagages, nous allons finir par rater le train.

Il hocha la tête.

— Tiens, dit-il en lui remettant la ceinture de chasteté. Tu n'auras qu'à rendre ça à Maddy. Avec mes compliments.

Andréa pouffa de rire.

— Je n'y manquerai pas. Dois-je aussi lui présenter tes excuses ?

— Non. Laisse-la attendre encore un peu. Ce n'est qu'un prêté pour un rendu.

Quelques minutes plus tard, Andréa était de retour dans la suite qu'elle partageait avec Maddy. Chacune dans une chambre, afin d'emballer des affaires de dernière minute, les deux femmes bavardaient gaiement à travers la porte communicante lorsqu'on frappa.

— J'y vais, cria Andréa. C'est probablement le chasseur qui vient chercher nos malles.

— Ou votre mari éperdu d'amour ! répliqua Maddy avec un rire bref.

Andréa fut cependant surprise de découvrir Shirley Cunningham sur le seuil.

— Je viens de croiser Brent dans le hall, annonça la jeune femme. Il m'a dit que vous partiez aujourd'hui, aussi ai-je tenu à passer vous dire au revoir.

Sans attendre d'y être invitée, Shirley entra dans le salon. A peine fut-elle à l'intérieur que Dugan MacDonald, qui s'était caché dans le couloir, la rejoignit. Il referma la porte derrière lui avec autorité et poussa le verrou.

Andréa se renfrogna, et un étrange frisson d'appréhension lui parcourut les reins. Elle leur jeta un regard soupçonneux à tous les deux.

— C'est très aimable à vous, Veuve Cunningham, ainsi qu'à vous, Mr. MacDonald, mais je suis terriblement occupée pour l'instant. Notre train part bientôt, et Brent est impatient que nous quittions l'hôtel.

— Vous ne prendrez pas ce train, mademoiselle, l'informa brusquement l'Ecossais. Et encore moins avec ce Sinclair. Vous allez venir avec moi en Ecosse.

Lorsqu'il s'avança vers elle, Andréa se précipita dans sa chambre, dans l'intention de s'y barricader en attendant de l'aide. Mais MacDonald la prit de vitesse. L'empoignant par-derrière, il la souleva de terre et la comprima dans ses bras gigantesques, l'empêchant de crier en plaquant sa main énorme sur sa bouche.

— Videz sa malle, ordonna-t-il à Shirley en entraînant sa prisonnière dans la chambre. Vite !

Maddy choisit ce moment pour venir voir ce qui se passait.

— Qu'est-ce que...

Dans l'impossibilité de mettre en garde son amie, Andréa écarquilla les yeux de terreur en voyant Shirley s'emparer d'un vase et l'abattre sur la tête de la vieille dame. Maddy s'effondra sur la moquette en geignant de douleur. Prise de panique, pour elle et pour Maddy, Andréa se débattit de plus belle, mais en vain.

Malgré les battements assourdissants de son cœur, la voix de Shirley lui parvint.

— Je ne pense pas que la vieille chouette ait eu le temps de me voir. Il ne faudrait pas qu'elle vienne gâcher tous mes plans et m'empêche de consoler Brent quand il s'apercevra que sa jeune épouse s'est enfuie.

— Ça, c'est votre problème, lui dit MacDonald. Vous deviez vous assurer qu'Andréa serait seule. Aidez-moi à mettre ce paquet de nerfs qui se tortille dans tous les sens dans la malle avant que quelqu'un n'arrive. Et n'oubliez pas de percer des trous dans le couvercle pour qu'elle puisse respirer. Si je découvre en arrivant au bateau qu'elle est morte étouffée, je reviendrai m'occuper de vous, je vous le jure !

Bien que combative, Andréa n'était pas de taille à résister à la force brutale de Dugan. Elle poussa un petit cri quand l'Ecossais retira sa main pour lui appliquer un bâillon sur la bouche et elle se mit à se débattre avec énergie.

— Arrêtez, grogna-t-il de sa grosse voix. Vous pourrez donner autant de coups de pied que vous voudrez quand nous serons à bord, mais pour l'instant, tenez-vous tranquille.

En quelques minutes, Andréa se retrouva pieds et poings liés, tassée au fond de la malle, les genoux coincés sous le menton. Dugan lui tapota la tête avec brusquerie.

— Ne vous en faites pas, chérie. Vous ne resterez pas longtemps là-dedans.

Puis il referma le couvercle, l'abandonnant dans l'obscurité, seule face à son angoisse. Le bruit de la serrure tinta comme un glas dans son esprit affolé.

Brent attendait Andréa et Maddy avec une impatience non dissimulée, regardant sa montre toutes les dix secondes, quand le chasseur vint vers lui d'un air intrigué.

— La suite 316 ne répond pas. Vous êtes sûr qu'elles attendaient que je vienne chercher leurs bagages ?

— Comment ça, ça ne répond pas ? s'enquit Brent en s'approchant de lui. Vous êtes certain que c'était la bonne porte ? Vous avez frappé assez fort ? Si elles étaient dans leurs chambres, il se peut qu'elles ne vous aient pas entendu.

— Croyez-moi, monsieur, dit l'employé interloqué, j'ai frappé assez fort pour réveiller un mort. J'ai même essayé d'ouvrir la porte, mais elle était fermée à clé.

— C'est bizarre... Quelque chose ne va pas, marmonna Brent.

Il saisit l'homme par le bras et le poussa vers l'ascenseur.

— Venez. Je vais monter avec vous, et nous allons leur dire de se dépêcher.

A la grande stupéfaction du chasseur, la porte n'était plus fermée à clé. Brent et lui purent entrer sans l'aide d'une clé. Un étrange silence régnait dans la suite.

A travers la porte ouverte de la chambre d'Andréa, Brent aperçut des robes éparpillées par terre. Sans ce détail, il aurait volontiers juré que la suite avait effectivement été désertée. Les poils se hérissèrent sur sa nuque.

Tout à coup, ils entendirent un vague gémissement venant de l'autre chambre. Brent s'y dirigea à toute vitesse, le chasseur sur ses talons.

Andréa n'était nulle part en vue. Quant à Maddy, allongée par terre, elle se tenait la tête, en train de reprendre conscience. Se précipitant vers elle, Brent s'agenouilla, la souleva délicatement et la déposa sur le lit.

— Maddy ? Maddy ? Que s'est-il passé ? demanda-t-il anxieusement.

La vieille dame gémit en battant des paupières. Reconnaissant le visage de Brent, elle fit un immense effort pour parler.

— Quelqu'un m'a frappée avec je ne sais quoi, dit-elle d'une faible voix. Je me souviens d'avoir entendu du bruit, et quand je suis entrée dans le salon, le grand

Ecossais tenait Andréa au-dessus de la malle, comme s'il s'apprêtait à l'enfermer dedans.

Elle tenta de redresser la tête pour regarder tout autour d'elle.

— Elle est là ? Elle va bien ?

— Non, répondit-il avec franchise. Andréa est partie, ainsi que ses malles. Il a dû l'emmener après vous avoir assommée.

— Il ne m'a pas touchée, corrigea Maddy. Il y avait quelqu'un d'autre.

Elle fronça les sourcils, faisant un effort pour se concentrer.

— J'ai entendu une voix de femme. Une voix familière.

— Vous vous souvenez d'autre chose ? Savez-vous où il l'a emmenée ?

— Non, Brent, je regrette… Mais il n'a pu aller bien loin. Mettez-vous tout de suite à sa recherche. Et alertez vos amis de l'agence Pinkerton pour qu'ils vous aident. Retrouvez-la vite avant que quelque chose d'irrémédiable n'arrive.

Brent se retourna pour s'adresser au chasseur.

— Restez avec elle. Je vais demander à la réception d'envoyer un médecin.

Il avait déjà franchi le seuil quand Maddy le rappela.

— Attendez ! Je me rappelle ! Cette voix était celle de la Veuve Cunningham !

— Vous en êtes sûre ? demanda Brent en revenant sur ses pas.

— Je suis prête à le jurer sur ma tête !

— Ou sur celle d'Andréa ! ajouta le jeune homme d'un air solennel.

Il tapota la main fripée de la vieille dame.

— Je la retrouverai. Quitte à remuer ciel et terre.

— Commencez par faire parler cette Cunningham et voyez ce que vous pourrez en tirer, lui conseilla Maddy, une lueur de souffrance dans le regard. Je suis sûre qu'elle sait où est parti MacDonald. Quelle sale hypocrite !

Shirley Cunningham ne fut pas difficile à trouver. Elle était assise dans le petit salon de lecture, qui donnait sur l'entrée principale, d'où elle pouvait observer les allées et venues tout à loisir. Son erreur était d'avoir cru que Maddy ne pourrait l'identifier.

Au regard rageur de Brent, elle comprit aussitôt qu'il n'en était rien. Il fonça sur elle, tel un taureau furieux.

— Où est ma femme ? demanda-t-il entre ses dents serrées, ses yeux jetant des éclairs.

Elle fit semblant de ne pas comprendre, commettant là sa seconde erreur.

— Comment voulez-vous que je sache où est passée votre femme-enfant ? Peut-être que, contrairement à moi, elle est trop jeune pour apprécier un homme aussi viril que vous dans son lit. Si vous m'aviez demandé mon avis, je vous aurais mis en garde.

Brent réagit avec la vivacité d'une panthère et sa main se referma sur sa gorge.

— Moi aussi je vous mets en garde, gronda-t-il. Dites-moi où l'a emmenée MacDonald, sinon votre prochain mensonge sera le dernier à franchir vos lèvres.

Shirley suffoqua, devint brusquement livide et, faisant soudain preuve de sagesse, cessa de jouer la comédie.

— Je... euh... Au port. Un bateau l'attend pour le ramener en Ecosse.

Brent la lâcha brusquement et recula d'un pas.

— Un gentil détective va maintenant vous emmener en garde à vue, dit-il en indiquant un homme posté sur le seuil. Au cas où ce que vous venez de me dire serait inexact. Il se fera un plaisir de veiller à ce que vous ne puissiez aller faire davantage de mal à qui que ce soit, ni frapper une vieille dame sans défense sur la tête.

Jenkins l'attendait dehors avec deux montures trouvées en hâte. Brent sortit de l'hôtel en courant, sauta en selle et s'élança au galop, laissant son ami sur place dans un nuage de poussière.

— Au port ! cria-t-il par-dessus son épaule.

En ce milieu de matinée, la circulation était déjà dense. Au cours de sa folle chevauchée, Brent renversa quelques charrettes. La seule chose qui l'aidait à garder espoir était que MacDonald avait dû rencontrer les mêmes difficultés, et ne pouvait par conséquent être très loin devant lui. D'autant plus que, avec Andréa cachée au fond d'une malle, l'Ecossais avait sûrement dû prendre une calèche, ce qui n'était pas le moyen de locomotion le plus rapide.

Bâillonnée et ligotée au fond de la malle en cuir, ballottée de part et d'autre comme un cageot de pommes de terre, Andréa avait l'impression que les os de son squelette allaient se briser les uns après les autres. Avec le bandeau sur la bouche et ses genoux qui lui comprimaient la poitrine, elle arrivait à peine à respirer. Et le peu d'air qui filtrait par la dizaine de trous pratiqués dans le couvercle de la malle était sec et poussiéreux, après la traversée effrénée de la ville.

Elle ressentit néanmoins une légère amélioration. Maintenant que ses yeux s'étaient accoutumés à la pénombre, les petits trous lui procuraient juste assez de lumière pour l'aider à apaiser ses craintes. En tout cas, elle n'avait plus l'impression d'être enterrée vivante !

Elle s'obligea à penser à des perspectives plus réjouissantes. Comme de jeter un rail de chemin de fer sur la grosse tête de MacDonald ! Et de faire cuire Shirley Cunningham au barbecue !

La calèche rebondit sur une grosse pierre, arrachant une goulée d'air précieux à ses poumons. *Pas de panique !* se dit-elle pour la centième fois. *Respire doucement. Calmement. Garde toute ta tête, ma fille. N'abandonne pas maintenant. Brent va arriver. Il te trouvera, d'une manière ou d'une autre. Accroche-toi et respire régulièrement !*

Finalement, alors qu'elle avait l'impression de ne plus pouvoir supporter les secousses douloureuses une minute de plus, la calèche fit halte. Au bout de quelques secondes, on hissa la malle exiguë. Elle perçut une voix grognonne, puis des pas qui résonnèrent sur un ponton de bois tandis qu'on la transportait. Une odeur de poisson et de vase flottait dans l'air, et elle en déduisit qu'ils étaient arrivés au port.

— Oh, Brent, dépêche-toi! supplia-t-elle en se retenant de pleurer.

Elle sentit alors qu'on venait de poser la malle. Un coup sourd résonna sur le couvercle.

— On y est presque, mademoiselle, l'informa Dugan. Le dinghy va arriver dans une minute et nous amener jusqu'au bateau.

Andréa papillonna des yeux en cherchant à comprendre ce qui avait bloqué soudain l'air précieux qui lui parvenait par les trous, ainsi que la lumière. Elle réalisa alors que cet abruti de Dugan s'était assis sur la malle!

Il n'y avait pas grand-chose à faire pour remédier à cette situation, à moins que... Fort heureusement, il lui avait attaché les mains devant, si bien qu'elle avait juste assez de place pour les remonter jusqu'à son sein gauche. Un instant plus tard, Dugan poussa un hurlement strident en se levant d'un bond. Elle avait enfoncé la longue agrafe de sa broche à travers un trou avant de la retirer aussitôt.

Pour une fois, Brent se réjouit de la taille gigantesque de l'énorme Ecossais. Le repérer au milieu d'une foule n'était pas difficile! Après avoir posé quelques questions, Brent courut jusqu'au quai, laissant à nouveau au pauvre Jenkins le soin de le rattraper.

— MacDonald! cria-t-il d'une voix rageuse qui résonna sur l'eau comme un cri de guerre.

Dugan se retourna en sursautant, juste à temps pour recevoir un uppercut de Brent dans le menton. Il secoua sa grosse tête, à peine ébranlé, en restant planté là, face à son adversaire. Et il attendit, un large sourire jusqu'aux oreilles.

— Où est-elle, MacDonald ? Qu'avez-vous fait de ma femme ?

— Alors, Sinclair, on a déjà perdu sa belle ? railla Dugan. Vous ne pensez pas qu'elle est partie se chercher un vrai homme ?

— Je vous avais prévenu. Andréa est à moi. Et je compte bien la garder, quitte à devoir vous administrer une raclée ici même !

— Ha ! Il faut plus qu'un minable comme vous pour venir à bout de ma carcasse. Et d'ici là, vous ne la reverrez pas.

Le défi lancé fut aussitôt relevé et les deux hommes commencèrent à se battre. Dugan assena un premier coup de poing violent à son rival. Brent esquiva, pivota sur lui-même et frappa du pied le géant à barbe rousse en pleine mâchoire.

Dugan tituba en arrière, manquant trébucher sur la malle. Ils s'affrontèrent à nouveau, tournant en rond comme deux chiens hargneux. Soudain, l'Ecossais plongea en avant, emprisonna Brent contre son torse énorme et le souleva à bout de bras. Suspendu à deux mètres au-dessus du sol, Brent parvint à donner un coup de genou dans l'entrejambe du géant, qui le relâcha instantanément, le visage grimaçant, et se plia en deux de douleur.

Brent atterrit sur une pile de caisses avec un bruit sourd.

Dugan se reprit très vite. Alors que Brent se relevait, il fonça à nouveau sur lui. Brent s'écarta juste à temps, fit un croche-pied à son adversaire et lui porta un grand coup sur la nuque du tranchant de la main.

Le géant alla s'écraser contre un tas de bagages, renversant plusieurs caisses qui basculèrent dans l'eau. L'une d'elles lui tomba en plein sur le crâne. Avec une pensée reconnaissante pour le vieux jardinier chinois qui lui avait enseigné quelques techniques de combat pour venir à bout d'un adversaire plus fort que lui, Brent empoigna Dugan, le cloua à terre et s'assit à cheval sur lui. La tête du géant partit en arrière tandis que ses yeux roulaient dans leurs orbites.

— Bon sang, MacDonald, vous n'allez pas vous évanouir maintenant! s'écria Brent en le secouant sans ménagement. Dites-moi où elle est! Où est Andréa?

L'Ecossais agita vaguement la main en montrant la rivière.

— Je crois qu'elle vogue vers le bateau. La malle... là-bas... avec des trous...

Si elle n'avait pas eu ce fichu bâillon, Andréa aurait crié de joie en entendant la voix de Brent. Il était venu! Il l'avait retrouvée! Enfin, pas encore, mais presque. Dès qu'il aurait fait cracher à Dugan l'endroit où il l'avait enfermée.

Mais pendant que les deux hommes se battaient, la malle se mit soudain à bouger. Dieu du ciel! Que se passait-il? Voilà maintenant qu'on la soulevait! Et tout à coup, la malle se renversa sur le côté... et Andréa avec.

Elle cria. Comprenant brusquement qu'elle allait basculer, sans pouvoir rien faire. Un vague bruit d'éclaboussures lui parvint. En revanche, elle ressentit un choc violent au moment où la malle heurta la surface de l'eau. Sa tête et ses genoux s'écrasèrent contre les parois de sa prison, qui tangua quelques secondes avant de se stabiliser et de se balancer doucement.

Prise de panique, Andréa réalisa qu'elle allait périr noyée. D'une seconde à l'autre, l'eau allait s'engouffrer comme un torrent.

Seigneur! Je vais mourir! Je vais me noyer! Là. Tout de suite. Je n'aurai plus jamais l'occasion de sentir Brent m'embrasser. Ni de sauver Stevie. Ni de savoir si Maddy va bien. Elle se mit à sangloter en donnant des coups désespérés contre les parois de la malle. *Mon Dieu, je vous en supplie! Je ne veux pas mourir!*

Il lui fallut plusieurs secondes avant de comprendre que ses craintes étaient infondées, que la malle était tombée dans des eaux peu profondes et que seul le bas était immergé.

— Merci, mon Dieu! murmura-t-elle. Oh, merci! Je vous en supplie, faites que Brent se dépêche un peu!

Brent dévisagea MacDonald d'un air incrédule. Puis son regard se posa sur la rivière, et sur les caisses et les bagages qui avaient basculé dans l'eau quand Dugan s'était écroulé sur la pile. Pendant un instant, il ne vit rien qui ressemblât à la malle d'Andréa. Soudain, il l'aperçut, en train de dériver doucement le long de la rive, emportée par le courant.

— Andréa!

Abandonnant MacDonald aux bons soins de Jenkins, qui l'avait finalement rejoint et s'apprêtait à arrêter l'Ecossais, Brent se rua le long du quai en courant à toutes jambes.

— Attrapez cette malle! cria-t-il en la montrant de la main. Il y a une femme enfermée dedans!

Le temps qu'il arrive jusqu'à elle, s'enfonçant dans la vase jusqu'aux chevilles, plusieurs dockers avaient réussi à intercepter la malle et l'avaient tirée sur la rive. Se laissant tomber à genoux, Brent se pencha sur le couvercle d'un air anxieux.

— Andréa? Tu m'entends, ma chérie?

Une sorte de grattement lui répondit, accompagné de cris étouffés.

— Tiens bon, chérie, on va te sortir de là, lui assura-t-il. Dans quelques minutes, tu seras libre. Il faut juste que nous fassions sauter la serrure.

Empruntant la pince-monseigneur d'un des dockers, Brent eut vite fait de briser la serrure et d'ouvrir la malle. Pour le plus vif intérêt des badauds agglutinés sur le quai, une dame dégoulinante aux grands yeux violets leva un regard rempli de larmes vers son beau sauveteur.

Brent lui retira le bâillon qui lui comprimait la bouche, puis la souleva doucement dans ses bras. Il la serra étroitement contre lui, ne voulant plus la lâcher, même pour la débarrasser de ses liens.

— J'ai cru que je t'avais perdue, avoua-t-il d'une voix râpeuse. J'ai failli devenir fou.

— Je savais que tu viendrais, haleta-t-elle. Je le savais...

Et elle se mit à pleurer, suffoquant et sanglotant à chaudes larmes ; tous deux étaient bouleversés. Il la garda serrée contre lui jusqu'à ce qu'elle soit calmée, puis, à contrecœur, il la déposa sur la rive boueuse. A l'aide de son couteau de poche, il coupa les cordes qui lui liaient les chevilles et les poignets. Doucement, il la massa, afin de faire circuler à nouveau le sang dans ses membres engourdis.

— Maddy, gémit-elle en serrant douloureusement les dents. Comment va Maddy ?

— Elle est en meilleure forme que toi pour l'instant. Malgré un affreux mal de tête, elle était consciente et alerte quand je l'ai quittée. Grâce à elle, nous avons découvert presque tout de suite qui t'avait enlevée. Shirley Cunningham a été arrêtée, et je suppose que Jenkins a déjà passé les menottes à MacDonald. Ils vont payer ça très cher tous les deux.

Le visage d'Andréa s'assombrit.

— J'aimerais qu'on me laisse cinq minutes avec la Veuve Cunningham dans une pièce fermée à clé, déclara-t-elle d'un air rageur. Cette vipère est devenue complice de MacDonald pour se débarrasser de moi, et tout ça uniquement pour t'avoir à elle toute seule !

— Elle n'avait pas l'ombre d'une chance, annonça Brent avec fermeté. Tu es la seule femme que je veux.

Andréa lui passa les bras autour du cou avec un sourire admiratif.

— En tout cas, elle a un goût très sûr en matière d'hommes et de bijoux. Cependant, après cette trahison, je regrette que tu m'aies obligée à tout lui renvoyer. Elle avait de très belles pièces. Je suppose que tu ne serais pas d'accord pour que j'entreprenne une dernière petite virée...

— Pas question, fit Brent d'un ton abrupt.

Coupant court à toute discussion, il s'empressa de lui sceller les lèvres d'un long baiser fougueux qui la laissa trop étourdie pour qu'elle pense à autre chose qu'à lui.

Avant son départ à Philadelphie, Andréa avait rendu l'appartement de sa sœur afin d'emménager chez Maddy. A leur retour à Washington, la vieille dame insista pour qu'Andréa et Brent restent chez elle, au lieu de louer une chambre à l'hôtel. Non seulement ce serait plus pratique pour eux, mais cela leur permettrait de garder un œil sur Maddy, leur amie n'étant pas encore complètement remise du coup violent qu'elle avait reçu sur la tête.

Entre-temps, le reste de la famille Sinclair avait décidé de profiter de son séjour à Philadelphie pour visiter l'exposition avant de regagner New York, où les jeunes époux les rejoindraient dès qu'ils auraient réglé leurs affaires à Washington. N'étant pas très au courant de la situation, notamment des activités de cambrioleuse d'Andréa ou des menaces qui pesaient sur son neveu, la famille de Brent était persuadée que ce passage à Washington n'avait pour but que d'aller chercher Stevie et de prendre les affaires d'Andréa. Ils n'avaient pas la moindre idée de la mission secrète et périlleuse dans laquelle Brent et Andréa allaient s'embarquer.

Brent avait contacté son ami Ken Brown par télégramme, l'informant en un résumé succinct de l'enlèvement de Stevie et de la rançon exigée par Ralph. Ken devait les retrouver à Washington. Malgré les réticences d'Andréa, Brent était convaincu que son ami était la personne idéale pour les aider à trouver une solution.

Quelques heures à peine après leur retour dans la capitale, Ken faisait les cent pas dans le salon de Maddy, s'efforçant d'assimiler tout ce qu'il venait d'apprendre et de trouver l'issue du dangereux labyrinthe dans lequel s'étaient engagés Brent et Andréa.

— Mes supérieurs ne voudront jamais y croire !

Franchement, après avoir écouté toute cette histoire bizarre, j'ai moi-même du mal. Ta femme et toi êtes dans de sales draps, mon vieux, et trouver une façon de vous sortir de là ne va pas être facile.

Brent hocha gravement la tête.

— J'en suis conscient, Ken. C'est même pour cette raison que j'ai fait appel à toi, contre l'avis d'Andréa, je dois dire. Elle a peur que tu n'ailles la dénoncer à la police et que tu nous laisses ensuite tomber.

Ken lui répondit sur un ton légèrement narquois.

— Nous sommes amis depuis trop longtemps pour que je te laisse tomber au moment où tu as besoin d'aide. En outre, faire arrêter Andréa ne résoudrait en rien le problème de son neveu et de l'abominable Mr. Mutton. Je suis sans doute fou d'accepter de me mêler de cette histoire abracadabrante, mais je vais essayer de vous aider dans la mesure de mes moyens. Tu peux compter sur moi.

— Il nous faut d'abord établir un plan susceptible de marcher, dit Brent. Et nous y mettre tout de suite.

— J'ai déjà commencé, l'informa son ami. Après avoir reçu ton message expliquant que Mutton détenait l'enfant, j'ai mis un de nos détectives sur l'affaire. Sans passer par la voie officielle, bien sûr. Il doit surveiller le Garden Hotel, vérifier si Mutton vient y chercher un éventuel message d'Andréa et, si possible, filer notre coupable afin de découvrir où il cache Stevie.

Andréa fronça les sourcils.

— Je lui souhaite plus de chance que je n'en ai eu la dernière fois que j'ai voulu en faire autant. Ralph m'a repérée, et j'ai bien cru qu'il allait m'étrangler. Il m'a interdit de recommencer, sinon Stevie en subirait les conséquences. J'espère que votre homme se montrera extrêmement prudent.

Ken soupira avant de tout lui avouer.

— Je crains qu'il ne l'ait pas été suffisamment. Cet après-midi, la police a retrouvé le corps de Corbin au fond d'une impasse. On lui a tranché la gorge.

Des exclamations horrifiées suivirent sa déclaration.

— Ô mon Dieu ! souffla Andréa. Est-ce que Ralph...
A-t-il été...

— Pour l'instant, rien ne nous permet d'affirmer qu'il
est le meurtrier. Corbin a pu être assassiné par quelqu'un qui n'a aucun rapport avec lui, mais qui habite le
même quartier.

— Je suis navré pour ton associé, dit Brent. A dire
vrai, jusqu'à présent, je ne pensais pas que sauver Stevie serait aussi dangereux, bien qu'Andréa ait essayé de
me le faire comprendre à plusieurs reprises.

— Ce pauvre homme a-t-il appris quelque chose
d'intéressant avant de connaître une fin aussi épouvantable ? s'enquit Maddy d'une voix hésitante.

— Si oui, il n'a pas eu le temps de me le faire savoir.
Brent jura doucement entre ses dents.

— Il faut agir vite, avant que Mutton ne fasse du mal
au petit.

— Si ce n'est déjà fait, murmura Andréa en frémissant d'angoisse.

— Prions le ciel qu'il n'en soit rien, et préparons-
nous au pire, suggéra Maddy.

— Le plus logique serait qu'Andréa commence par
entrer en contact avec Mutton par l'intermédiaire de
l'hôtel, comme elle le fait d'habitude, dit Brent, reprenant la direction des opérations.

— Oui, convint Ken. Vous pourriez lui laisser un
mot l'informant que vous avez le reste de la rançon,
mais que le montant est trop important pour le confier
à un réceptionniste. Dites-lui aussi que vous voulez le
rencontrer personnellement, dans un endroit public,
afin de procéder à l'échange.

— Où ? s'exclamèrent Andréa et Brent d'une même
voix.

— Laissez-le choisir l'heure et l'endroit, à condition
que ce ne soit pas un coin trop isolé ou à la nuit tombée, conseilla Ken. Si c'est lui le responsable de la mort
de Corbin, il risque d'être doublement sur ses gardes.

— Surtout si on se met à lui donner des ordres,
ajouta Brent. Il vaudrait mieux que nous évitions de
l'affoler.

Ken acquiesça.

— Avec un peu de chance, nous aurons le temps de poster nos hommes dans le coin, armés et prêts à intervenir, mais déguisés de façon à se fondre dans la foule.

— Parce qu'ils en sont capables ? fit Brent avec une pointe de sarcasme. A Philadelphie, Jenkins se voyait comme le nez au milieu de la figure. Même Maddy l'a immédiatement repéré. Et, apparemment, le pauvre Corbin n'a pas été à la hauteur non plus.

Ken haussa les épaules, pas du tout vexé.

— Il est plus facile de se mêler à une foule ordinaire, en ayant l'air d'un simple passant, d'un homme d'affaires, d'un ouvrier, ou d'un type qui fait ses courses. Raison pour laquelle un endroit à l'extérieur est préférable, si cela peut s'arranger.

— Nous aurions également intérêt à nous débrouiller pour que Mutton se fasse prendre avec des choses volées sur lui, hasarda Brent, pris d'une soudaine inspiration.

— Tu espères ainsi faire passer Ralph pour le vrai voleur, en déduisit Ken. A la place d'Andréa.

— Mais Ralph me dénoncera, s'inquiéta la jeune femme.

— Ça ne lui servira à rien, remarqua Brent avec un sourire rassurant. En tant qu'avocat, je suis à peu près certain que, si elle arrête le coupable en flagrant délit, la police n'accordera pas grand crédit à ce qu'il pourra dire.

— Quoi qu'il en soit, quelques-uns de ces bijoux que tu lui as fait rendre nous auraient été d'une aide précieuse pour confondre Mutton, souligna Ken. L'argent liquide ne servirait à rien, mais les bijoux de valeur sont facilement identifiables. Crois-moi, la police serait ravie de résoudre une série de délits en pinçant un seul criminel. Et une fois accusé d'extorsion, de cambriolage, et peut-être même de meurtre, Ralph Mutton devra patienter avant de revoir la lumière du jour.

— Mais j'ai commis la moitié de mes vols à Philadelphie, alors que Ralph était à Washington, leur rappela Andréa. De plus, tous les bijoux que j'ai pris là-bas ont été restitués à leurs propriétaires. Si l'on veut faire accuser Ralph, ne paraîtra-t-il pas bizarre qu'il ait ré-expédié une grande partie de ce qu'il avait volé ?

Brent balaya son objection d'un revers de main.

— Pas forcément. Qui a besoin que Mutton ait pris part aux deux séries de cambriolages ? Ken peut le confirmer, il y a parfois d'étranges coïncidences, même dans le monde du crime. Il arrive que des délits simi-laires soient commis par hasard. Parfois, il s'agit d'un imitateur qui emploie les mêmes méthodes qu'un autre criminel dans le but de se couvrir, ou encore pour exprimer son admiration.

— On dit que l'imitation est la forme de flatterie la plus sincère, ajouta Maddy. Vous comptez vous appuyer sur cette théorie pour expliquer les vols de Philadel-phie ?

— Ce serait plus convaincant si Ken s'en chargeait, répondit Brent.

— Ça me paraît en effet plausible. Mais tout ce que nous disons là n'est qu'une simple supposition. Nous n'avons pas la moindre babiole volée à remettre à Ralph en guise de rançon. A propos, Brent, tu as reçu ton argent de Washington ?

— Oui, les fonds seront à ma disposition à la banque demain matin.

— J'ai quelques objets de valeur que vous pourriez mettre avec, offrit généreusement Maddy. En outre, comme Brent l'a dit une fois, cela semblerait étrange qu'Andréa et moi soyons les seules parmi tous nos amis à ne pas avoir été victimes du cambrioleur. C'est l'occa-sion ou jamais. Andréa pourrait donner quelque chose elle aussi, rien qui ait trop de valeur, bien entendu.

Ken secoua la tête.

— J'apprécie votre offre, mais ce n'est pas ce que j'avais en tête. Agir ainsi ne servirait qu'à établir un lien plus étroit entre vous et Mutton, du moins aux yeux de la police.

— Oui, convint Brent. Et c'est la pire chose que nous pourrions faire à ce stade.

Ken adressa sa remarque suivante à Andréa.

— J'hésite à vous suggérer une telle chose, pour être honnête, l'idée même me fait frémir, mais cela nous aiderait considérablement si vous parveniez à dérober deux ou trois objets de valeur à des personnes innocentes. En agissant par exemple dans des lieux publics, à proximité du quartier de Mutton. En plus de la rançon, nous aurions ainsi quelques bijoux à remettre à Ralph avant qu'il ne se fasse arrêter.

Brent jeta à son ami un regard ahuri.

— Tu... tu as perdu la tête ? Et si elle se faisait prendre sur le fait ?

— Je sais que c'est risqué, Brent, mais je n'ai pas de meilleure solution à proposer pour l'instant. Tout bijou volé trouvé sur Ralph devra pouvoir être facilement identifié par les propriétaires. Or, pour le moment, nous n'en avons aucun. Quant à l'argent liquide, il permettra de payer la rançon, mais pas d'apporter la preuve que Mutton est bien le voleur de bijoux recherché depuis tout ce temps par la police.

Andréa tapota le bras de son mari pour le rassurer.

— Ne t'en fais pas, Brent. Je suis devenue très forte à voler les trésors les plus précieux. Je me les procurerai sans que personne s'en aperçoive. Seulement quelques pièces de valeur ici et là.

— Non ! Je te l'interdis !

Le doux sourire d'Andréa laissa place à un air furibond.

— C'est ma tête que je joue là, Brent Sinclair ! Je ne veux pas passer le reste de ma vie à regarder sans cesse derrière moi, de peur que quelqu'un n'ait découvert ce que j'ai fait et ne me le dise en pleine figure. Je veux que cette désastreuse histoire soit résolue une fois pour toutes, d'une façon ou d'une autre. Et s'il faut dérober quelques bijoux de plus pour cela, pour que Stevie et nous tous soyons débarrassés de Mutton à tout jamais, je le ferai avec joie !

Ils échangèrent un long regard tandis que leurs amis attendaient la suite avec anxiété. A la surprise de Ken, Brent fut le premier à céder.

— D'accord, ma jolie voleuse. Une dernière et brève

escapade. Mais je ne te quitterai pas d'une semelle. Tu ne feras pas ça toute seule.

Andréa le gratifia d'un beau sourire espiègle.

— Je n'en avais pas l'intention, mon chéri. Ce sera très excitant de t'avoir pour complice. Mais fais attention de ne pas nous faire prendre en commettant une gaffe. Ta mère ne me le pardonnerait jamais.

Ken haussa les épaules de façon théâtrale.

— Dieu du ciel ! Je viens tout à coup d'avoir la vision de toute la famille Sinclair pointant un fusil sur moi ! Merci pour cette charmante perspective, Andréa ! Comme si la situation n'était pas déjà assez compliquée comme ça !

— Oh, et moi qui croyais que tu adorais les défis, laissa tomber Brent avec humour.

Ken leva les yeux au ciel.

— Les défis, oui. Les miracles, en revanche, n'ont jamais été mon fort.

Comme convenu, Andréa déposa un message pour Ralph au Garden Hotel dès le lendemain. En chemin, elle déroba furtivement plusieurs magnifiques bijoux et porte-monnaie à des passants. Brent, qui la suivait de près, fut une fois de plus émerveillé, et en même temps dérouté, par son étonnante dextérité. Il se consola en se disant que tout ce que sa femme avait subtilisé serait facilement identifiable une fois Ralph arrêté, et qu'une annonce aurait paru dans le journal, engageant les personnes à qui on avait volé quelque chose de se présenter à la police afin d'identifier leurs biens.

Désormais, il ne leur restait plus qu'à attendre la réponse de Ralph. Chacun fit un effort pour tâcher de s'occuper, mais Brent n'arrêtait pas d'aller et venir dans toute la maison, jusqu'à ce qu'Andréa et Maddy le menacent de le ligoter sur un fauteuil. Au cours de ses incessantes allées et venues, il tomba par hasard sur la petite statue de bronze, abandonnée sur une étagère de la chambre qu'il partageait maintenant avec Andréa.

Les dames étaient au salon, en train de faire un peu

de couture, quand Brent dégringola l'escalier. Il entra en trombe dans la pièce et mit la statuette sous le nez d'Andréa.

— Ceci ne t'appartiendrait-il pas, par hasard ?

Andréa fit une grimace en se tortillant nerveusement sur sa chaise.

— Pas vraiment.

— Dans ce cas, j'espère que c'est à Maddy, poursuivit-il.

La vieille dame secoua la tête.

— Non, mais cet objet m'est vaguement familier. Je sais que j'ai déjà vu cet affreux bibelot, mais je ne me souviens plus où.

Brent poussa un profond soupir.

— Andréa, ne me dis pas que c'est la statuette qui a été déclarée volée au palais présidentiel.

A contrecœur, elle hocha la tête en se mordillant la lèvre.

— Je n'ai pas fait exprès de la prendre.

— Aurais-tu l'amabilité de m'expliquer comment on peut voler quelque chose sans le faire exprès ? demanda-t-il sèchement. Bon sang, Andréa ! Au moment où je me dis que nous avons enfin une chance de nous sortir de ce mauvais pas, il faut que quelque chose de nouveau vienne s'ajouter à nos problèmes !

— Je regrette. J'avais complètement oublié cette horrible statuette ! J'étais dans la bibliothèque du président, en train de l'examiner, quand un des invités est entré subitement et m'a fait sursauter. J'ai été si décontenancée par cette arrivée impromptue que j'ai fourré la figurine dans ma poche, machinalement, et j'ai oublié d'aller la remettre avant de partir. Ensuite, quand je l'ai mise avec le reste du butin, Ralph me l'a rendue en me disant de ne plus lui apporter d'horreurs pareilles. Ne sachant quoi en faire, je l'ai gardée et je l'ai posée sur une étagère dans ma chambre.

— C'est peut-être une horreur sans aucune valeur, lui dit Brent, mais Ken m'a informé, il y a de cela des semaines, au moment du vol, qu'il s'agissait d'un objet précieux qui se trouvait au palais présidentiel depuis des décennies.

Andréa s'exclama, l'air consterné.

Maddy se contenta de sourire.

— Ça n'appartient pas à Lyss et à Julia, alors ? Je me disais bien qu'ils avaient meilleur goût que ça.

— Non. C'est un cadeau offert par un dignitaire étranger, bien que personne ne se souvienne plus sous quel président. Et il l'a apparemment laissé en quittant sa charge.

— Il a bien fait, marmonna Andréa. C'est sans doute le meilleur moyen qu'il a trouvé pour s'en débarrasser sans offenser personne.

— Là n'est pas la question. Tu as volé un trésor national, et il faut absolument le rendre. Je suppose que nous allons devoir le renvoyer de manière anonyme, comme tu l'as fait avec les bijoux, en espérant qu'il ne se perde pas en route.

— Oh, pourquoi se donner tant de mal ? s'exclama Maddy en posant son ouvrage. Je vais tout simplement envoyer un mot à Julia pour lui dire que nous sommes de retour de l'exposition, que nous avons des tonnes de choses à lui raconter et qu'il faut absolument qu'elle nous invite à prendre le thé. Naturellement, Andréa viendra avec moi, comme d'habitude, et elle pourra remettre la statuette à sa place. Vous pouvez venir aussi, si vous voulez.

Brent secoua la tête, comme pour tenter d'y voir plus clair.

— Tout a l'air si simple, à vous entendre ! Un mot, une invitation, et vous vous retrouvez en train de boire le thé avec la femme du président ? Diable ! J'ai du mal à le croire !

Maddy éclata de rire.

— Ce n'est rien du tout, mon garçon. Je fais cela depuis des lustres. Ce qui m'étonnerait, ce serait que l'un d'eux ose refuser. C'est d'ailleurs pour cette raison que j'avais proposé de demander son aide à Lyss quand j'ai appris ce qu'avait fait Andréa. Toutefois, étant donné qu'elle a volé des choses chez lui, il serait plus prudent de commencer par employer d'autres moyens et de garder celui-ci en tout dernier recours.

Comme Maddy l'avait prévu, ils furent tous invités à venir prendre le thé au palais présidentiel le lendemain après-midi. Voilà presque huit ans que Julia Grant était la première dame des Etats-Unis, et elle était indiscutablement une maîtresse de maison accomplie. Mettant très vite tout le monde à l'aise, elle détourna adroitement les conversations politiques pour s'intéresser principalement à l'exposition et au mariage d'Andréa.

Quelques autres personnes avaient également été invitées, parmi lesquelles la très appréciée Lucille et son mari Harold Huffman — ainsi que Freddy Newton. Malgré elle, Andréa rougit comme une pivoine en les apercevant. Et, comble de malchance, Brent, bien évidemment, remarqua sa réaction. Quand il l'interrogea du regard, elle secoua discrètement la tête.

— Plus tard, lui dit-elle tout bas, en espérant qu'il ne penserait bientôt plus à l'incident.

Pour tout arranger, Lucille se piqua d'une vive et immédiate curiosité pour son séduisant mari. Chaque fois que Harold regardait ailleurs, elle jetait à Brent de longs regards admiratifs, flirtant avec lui ouvertement.

En apprenant qu'il était avocat, elle battit langoureusement des cils.

— Oh, j'adore les avocats ! Ils sont tellement astucieux ! Et si pleins de ressources ! Vous montrez-vous aussi doué dans tout ce que vous faites, Mr. Sinclair ?

— Je fais de mon mieux, répondit brièvement Brent sans s'étendre davantage.

A côté de lui, Andréa fulminait en silence.

Quelques secondes plus tard, Lucille s'adressa à nouveau à lui.

— Je sais que c'est terriblement osé de ma part de vous le dire, mais vous avez les yeux les plus fascinants qui soient. Si dorés et... si sauvages.

Elle frissonna légèrement, ce qu'Andréa supposa être destiné à exciter son mari.

— Prenez garde, Lucille, lui dit-elle avec un regard brûlant. Souvenez-vous de l'histoire de la dame qui se promenait à dos de tigre. Elle n'a pas souri pendant longtemps.

— Oh, mais j'adore les animaux de toutes les espèces, gloussa Lucille. Plus ils sont sauvages, plus ils me plaisent.

Bien que Brent, à sa décharge, fît tout son possible pour ignorer la dame, Andréa bouillait de rage. Freddy prit soudain un air maussade et, pour se venger, commença à faire du charme à Andréa.

Cherchant à détendre l'atmosphère avant que tout le monde n'en vienne aux mains, Maddy insinua habilement que Brent souhaitait peut-être visiter le palais, puisque c'était la première fois qu'il venait. Loin d'être stupide, Julia accepta avec enthousiasme, mais, ne voulant pas abandonner ses autres invités, elle suggéra qu'Andréa lui serve de guide.

— Cela ne vous ennuie pas, ma chère? Vous connaissez la maison. Tout ce que je vous demande, c'est de ne pas faire attention au désordre qui règne en ce moment à cause de notre prochain déménagement. Et quand vous serez dans le bureau de Lyss, ayez la gentillesse de lui demander de nous rejoindre dès qu'il pourra se libérer de ses charges qui n'en finissent jamais. Il m'a promis de venir.

Quand Lucille proposa de les accompagner, Julia l'en dissuada adroitement.

— Oh, mais je meurs d'envie que vous me racontiez comment vous comptez redécorer votre charmante maison. Quant à vous, Freddy, je me suis laissé dire que vous aviez joué les conseillers avisés et que vous avez prêté votre regard d'artiste à la réalisation de ce projet.

Andréa et Brent s'éclipsèrent et filèrent directement dans la petite bibliothèque située au bout du couloir. Là, elle sortit la statuette de sa poche et la reposa sur l'étagère, à l'endroit même où elle l'avait prise. Les deux jeunes gens se regardèrent en poussant un soupir de soulagement.

— Partons vite avant que quelqu'un ne passe par ici, dit Andréa. Je ne tiens pas à ce qu'on me trouve près de cette fichue statuette.

— Pas si vite, ma rougissante épouse.

L'attrapant par un bras, Brent la fit pivoter vers lui.

— Tout d'abord, j'aimerais que tu m'expliques ce qu'il y a entre toi et cet imbécile de Freddy. Dès que tu l'as aperçu, tu as rougi jusqu'à la racine des cheveux.

— Il n'y a rien, Brent. Je t'assure.

— Dans ce cas, je me demande pourquoi il a eu cet effet sur toi, remarqua Brent d'un air sceptique. Allons, Andréa. Dis-moi la vérité. Toute la vérité.

— Je... euh... oh, et puis, zut! Puisque tu veux tout savoir, j'ai été forcée de me cacher un soir sous un lit, dans une chambre du premier étage, alors que lui et la fidèle Mrs. Huffman faisaient l'amour! Crois-moi, c'était une situation extrêmement embarrassante, que je ne tiens nullement à revivre! J'ai vraiment eu de la chance qu'ils ne s'aperçoivent pas de ma présence.

Brent la dévisagea d'un air stupéfait.

— Tu veux dire que tu étais cachée là et que tu as tout entendu?

— Pire que ça. Je les ai aperçus un instant, par inadvertance.

— Dieu du ciel! Tu les as vus... euh...

— Nus comme des vers? Oui. Ce qui a été pour moi une expérience fort enrichissante! C'était la première fois de ma vie que je voyais un homme adulte tout nu.

Il continua à la regarder fixement, complètement abasourdi.

— Je ne sais trop comment je dois réagir à cela, grommela-t-il enfin. Apprendre que ma femme a vu un autre homme sans rien sur lui est loin d'être agréable, sans mentionner le fait que tu l'as vu au lit avec une dame.

Andréa prit la mouche.

— Je ne les ai pas vus en train de faire l'amour, Brent, même si j'en ai suffisamment entendu. Et Lucille n'a rien d'une dame. Le mot fidélité ne figure pas dans son vocabulaire. D'ailleurs, si elle s'avise encore une fois ne serait-ce que de te sourire, je me ferai un plaisir de lui arracher les cheveux.

— Je dois dire que, étant donné ce que tu viens de me dire, l'attitude de Freddy ne m'enchante pas non plus, avoua-t-il en fronçant les sourcils.

Subitement, Andréa lui décocha un sourire resplendissant, les yeux brillants de malice.

— Si cela peut te consoler, mon amour, je peux t'assurer que tu es beaucoup mieux doté que lui. Franchement, à côté de toi, ce pauvre type ne fait pas le poids!

21

De retour chez Maddy, en fin d'après-midi, Andréa brandit un collier de saphirs et de diamants qu'elle fit tournoyer sous le nez de Brent.

— Ça ne te rappelle rien, par hasard? chantonna-t-elle d'une voix malicieuse.

Il faillit s'étrangler de stupeur.

— Andréa! Tu n'as pas fait ça!

Maddy poussa un petit cri en frappant dans ses mains.

— Oh! Andréa! Ce collier est un des préférés de Lucille! Elle va être folle de rage quand elle découvrira qu'il a disparu!

— Après avoir flirté si effrontément avec Brent, elle méritait une bonne leçon, déclara la jeune femme. Et si tout se passe comme prévu, elle le récupérera bientôt. Quand Ralph se fera arrêter et qu'on le trouvera en sa possession.

Brent fronça les sourcils.

— Explique-moi comment on croira que Ralph Mutton l'a volé, alors que Mrs. Huffman l'a perdu aujourd'hui. Elle se doutera certainement qu'on lui a pris, au mieux qu'elle l'a perdu, lors de sa visite au palais présidentiel. Or je doute que Ralph y ait jamais mis les pieds.

— J'y ai pensé, mon chéri. En fait, je l'ai subtilisé à Lucille au moment où elle montait dans sa calèche, quand elle a insisté pour nous embrasser tous les deux, ce qui n'était évidemment qu'un prétexte pour serrer mon mari dans ses bras. Et puis, il se trouve que je sais qu'elle a l'intention d'aller faire du shopping avec son mari et Freddy avant d'aller au restaurant, et ensuite au théâtre. Lorsqu'elle s'apercevra de la disparition de son collier, il lui faudra retourner dans toutes les boutiques de Washington, dans des endroits où Ralph pourrait très bien être lui-même allé.

— Tu n'aurais quand même pas dû prendre un tel risque, grommela-t-il.

Elle haussa les épaules, n'éprouvant pas la plus petite trace de regret.

— Ton ami de l'agence Pinkerton m'a dit de réunir quelques bijoux de grande valeur, lui rappela-t-elle. L'occasion était trop belle pour que je la laisse passer, surtout quand on pense à la manière dont cette dévergondée s'est jetée à ton cou cet après-midi. De toute façon, c'était ça ou je lui arrachais les yeux, mais je ne voulais pas offenser Julia !

Après ce qui leur parut à tous un temps fou, et surtout à Andréa qui était à bout de nerfs, le message tant attendu finit par arriver le jeudi. Le gamin qui sonna chez Maddy jura ne pas connaître l'homme qui l'avait payé pour l'apporter.

Le message en lui-même était très court, et clair, tout en restant vague, au cas où quelqu'un tombe dessus par hasard.

Samedi. A midi. Sur la place de Center Market.
Venez avec la marchandise. Soyez à l'heure.

R.

— Oh, Brent! se lamenta Andréa après l'avoir lu. Encore deux jours! Pourquoi me fait-il ça? Et Stevie? Je sais qu'il lui tarde d'en être débarrassé, alors pourquoi attendre si longtemps? Tu ne crois pas qu'il soupçonne un piège? Et s'il avait déjà fait quelque chose d'horrible à ce pauvre petit?

— Allons, ne te fais pas de souci, ma chérie, lui dit Brent en l'enlaçant tendrement. Je doute qu'il soupçonne quoi que ce soit. Il fait preuve de prudence, voilà tout.

Ken, que le message satisfaisait beaucoup plus qu'Andréa, acquiesça.

— Il a dû choisir samedi parce que c'est le jour où il y a le plus de monde au marché et que personne ne fera attention à lui quand vous lui remettrez l'argent de la rançon. C'est en tout cas ce qu'il se dit. Toutefois, en nous laissant deux jours de plus pour nous préparer, il nous donne sans le savoir un avantage. Maintenant que nous connaissons avec exactitude l'heure et le lieu du rendez-vous, nous allons pouvoir poster nos hommes avant l'arrivée de Mutton, et l'attendre bien gentiment. Je me réjouis qu'il ait choisi de vous rencontrer en pleine journée et dans un endroit public. Il a respecté nos règles. Par contre, j'aimerais bien savoir à quoi il ressemble. «Une grosse méchante brute» n'est pas une description qui peut vraiment nous être utile, Andréa.

Elle eut un sourire forcé.

— Je suis désolée, Ken, mais Lilly n'avait pas de photo de lui, et je n'ai jamais pensé à en demander une à Ralph. J'imagine qu'il y aura samedi au marché des dizaines de sales types à la mise négligée, avec des cheveux crasseux et une grosse bedaine, mais combien parmi eux seront accompagnés d'un enfant? Cela devrait vous permettre de le distinguer au milieu de la foule.

— Oui, mais nous devrons probablement attendre qu'il vous ait approchée pour en être certains. Et puis, il faut qu'il soit en possession de la rançon et des bijoux avant que nous n'intervenions. Ce qui veut dire que vous et l'enfant serez peut-être en danger avant que l'aide n'arrive. Vous allez devoir jouer votre rôle avec beaucoup de prudence, afin de ne pas lui faire soupçonner notre présence.

Une idée traversa soudain l'esprit d'Andréa qui relut hâtivement le message. Ses mains se mirent à trembler et elle devint toute pâle.

— Je viens de réaliser qu'il ne parle pas du tout de Stevie. Et s'il ne l'amenait pas avec lui ? Et si...

— Si une grenouille avait des ailes, elle ne se taperait pas le cul, dit rapidement Maddy. Mais cela ne sert à rien d'essayer de deviner ce que va faire Ralph pour l'instant. Il faut tout simplement attendre et agir en fonction de la manière dont la situation évolue.

Brent et Ken échangèrent un regard, intrigués par la métaphore curieuse de Maddy, tandis qu'Andréa se contentait de hocher la tête, comme si elle comprenait parfaitement les propos farfelus de la vieille dame excentrique.

— C'est juste que Stevie me manque terriblement, et que j'ai très peur pour lui. Samedi me semble si loin, et puis même là-bas, quelque chose pourrait aller de travers. Je veux le retrouver au plus vite. J'ai besoin de lui, tout comme il a besoin de moi.

Le samedi, Andréa se réveilla à l'aube, avec de grands yeux inquiets, angoissée et incapable de rester au lit une minute de plus. Pendant quelques instants, elle se tourna et se retourna dans tous les sens, se roulant et s'entortillant dans les draps, et finit par réveiller Brent à force de bouger ainsi. Finalement, elle se leva, enfila sa robe de chambre et, pieds nus, en silence, se mit à arpenter la chambre.

Ce fut cette fois au tour de Brent de la regarder faire les cent pas. Abandonnant tout espoir de se rendormir, il rejeta les draps et lui tendit la main pour l'inviter à venir le rejoindre.

— Viens ici, ma chérie. Reviens te mettre au lit et laisse-moi te prendre dans mes bras un petit moment. Je t'assure, tu as l'air aussi nerveuse qu'un missionnaire à un congrès de cannibales! Si tu continues comme ça, tu vas être complètement épuisée avant midi.

— Je n'y peux rien, gémit-elle en lui jetant un regard malheureux. C'est comme si chaque nerf de mon corps voulait crier. J'ai l'impression d'être une corde de piano tendue au point de casser.

Comme elle ne venait toujours pas, Brent se leva et avança vers elle, superbement nu et nullement gêné. Sans un mot, il la souleva à bras-le-corps, la déposa délicatement sur le lit avant de s'allonger sur elle, la faisant prisonnière, et posa sur elle son regard doré.

— Quand te décideras-tu à comprendre que je suis ici pour partager tes soucis? Tu ne te bats plus toute seule, ma chérie. Je suis prêt à affronter les dragons à mains nues, s'il le faut. Mais, à cette seconde même, le mieux que je puisse faire est de t'aider à relâcher un peu toute la tension que tu as accumulée.

— C'est gentil, Brent, mais je doute qu'un massage serve à quelque chose pour l'instant.

Il haussa les sourcils, une lueur diabolique dans le regard.

— Tout dépend de ce que j'ai l'intention de masser, non?

Ses mains dénouèrent alors la ceinture de sa robe de chambre dont il écarta les pans pour contempler son corps souple et soyeux.

— Te voir aussi bien faite me met en joie, s'émerveilla-t-il. Je ne peux pas m'empêcher d'être troublé chaque fois que je te vois comme ça.

Sa bouche fondit sur elle. Andréa entrouvrit les lèvres, avide de ses baisers, mais s'aperçut que ce n'était pas sa bouche qu'il avait l'intention d'embrasser. Son souffle tiède effleura son sein, qu'il titilla délicatement du bout de la langue avant de le prendre pleinement dans sa bouche. Ses dents mordillèrent légèrement la chair tendre et rosée de son mamelon.

Un petit gémissement de plaisir lui échappa, et soudain elle ne pensa plus qu'à Brent et à ses amoureuses caresses, oubliant tout le reste pour un instant. Comme s'il se soumettait à un ordre silencieux, son corps s'arc-bouta contre le sien, son pouls se mit à battre au rythme érotique qu'il lui imposait. Une douce chaleur l'envahit, et elle enfouit ses mains dans ses cheveux bruns, maintenant sa tête sur sa poitrine comme pour l'encourager.

— Oui, souffla-t-elle dans un murmure. Oh, oui!

Un frisson la secoua de la tête aux pieds quand elle sentit ses mains descendre jusqu'à sa taille, puis continuer leur exploration en suivant le galbe de ses hanches arrondies et se promener sur ses jambes avant de remonter entre ses cuisses veloutées. Brûlante de désir, elle s'ouvrit à lui, l'invitant à la caresser plus encore.

Bien qu'elle s'y fût préparée, ses premières caresses lui firent l'effet d'une décharge électrique qui l'enflamma aussitôt. Au bout de quelques secondes, elle commença à onduler langoureusement sous lui, s'abandonnant sans honte à ce délicieux tourment. Elle aurait voulu que ça ne finisse jamais, tout en pensant qu'elle allait sûrement mourir s'il ne lui donnait pas très bientôt ce qu'elle attendait.

Au bord de l'extase, elle poussa un cri de franche déception lorsqu'il retira sa main, la privant de ce moment de splendeur qu'elle attendait. Instinctivement, elle referma les bras autour de son cou et s'accrocha à lui tout en essayant de l'attirer vers elle.

Avec un rire rauque, Brent se déroba à son étreinte, puis la saisit par la taille et la retourna doucement sur le ventre.

— Désolé, ma chérie, mais j'aime beurrer mes muffins des deux côtés.

Andréa balaya une mèche blonde devant ses yeux avant de redresser la tête au maximum pour lui jeter un regard furieux.

— Je ne suis pas un muffin, et tu n'es qu'un serpent, Brent Sinclair! Comment oses-tu me faire ça! Tu me...

— Je t'excite, et je te laisse pantelante? termina-t-il en riant.

Il l'obligea à s'allonger bien à plat, puis se pencha en murmurant d'une voix râpeuse à son oreille:

— Ne crains rien, ma belle. Je suis loin d'en avoir terminé avec toi. Le meilleur reste à venir.

Un frisson de désir fulgurant, tel du vif-argent, se propagea dans tout son être avant d'exploser au creux de son ventre. Elle se mit à trembler tandis que Brent parsemait son dos de minuscules baisers et de suçons légers en remontant lentement jusqu'à sa nuque. Ravie, complètement ensorcelée, Andréa s'étonna de voir Brent changer une nouvelle fois de tactique. Un instant, il l'excitait, et la seconde d'après, il massait les muscles noués de son cou et de ses épaules afin de la détendre.

Malgré elle, elle geignit de plaisir, car ce qu'il lui faisait était merveilleux. Fondant sous ses caresses, le corps alangui, elle se laissa faire avec bonheur. Sans chercher à savoir ce qui allait se passer ensuite, car elle était sûre que ce serait tout aussi extraordinaire.

Quand elle fut complètement détendue, incapable de faire un geste, il la surprit à nouveau, à tel point qu'elle serait tombée du lit s'il ne l'avait pas retenue. Sans la prévenir, ses doigts se faufilèrent entre ses cuisses écartées, et commencèrent à caresser cet endroit qui lui faisait éprouver un si grand plaisir.

Andréa laissa échapper un petit cri affolé.

— Arrête de me tourmenter ainsi, tu vas me rendre folle !

— Mais c'est ce que je veux, mon amour, murmura-t-il d'une voix sensuelle tout en continuant à la caresser : te rendre folle de désir.

Il la fit se mettre à genoux, et sa main se referma sur son sein pour jouer en expert avec le mamelon durci, tandis que l'autre remontait entre ses cuisses brûlantes, caressant voluptueusement la chair tendre et humide de désir.

— Brent ! Je t'en supplie ! dit-elle, mi-haletante, mi-sanglotante. J'ai envie de toi ! J'ai tellement besoin de toi que j'en ai mal !

Elle voulut se retourner pour voir son visage, mais il la maintint fermement dans la même position. Alors, il la pénétra par-derrière. Brusquement. Complètement.

Telle une lance plongeant dans un fourreau soyeux et accueillant. Avec un empressement très différent de la langoureuse lenteur avec laquelle il venait de la caresser.

— Dieu du ciel! grogna-t-il entre ses dents serrées. Tu es si chaude, si douce! Comme du satin en feu!

Très vite remise du choc de se voir prise ainsi, Andréa s'extasia sur la façon dont il la remplissait. Elle le sentait en elle, vibrant, palpitant, s'enfonçant de plus en plus loin. Chaque millimètre de son ventre devint soudain d'une sensibilité extraordinaire, réagissant au moindre mouvement.

Instinctivement, elle commença à onduler en rythme, accompagnant ses coups de reins et s'empalant sur lui avec une exigence passionnée.

Le monde se mit à tournoyer autour d'eux lorsqu'une violente extase les propulsa vers un soleil étincelant à une vitesse vertigineuse. Leurs âmes se rejoignirent en plein ciel, explosant dans une lueur aveuglante et dorée. Nimbés de splendeur, ils redescendirent lentement sur terre, leurs cœurs enchaînés l'un à l'autre à tout jamais.

Se sentant bien à l'abri dans les bras protecteurs de Brent, Andréa sombra dans un lourd sommeil. Il la garda serrée tout contre lui sans s'accorder toutefois le même luxe. Au contraire, prenant le relais d'Andréa, il commença à ressasser toutes sortes de plans dans sa tête, s'efforçant de déjouer tous les pièges qu'ils risquaient de rencontrer.

Lorsqu'il la réveilla finalement, Andréa n'avait plus qu'une demi-heure devant elle pour se laver, s'habiller et avaler en vitesse une tasse de café. Ne pas pouvoir prendre un petit déjeuner digne de ce nom lui était égal, car elle était de toute façon trop nerveuse pour avaler quoi que ce soit. Avant même de s'en rendre compte, elle se retrouva dans une calèche à côté de Brent.

A environ deux cents mètres du marché, ils payèrent le cocher et parcoururent le reste de la distance à pied.

Comme Ralph avait ordonné à Andréa de venir seule, Brent resta à quelques pas en arrière, tout en faisant très attention à ne pas la perdre de vue, sans donner l'impression d'être toutefois avec elle.

Arrivée devant l'entrée principale, Andréa s'arrêta pour jeter un coup d'œil alentour. La place était noire de monde. Et là, quelque part au milieu de cette foule, une horrible crapule et un petit garçon l'attendaient. Elle ne vit ni Ralph ni Stevie, mais aperçut en revanche Ken, de l'autre côté de la rue, en train de discuter avec un autre homme. Il lui adressa un petit signe de tête.

Brent passa près d'elle et souleva son chapeau pour la saluer, comme s'il venait de la croiser par hasard.

— Tu le vois ? demanda-t-il à voix basse.

Andréa lui fit un sourire aimable.

— Pas encore. Tu penses que je devrais me promener un peu pour essayer de le repérer ?

— Surtout pas, répliqua-t-il, arborant lui aussi un sourire poli. Reste ici et attends qu'il vienne à ta rencontre. Comme ça, on ne te perdra pas de vue, et tu pourras nous le montrer. Tu te rappelles le signal dont nous sommes convenus ?

— Oui, je dois ouvrir mon ombrelle dès que je l'aurai aperçu.

— Exactement. Je ne serai pas loin, mais sois prudente. Et tiens bien ton sac jusqu'à ce que tu le remettes à Ralph. Cet endroit m'a l'air d'être un paradis pour les pickpockets !

Et il s'éloigna à grands pas, laissant Andréa avec une impression d'abandon ridicule, pour s'arrêter à quelques mètres seulement, en faisant semblant de s'intéresser à un étal de fraises bien mûres.

Andréa commençait à se demander si Ralph allait se décider à venir. Plusieurs minutes angoissantes passèrent, sans qu'elle vît rien. Alors, inexplicablement, elle ressentit un petit frisson derrière la nuque et eut soudain la sensation étrange que quelqu'un l'observait.

« Evidemment, espèce de bécasse, se dit-elle avec impatience. Brent et Ken, et une demi-douzaine de détectives, ont probablement le regard rivé sur toi en ce moment même. Pourtant, c'est curieux, j'ai l'impression que c'est autre chose... »

Tournant lentement sur elle-même, elle scruta la foule qui se pressait dans tous les sens. Là! A une dizaine de mètres devant elle, au bout de l'allée où s'alignaient les marchands de légumes, Ralph se tenait à côté d'une charrette de fermier en la regardant fixement. Mais ce fut le petit garçon, assis de façon précaire sur la roue de la charrette, juste à côté de lui, qui lui arracha un petit cri d'émoi. Crasseux, vêtu de haillons, ses cheveux blonds si sales qu'ils étaient collés sur son petit crâne, il était néanmoins toujours aussi adorable.

Exultant de joie de le revoir après si longtemps, Andréa oublia le signal convenu qu'elle était censée donner. N'écoutant que son cœur, elle avança vers le petit garçon d'un pas chancelant, impatiente de le serrer dans ses bras.

— Stevie!

L'enfant la vit aussitôt, et un immense sourire illumina son petit visage.

— Anda! Anda! cria-t-il, tout excité, en agitant les bras et en gloussant d'un air ravi.

Horrifiée, Andréa le vit glisser sur la roue et tomber la tête la première, emporté par son enthousiasme. Elle eut juste le temps de voir Ralph rattraper l'enfant par les bretelles avant qu'ils ne disparaissent tous les deux, dissimulés à sa vue par la foule compacte qui la séparait encore d'eux.

Craignant que Stevie ne se soit fait mal, et désespérée de ne pouvoir les rejoindre, elle se fraya un chemin à coups de coude dans la cohue. Il lui restait encore une dizaine de mètres à parcourir quand la tête de Ralph surgit à nouveau. Il fronçait les sourcils d'un air furieux et proférait des injures en direction du sol, et de Stevie, Andréa en était certaine, bien qu'elle ne pût voir l'enfant à cette seconde.

Alors que Ralph se tournait vers elle avec un œil noir, son regard glissa plus loin par-dessus son épaule. Il se renfrogna plus encore et les traits de son visage se tordirent en un masque hideux.

— Espèce de salope! cria-t-il. Vous ne le reverrez plus jamais!

Andréa entr'aperçut une tête blonde au moment où Ralph prit Stevie dans ses bras et se mit à courir dans la direction opposée, se servant de l'enfant comme d'une sorte de bélier pour se frayer un passage.

— Non! Arrêtez! hurla Andréa en s'élançant à leur poursuite.

Juste derrière elle, elle entendit Brent l'appeler. En moins d'une seconde, il fut à ses côtés, la prit par le bras et passa devant elle en fendant la foule, lui faisant un bouclier de son corps.

Dans sa fuite éperdue, Ralph renversa un étalage de tomates qui roulèrent au beau milieu de l'allée. Le vendeur poussa des cris outragés mêlés d'inquiétude en voyant les passants glisser et tomber les uns après les autres, s'affalant de tout leur long dans cette purée gluante et rouge. Andréa tomba en faisant un grand floc, entraînant Brent avec elle dans sa chute.

Ils se relevaient tant bien que mal, couverts de jus et de graines de tomates, quand Ken et deux de ses hommes passèrent près d'eux, l'arme au poing. Sous la pulpe rouge qui lui couvrait les joues, Andréa blêmit.

— Ô mon Dieu! Ne les laisse pas tirer! supplia-t-elle en s'agrippant à Brent. Ils pourraient toucher Stevie!

Brent la serra contre lui pour essayer de la calmer.

— Ils ne tireront pas à moins d'être sûrs d'atteindre Ralph, lui assura-t-il, bien que doutant lui-même en secret de la compétence des collègues de Ken.

Quand Brent avait entendu Andréa crier le nom de Stevie, et avait compris alors qu'elle ne ferait pas le signal convenu, il avait tranquillement prévenu Ken et les autres en agitant son chapeau. Ayant repéré sa proie, un des détectives de l'agence Pinkerton, le plus jeune et le plus zélé de la bande, avait immédiatement abandonné son poste pour se précipiter vers Andréa. Il eût fallu que Ralph fût un fieffé imbécile pour ne pas le voir foncer sur lui. Et maintenant, à cause de la conduite irréfléchie d'un seul homme, leur gibier avait éventé le piège qu'on lui avait si soigneusement tendu.

Entraînée dans le sillage de Brent, Andréa avançait à l'aveuglette, les yeux noyés de larmes. Une pagaille monumentale régnait sur le marché, augmentant à mesure que charrettes et étalages étaient renversés le long de l'allée. Des monceaux d'œufs, de salades, de haricots et de petits pois jonchaient le sol. Pour ajouter au tumulte, plusieurs caisses remplies de poulets s'écrasèrent par terre. Les volatiles s'égaillèrent dans tous les sens dans une envolée de plumes, caquetant et battant des ailes.

Ils continuèrent à courir, bousculant des gens et des charrettes sur leur passage, arpentant les allées encombrées, jusqu'à ce qu'Andréa ne puisse plus respirer, les poumons en feu, en proie à un violent point de côté. Lorsque Brent s'arrêta enfin, elle se cogna contre lui et faillit tomber.

— Nous l'avons perdu, marmonna-t-il d'un air inquiet, confirmant les pires craintes d'Andréa. Que le diable l'emporte ! Nous l'avons perdu !

23

Sans Brent, et la force qu'il lui communiquait, Andréa se serait effondrée, totalement hystérique. Arriver si loin, si près du but, pour finalement perdre Stevie à la dernière seconde, à l'instant même où elle allait pouvoir le serrer dans ses bras !

Andréa n'était pas la seule à être bouleversée. Brent était livide.

— Bon sang, Ken ! Ces abrutis ne peuvent donc rien faire correctement ?

— Je suis navré, Brent. Sherrick est nouveau, et un peu trop zélé, je le crains. Si j'avais su qu'il dégainerait aussi vite, je ne l'aurais jamais pris dans notre groupe.

— Le mal est fait, soupira Andréa, les larmes aux

yeux. Et c'est ma faute si je n'ai pas fait le signal convenu.

Brent l'enlaça, lui apportant le peu de consolation qu'il pouvait lui offrir.

— Comme tu dis, ce qui est fait est fait. Il nous faut maintenant réfléchir à un autre moyen de retrouver l'enfant.

Elle hocha la tête d'un air las.

— Qu'est-ce que tu crois que Ralph va faire ? Faut-il prendre le risque d'attendre qu'il nous recontacte ? Et Stevie ? Oh, Brent ! sanglota-t-elle. Il avait l'air si sale, si affamé ! Il était en guenilles ! Comme un pauvre gosse abandonné ! Il faut à tout prix le récupérer avant que Ralph ne mette ses menaces à exécution !

— C'est ce que nous allons faire, lui assura son mari d'une voix apaisante.

— Mais comment ? rétorqua-t-elle, sachant pertinemment qu'aucun d'eux n'avait de solution.

Toutefois, Brent avait une suggestion intéressante à faire.

— Nous allons nous rendre à l'hôtel. Quelqu'un là-bas connaît sûrement Ralph. Après tout, on lui garde ses messages. Nous allons interroger chacun des employés, jusqu'à la femme de ménage si nécessaire, afin d'obtenir des renseignements susceptibles de nous aider à localiser Ralph et Stevie.

Ken entraîna Brent à l'écart pour lui dire un mot en particulier.

— Je ne voudrais pas affoler Andréa. Elle est assez bouleversée comme ça. Mais il se peut que nous ayons un problème supplémentaire en ce qui concerne son neveu.

Brent haussa les sourcils.

— Que peut-il bien se passer encore ? Je ne vois pas comment la situation pourrait être pire.

— L'enfant a peut-être disparu. Vraiment disparu. Davis est le dernier de mes hommes à avoir aperçu Mutton, et il n'a pas vu le petit. En fait, il jure que Ralph était tout seul et s'enfuyait à toutes jambes. Si c'est exact, Mutton pourrait très bien s'être débarrassé de l'enfant en cours de route, et Dieu seul sait où ce petit bonhomme se trouve en ce moment.

Brent étouffa un juron.

— Si Andréa apprend ça, elle va devenir folle. Davis pourrait-il s'être trompé ? A-t-il pu confondre Ralph avec quelqu'un d'autre ?

Ken haussa les épaules d'un air peu optimiste.

— C'est possible, mais ça m'étonnerait. Nous ne le saurons vraiment que lorsque nous aurons retrouvé Mutton. Entre-temps, j'ai chargé Sherrick de fouiller le marché de fond en comble, au cas où Stevie se serait perdu, ou que quelqu'un l'ait recueilli.

— Tu ne peux pas savoir quel réconfort c'est pour moi de savoir que Sherrick est là-bas, en train de faire tout son possible ! Cet imbécile a déjà fait suffisamment de dégâts comme ça. Je pense que nous devrions prévenir la police pour qu'elle se mette à la recherche de Ralph et de Stevie. Et si ce gamin devait subir les conséquences de la maladresse et de l'ambition de ce Sherrick, j'exigerais qu'on m'apporte sa tête sur un plateau !

Le surlendemain, la visite au Garden Hotel n'ayant donné aucun résultat et aucun message de Ralph ne leur étant parvenu, Maddy décida de prendre les choses en main.

— Je suis désolée, Brent, mais je ne supporte pas de rester là sans rien faire, à regarder Andréa se morfondre comme une âme en peine. Elle mange moins qu'un moineau ; et à voir les cernes qu'elle a sous les yeux, il est clair qu'elle ne ferme pas l'œil de la nuit. Elle va finir par me rendre cinglée ! Allez chercher votre chapeau, votre femme, et, hop, tout le monde en voiture ! Nous allons retourner au Garden Hotel et je vous garantis que, cette fois, nous obtiendrons des réponses !

Brent n'était pas en état de discuter, trop soucieux d'Andréa pour s'en donner la peine. Si Maddy croyait pouvoir faire parler les employés, grand bien lui fasse !

Andréa ne s'y opposa pas non plus. Au moins, ils

feraient quelque chose de constructif. D'autant plus que Maddy était visiblement de fort mauvaise humeur. Andréa, qui la connaissait bien, savait mieux que personne qu'il était plus simple de faire ce que voulait la vieille dame et de la suivre dans ses idées les plus farfelues, qui, curieusement, s'avéraient souvent très valables au bout du compte.

Maddy entra dans le hall de l'hôtel tel un général menant ses troupes à la bataille. Brandissant son ombrelle en dentelle comme un sabre, elle en posa l'extrémité sur la poitrine de l'employé de la réception ébahi.

— Je veux voir le directeur, jeune homme, et ne me racontez pas de bobards.

L'homme la regarda en clignant des yeux.

— Mais, je ne peux pas le déranger maintenant, madame, bredouilla-t-il. Il est parti déjeuner.

— Et où prend-il ses repas ?

— Euh... euh... dans son bureau, avoua l'employé à contrecœur, indiquant d'un signe de tête une porte derrière le comptoir.

— Allez le chercher, ordonna sèchement Maddy.

— Mais, madame...

— Pas de mais ! Soit vous allez le chercher, soit nous allons lui tenir compagnie pendant qu'il déjeune !

L'employé grimaça et poussa un soupir.

— Qui dois-je annoncer ? demanda-t-il d'une voix traînante.

Maddy se rengorgea, prenant un air altier, telle une impératrice.

— Dites-lui que la tante du président Grant souhaite lui parler immédiatement, annonça-t-elle pompeusement.

Les yeux du pauvre homme s'ouvrirent tout grands, et il s'empressa d'aller frapper à la porte en faisant des courbettes.

Brent, lui aussi, resta stupéfait de la témérité de Maddy.

— Vous... vous n'êtes pas vraiment apparentée au président, n'est-ce pas ?

Andréa pouffa de rire.

— Bien sûr que non, fit-elle. Mais je dois dire que c'est pas mal trouvé.

— Vous savez, dit Maddy avec naturel, tout dépend de la façon dont on considère les choses. Etant donné que nous descendons tous d'Adam et Eve au départ, nous sommes tous plus ou moins apparentés. Vous n'êtes pas d'accord ?

— C'est une conclusion un peu rapide, mais il y a du vrai dans ce que vous dites, concéda Brent. Tout de même, vous avez vraiment une façon unique d'envisager les choses, Maddy.

L'employé revint en hâte.

— Mr. Baker va vous recevoir tout de suite, madame.

Maddy hocha la tête.

— Je n'en doutais pas, fit-elle avec un sourire assuré.

Dix minutes plus tard, ils ressortirent de l'hôtel avec le nom et l'adresse du réceptionniste de nuit qui, à en croire Baker, était le contact de Ralph.

— Franchement, Maddy, vous êtes sidérante ! s'exclama Brent. Je n'ai jamais vu quelqu'un faire preuve à la fois d'autant de persuasion et d'autorité. Vous avez tout ce qu'il faut pour faire un excellent procureur général.

— Il suffit de savoir comment dévisser les boulons. C'est un art, mon garçon. Qui se perfectionne avec l'âge.

Andréa soupira.

— Je voudrais bien avoir votre talent... J'aurais pu m'en servir avec Ralph quand toute cette histoire a commencé. Cela nous aurait épargné pas mal de problèmes et d'angoisses.

Le réceptionniste en question, Jimmy Johns, vivait dans une chambre au troisième étage d'un immeuble délabré, à quelques rues de l'hôtel. Craignant de laisser les dames seules dans ce quartier mal famé, Brent accepta finalement qu'elles montent avec lui.

— J'aurais mieux fait de vous raccompagner à la maison et d'emmener Ken avec moi, marmonna-t-il en repoussant du bout de sa botte les ordures qui jonchaient l'escalier branlant. Nous aurons de la chance si on ne nous vole pas les roues de la calèche d'ici notre retour.

Maddy sortit un mouchoir parfumé qu'elle mit devant son nez et renifla délicatement.

— Ça me rappelle l'appartement qu'un ami artiste avait loué à Paris. C'était un garçon charmant, mais un peu bizarre. Il avait la curieuse certitude qu'il fallait en baver pour faire du grand art. Et il s'est pris à son propre piège. Pendant tout le temps où il a vécu dans la misère, il n'a réussi à rien peindre d'intéressant, mais dès qu'il a renoncé et décidé de retourner vivre dans sa riche famille, il est devenu très célèbre pour ses portraits.

Quand Brent frappa à la porte, une voix hargneuse leur répondit d'un ton bourru.

— Fichez le camp! Je suis occupé!

Andréa fit signe à Brent de ne pas réagir.

— Allons, Jimmy chéri, tu n'es quand même pas aussi occupé, dis?

Aussitôt, la porte s'ouvrit. Jimmy Johns les fixa une seconde d'un air mauvais avant de tenter de refermer la porte. Mais Brent s'interposa et repoussa l'homme à l'intérieur. Andréa et Maddy lui emboîtèrent le pas en veillant à refermer la porte derrière elles.

— Je vous dis que je ne sais rien, gronda Johns.

— Votre patron affirme le contraire.

— Eh bien, il a tort. Et maintenant, sortez d'ici, vous me faites perdre mon temps.

— Tu as entendu, Brent. Arrête de lui faire perdre son temps, et le nôtre. Arrache-lui donc la tête et n'en parlons plus, laissa tomber Andréa calmement, des étincelles de colère brillant dans ses yeux violets.

Maddy s'empressa d'acquiescer.

— Oui, je pense qu'il est temps de prendre les mesures qui s'imposent. Des mesures musclées, si possible.

Jimmy brandit le couteau dissimulé derrière son dos. Vif comme l'éclair, Brent lui saisit le poignet et le serra de toutes ses forces. Andréa regarda les deux hommes lutter d'un œil horrifié. Au bout de quelques secondes, le couteau tomba par terre et Brent tordit le bras de son adversaire.

— Alors, Jimmy, peut-être voulez-vous revenir sur ce que vous nous avez dit. Où est Ralph Mutton?

— Je ne peux rien vous dire, grogna l'homme en grimaçant de douleur. Si je parle, il me tuera, c'est sûr.

Andréa s'approcha de la fenêtre grande ouverte par laquelle entrait une brise légère.

— Jimmy, si un homme de votre gabarit faisait une chute malencontreuse du troisième étage, pensez-vous qu'il se tuerait? demanda-t-elle avec le plus grand naturel. Ou bien qu'il resterait seulement handicapé à vie?

— Ça dépend sûrement de la façon dont il atterrit, glissa placidement Maddy.

— Si nous essayions, histoire de voir ce qui se passe? reprit Brent en poussant Jimmy vers la fenêtre.

— Non! Vous n'allez pas faire ça! implora Jimmy. Je vous en supplie!

— Alors, parlez. Et vite. Commencez par nous dire où habite Ralph.

Jimmy leur donna une adresse située non loin de la sienne.

— Mais il n'y est plus, ajouta-t-il d'une voix fébrile. Il a quitté la ville avant-hier soir.

— Pour aller où?

— Vers le nord, je crois. Il comptait attraper le train de minuit.

— Avec Stevie? demanda Andréa.

— J'en sais rien. On s'est retrouvés au bar du coin, mais le môme n'était pas avec lui.

— A-t-il prévu de vous contacter plus tard? Devez-vous continuer à prendre les messages et les paquets pour lui à l'hôtel?

— Je ne sais pas. Il ne m'a rien dit.

Brent relâcha légèrement le bras de l'homme.

— Vous feriez mieux de nous dire la vérité, Jimmy. Si j'apprends que vous nous avez menti, je reviendrai terminer le boulot.

260

Au moment où il allait lui rendre sa liberté, Maddy prit la parole.

— Ne le lâchez pas avant de l'avoir interrogé au sujet de ce receleur avec qui travaille Ralph.

— Allons, Jimmy. Vous avez entendu la dame. Comment s'appelle ce receleur ?

— Zach Whitman. Il tient une échoppe sur Canal Street, près de la voie de chemin de fer.

Brent se pencha pour ramasser le couteau.

— Merci, Jimmy. Vous avez été pour nous une mine de renseignements. Nous allons maintenant partir.

Et tout en disant ceci, d'un geste vif, il abattit le lourd manche du couteau sur le crâne du réceptionniste. Jimmy s'écroula en gémissant aux pieds de Brent.

— Allons-y, mesdames, fit-il en les poussant vers la porte. Nous allons vérifier ce que nous a raconté Jimmy avant qu'il ne revienne à lui, au cas où il nous aurait abreuvés de mensonges et aurait dans l'idée de prévenir Ralph.

— Oh, je ne pense pas qu'il sera très pressé de raconter à Ralph ce que nous lui avons arraché, commenta Maddy.

— Malheur à celui qui apporte de mauvaises nouvelles ?

— Absolument !

Jimmy leur avait effectivement dit la vérité. Comme personne ne répondit lorsqu'ils frappèrent à la porte, et qu'ils ne percevaient aucun bruit derrière, Andréa sortit sa pince-monseigneur de son sac et entreprit de forcer la serrure.

Brent lui jeta un regard sévère.

— Tu continues à trimbaler tes petits outils partout avec toi, à ce que je vois.

— Et que ferions-nous si je ne les avais pas ? répliqua-t-elle vivement. Maintenant, laisse-moi me concentrer. Et garde l'œil ouvert. Ce serait bien ma veine si Ralph apparaissait tout à coup et nous trouvait en train de forcer sa porte !

Andréa n'avait pas réalisé à quel point elle espérait trouver Stevie jusqu'à ce qu'ils constatent que l'appartement était vide. L'endroit était dans un désordre incroyable. Les draps du lit étaient crasseux. Des assiettes sales étaient empilées sur une table de guingois. Des bouteilles de whisky et des vieux mégots traînaient un peu partout.

— Comment peut-on vivre dans un endroit aussi sordide? dit Maddy en secouant la tête.

— Comment ose-t-il imposer une vie pareille à Stevie? ajouta Andréa, l'air malheureux et dégoûté.

Brent fouilla l'unique commode et passa en revue le contenu du placard.

— Ralph a dû emporter le peu de vêtements et d'affaires personnelles qu'il possédait. Jimmy avait donc raison. L'oiseau s'est envolé.

Le cœur lourd, Andréa se campa au milieu de la pièce en examinant l'immonde taudis dans lequel vivait Stevie depuis plusieurs semaines. Il n'y avait pas de tapis sur le plancher nu et usé. Pas de rideaux à la fenêtre défraîchie. Aucun tableau pour égayer les murs pelés. Ni aucun jouet montrant qu'un enfant habitait ici.

Soudain, elle le vit. Une touffe de poils bleu pâle dépassait au bout du lit. Lentement, presque craintivement, elle s'avança pour aller prendre le petit animal en peluche caché sous l'oreiller. Des larmes roulèrent sur ses joues lorsqu'elle serra le jouet tout décousu contre sa poitrine.

— C'est l'agneau que j'avais acheté à Stevie quand il est né, sanglota-t-elle. Il l'emporte partout avec lui. C'est là-dessus qu'il s'est fait les dents. Il ne peut pas s'endormir sans lui.

La douleur était si intense qu'elle se courba. Ce fut Brent qui, en la prenant dans ses bras, l'empêcha de tomber à genoux.

— Oh, Stevie... Où es-tu? dit-elle entre ses larmes. Où t'a-t-il emmené? Qu'a-t-il fait de toi?

— Nous allons le retrouver, ma chérie, murmura Brent.

Face à un tel chagrin, il se sentait impuissant à la

consoler, se demandant si ses paroles ne se réduisaient pas en fin de compte à de futiles promesses.

— Nous allons continuer à le chercher. Et nous le retrouverons... d'une façon ou d'une autre.

24

Le train de minuit partait bien en direction du nord. Il faisait un premier arrêt à Baltimore. Brent acheta deux billets, un pour lui, un pour Andréa, pour le prochain train.

Maddy voulut venir avec eux, mais Andréa l'en dissuada.

— Il faut que quelqu'un reste ici, au cas où Ralph essaierait de nous contacter. Il se pourrait qu'il envoie un message à la maison, comme il l'a fait la dernière fois.

— Bon, d'accord, grommela la vieille dame. Mais je n'ai pas envie de rester en dehors de cette aventure. A mon âge, les occasions sont rares, vous savez. Les gens ont tendance à vous protéger, de peur que vous ne tombiez raide s'il y a trop d'épices dans le poulet !

— Et puis, vous vous occuperez de Precious en mon absence, ajouta habilement Andréa.

— Oui, je garderai un œil sur cette fichue boule de poils.

Elle tourna la tête vers l'agneau en peluche qu'Andréa avait rapporté de l'appartement de Ralph en guise de porte-bonheur.

— Vous voulez aussi que je garde ce jouet en peluche ? Il me posera moins de problèmes que la chatte.

Andréa déclina son offre, et les larmes lui montèrent aux yeux.

— Non. Je vais l'emporter avec moi, pour que Stevie l'ait dès que nous l'aurons retrouvé.

Avant de partir, Brent s'arrangea pour voir Ken et le mettre au courant des tout derniers événements. Ken promit d'aller interroger lui-même le receleur et de transmettre à Brent les renseignements éventuels qu'il en tirerait. Il continuerait également à rechercher activement Stevie dans tout Washington.

Juste avant de prendre congé, Ken remit à Brent et à Andréa une série d'affiches fraîchement imprimées, sur lesquelles figurait un portrait de Ralph Mutton, ainsi que sa description. Dans le coin en bas à gauche, il y avait un petit croquis de Stevie.

— Nous les placardons un peu partout en ville, leur dit-il. Vous devriez en faire autant à Baltimore, et partout où vous vous arrêterez. Ainsi, les gens sauront exactement à quoi ressemble Mutton, ce qui nous épargnera les explications interminables.

Andréa regarda le dessin, éberluée.

— Comment avez-vous fait ça ? s'émerveilla-t-elle. Ça lui ressemble tellement !

— C'est Sherrick qui a eu l'idée, ce n'est pas moi, expliqua Ken. C'est sa façon à lui de faire amende honorable après avoir tout fait rater au marché.

— C'est lui qui a réalisé ce dessin ? demanda Brent, incrédule. En ne l'ayant vu qu'une seule fois ?

— Oui. Il a ensuite apporté ses croquis à l'imprimeur et a payé les affiches de sa poche. Les autres détectives et lui ont également fait une collecte pour offrir une récompense à quiconque pourrait nous fournir des informations sur Mutton et contribuer ainsi à son arrestation.

Brent était stupéfait, et un peu honteux de la manière dont il s'était moqué des associés de Ken.

— Dis-leur que j'augmente la récompense, offrit-il généreusement. Et que je leur présente mes excuses pour m'être montré si désagréable l'autre jour avec eux. Je sais qu'ils ont fait de leur mieux, et c'est déjà pas mal. Andréa et moi apprécions leurs efforts.

Ken hocha la tête.

— Ce sont tous des types bien, Brent. Quelques-uns parmi eux ont seulement besoin de prendre un peu de bouteille avant de devenir de bons détectives.

Brent et Andréa partirent le soir même, avec deux jours de retard sur Ralph. Une heure et demie plus tard, ils étaient installés dans un hôtel de Baltimore. Tôt le lendemain matin, ils entamèrent leurs recherches en commençant par la gare, où ils collèrent une affiche de Ralph et interrogèrent les employés.

Un porteur noir se souvenait d'avoir aperçu Ralph.

— Je l'ai remarqué parce qu'il avait pas l'air d'un voyageur en règle. Je me suis dit qu'il avait dû sauter dans le wagon de marchandises à la dernière minute.

— Y avait-il un petit garçon avec lui? demanda Andréa, le cœur rempli d'espoir.

L'homme secoua la tête.

— Non, madame, à moins qu'il l'ait caché dans le gros sac qu'il transportait.

— Avez-vous vu dans quelle direction il est parti? s'enquit Brent. Il ne serait pas monté dans un autre train, par hasard?

— C'est possible, mais la dernière fois que je l'ai vu, il se dirigeait vers la ville. Probablement à la recherche d'un hôtel pas cher où passer la nuit.

Brent et Andréa passèrent des heures à arpenter les trottoirs, à interroger les passants et les commerçants et à enquêter dans les hôtels et les pensions les plus minables. Plusieurs personnes croyaient avoir vu Ralph, sans en être toutefois vraiment sûres. Ni pouvoir dire avec certitude si Stevie était avec lui.

Après cette longue journée infructueuse consacrée à explorer les rues, Brent décida qu'un bon dîner serait le bienvenu. Baltimore était réputée pour son crabe, accommodé de toutes sortes de manières succulentes. Une des employées de leur hôtel lui avait recommandé un petit restaurant apparemment insignifiant, juste à côté du port. La description qu'elle lui en avait faite avait intrigué Brent qui était impatient de voir la réaction d'Andréa.

Dire que l'établissement était modeste était largement en dessous de la vérité. La façade était rongée par le vent et l'air salé, et l'enseigne accrochée au-dessus de la porte n'était plus lisible depuis longtemps. A l'intérieur, les murs étaient décorés de lanternes, de filets, de coquillages et de poissons empaillés, tandis que le sol usé était délibérément recouvert de sable. Les clients étaient assis sur des bancs en bois, devant des tables recouvertes, en guise de nappe, d'un papier grossier, comme celui qu'utilisent les bouchers.

Une serveuse plaça Brent et Andréa, qui se virent remettre aussitôt une immense serviette, ainsi qu'un tablier en papier huilé pour protéger leurs vêtements. Andréa prit le sien d'une main hésitante, et continua à regarder tout autour d'elle d'un air désemparé. L'odeur qui flottait dans la salle était appétissante, mais le décor était d'un goût déplorable, tout comme les manières des clients.

Ils étaient tous attablés devant des montagnes de crabe fumant. D'un regard étonné, elle les vit casser les crustacés croustillants avec leurs doigts et extirper la chair tendre de la coquille. Certains la mangeaient directement. D'autres la trempaient d'abord dans un grand bol de beurre fondu. Personne ne se donnait la peine d'utiliser des couverts, ni ne semblait se plaindre d'ailleurs de ne pas en avoir. Les doigts et les dents étaient en action. Elle eut tout à coup l'impression d'assister à la reconstitution d'un repas primitif !

Andréa se tourna vers Brent, et remarqua qu'il l'observait en souriant, une lueur malicieuse dans ses yeux dorés.

— Alors, qu'est-ce que tu en dis ?

— C'est... c'est incroyable ! bredouilla-t-elle. Je dois dire honnêtement que je n'ai jamais rien vu de semblable.

Il éclata de rire.

— Si c'est aussi bon que ce qu'on sent, nous allons nous régaler.

— Visiblement, tu savais très bien où tu m'emmenais. Tu aurais pu me prévenir, lui dit-elle d'un ton de reproche.

— Ah, mais ça n'aurait plus été une surprise ! Pour

tout t'avouer, je mourais d'envie de voir ta réaction sur ton visage.

Andréa prit la mouche.

— Parce que tu me trouves snob, si je comprends bien ?

— Pas du tout. C'est juste que tu es si soignée et si méticuleuse, à toujours vouloir tout nettoyer et tout ranger... Pour quelqu'un d'ordinaire qui n'est pas porté à de tels extrêmes, ça peut paraître agaçant.

— Et tu n'as pas résisté au plaisir de m'exposer à l'extrême inverse ce soir.

Brent lui sourit en haussant les épaules.

— J'ai simplement pensé que ça te ferait du bien de te laisser un peu aller, de redescendre sur terre avec nous autres, pauvres sales mortels, et de découvrir comme ça peut être amusant.

La serveuse revint avec des petits pains, du beurre, une assiette de tranches de fruits et de fromages et un énorme tas de crabes qu'elle déposa devant eux. Elle leur tendit à chacun un maillet.

— Bon appétit, jeunes gens ! Je vous apporte vos bières dans une seconde.

— Euh... vous ne servez pas de vin ? demanda Andréa d'une petite voix timide.

La femme se fendit d'un grand sourire.

— Le vin ne va pas très bien avec le crabe, ma belle. Croyez-moi sur parole, mieux vaut boire de la bière.

Andréa ne savait pas par où commencer. Imitant les autres clients, Brent attrapa un crabe bouillant sur la pile et entreprit de le décortiquer.

Andréa le regarda faire en grimaçant.

— C'est dégoûtant !

Il se mit à rire.

— Oh, je t'en prie ! Arrête de jouer les âmes sensibles ! Ce n'est pas comme si cette créature était encore vivante et allait t'attaquer d'une seconde à l'autre avec ses pinces ! Je ne t'ai jamais vue rechigner devant un rôti de bœuf ou un jambon, ce qui revient exactement au même. Tout ça, c'est de la nourriture, une fois que c'est cuit et dans ton assiette.

267

— Pour l'instant, je n'ai pas d'assiette, lui fit-elle remarquer avec malice.

— Eh bien, imagine que tu en as une, si cela peut t'aider.

Après avoir donné un coup de maillet, il détacha une grosse pince, puis en extirpa la chair à l'aide d'une plus petite pique. Il la trempa dans le beurre fondu et la fourra dans sa bouche.

— Mmmm! C'est divin! déclara-t-il, les yeux à moitié fermés, en savourant la délicatesse de la chair.

Un peu de beurre dégoulina sur son menton. Andréa se pencha au-dessus de la table pour l'essuyer du coin de sa serviette. Ce faisant, elle se mit un peu de beurre au bout du doigt. Avant qu'elle ne s'essuie à son tour, Brent lui prit la main et lui lécha langoureusement le doigt.

Elle le regarda fixement, l'air ahuri, ne s'attendant nullement au frisson qui remonta le long de son bras pour se propager dans tout son corps, jusqu'au bout des orteils.

— Ô mon Dieu! s'exclama-t-elle doucement en écarquillant de grands yeux.

Brent lui relâcha la main et sourit.

— Tu vois, je te disais bien que ça pouvait être agréable. Et ça ne fait que commencer.

Il décortiqua un autre morceau de crabe, le plongea dans le beurre et le lui tendit.

— Tiens. Goûte. Je t'assure que tu vas adorer.

Sans enthousiasme, Andréa entrouvrit la bouche, et il fit glisser le morceau de crabe entre ses lèvres. Puis il passa son doigt sur ses lèvres qui se couvrirent d'un léger film luisant et doré.

Les yeux plongés dans ceux de Brent, elle frémit, tous ses sens en éveil, se sentant extraordinairement vivante. Si quelqu'un lui avait dit que manger pouvait être une expérience aussi érotique, jamais elle ne l'aurait cru, du moins jusqu'à cette minute.

La serveuse leur apporta les boissons, rompant le charme que Brent semblait lui avoir jeté. Alors seulement, Andréa parvint à mâcher et à avaler.

— Tu aimes ? demanda Brent.

En voyant la lueur qui dansait dans ses yeux, Andréa se demanda s'il faisait référence au crabe ou à la façon dont il venait de le lui mettre dans la bouche.

Malgré elle, ses joues s'empourprèrent.

— Oui. C'est vraiment délicieux, merci, finit-elle par répondre.

— Toi aussi, tu es délicieuse.

Pendant tout le reste du repas, il continua à lui donner des petits morceaux de crabe de sa main, et elle fit de même, prenant bientôt un malin plaisir à l'exciter à son tour. Lorsqu'elle eut les mains toutes luisantes de beurre, ses dernières réticences s'envolèrent enfin, et elle se mit à casser elle-même les pinces et à en extraire la chair savoureuse comme si elle avait fait cela toute sa vie.

Andréa se débattait avec une pince récalcitrante quand celle-ci lui échappa et atterrit sur le tablier de Brent, juste au niveau de l'entrejambe.

Pendant quelques secondes, ils restèrent là, immobiles, à se dévisager en silence. Soudain, un sourire malicieux retroussa les lèvres fines de Brent.

— Tu as perdu quelque chose, chérie ? fit-il en haussant les sourcils d'un air facétieux.

Après un bref regard gêné vers la salle pour s'assurer que personne n'avait rien remarqué, Andréa se pencha vers lui.

— Chut ! Sois gentil de ramasser cette pince en vitesse et de la reposer sur la table le plus discrètement possible.

Brent secoua la tête en souriant de plus belle.

— C'est toi qui l'as mise là. A toi de venir la chercher.

— Si nous étions seuls tous les deux, je prendrais peut-être cette proposition scandaleuse en considération, rétorqua-t-elle finalement, mais il est hors de question que je le fasse dans une salle de restaurant pleine de clients !

Il lui fit une grimace.

— Mauvaise joueuse ! fit-il en ramassant la pince.

Oh, mais on réglera ça tout à l'heure, quand nous serons tranquillement à l'hôtel.

Intriguée, Andréa fronça les sourcils.

— Que veux-tu dire par là ?

Le clin d'œil lascif qu'il lui jeta fit soudain battre son pouls plus fort encore.

— Imagine, ma chérie... Ta bouche tiède, humide et douce entre mes cuisses. En train de me caresser et de m'exciter.

Il haussa subitement les épaules.

— Seigneur ! ajouta-t-il d'une voix tourmentée. Dépêche-toi de finir de manger, tu veux ? Avant que je me laisse emporter, que je te couche sous la table et que je te fasse l'amour ici même comme un fou.

Le lendemain matin, ils repartirent à la recherche de Ralph, ratissant méthodiquement toute la ville. Connaissant son penchant pour l'alcool, ils allèrent même poser des questions dans une brasserie locale, bien qu'Andréa doutât fortement qu'il ait pu y trouver du travail.

Finalement, pris d'une soudaine inspiration, Brent arrêta un jeune garçon à l'air un peu louche afin de solliciter ses conseils avisés.

— Si je venais d'arriver en ville, et que je cherche comment gagner rapidement quelques dollars, honnêtement ou pas, quel serait le meilleur endroit où aller ?

— Vous êtes prêt à me donner combien ? demanda le garçon.

Brent lui lança une pièce en or de cinq dollars.

D'un coup de dents, le garçon vérifia qu'elle était vraie avant de lui répondre.

— A l'hippodrome. Il y a des courses de chevaux à Pimlico cet après-midi.

Il allait s'éloigner, mais Andréa le rattrapa par le col de sa veste.

— Vous êtes doué, mais pas assez rapide, lui dit-elle calmement. Et maintenant, rendez sa montre à ce monsieur avant que nous vous remettions au premier policier qui passera par là.

Le garçon lui jeta un regard torve, puis lança sa montre à Brent. Andréa relâcha le garçon qui s'en alla en grommelant.

— C'est quand même terrible ! Voilà qu'on ne peut même plus gagner sa vie décemment dans la rue !

Brent secoua la tête, l'air médusé.

— Mais… je n'ai rien senti du tout.

Andréa le gratifia d'un clin d'œil impertinent.

— Il faut parfois un voleur pour en repérer un autre. Tu vois bien que ça sert, de temps en temps !

Deux courses étaient prévues ce jour-là à Pimlico. En ce milieu d'été, l'hippodrome attirait encore une foule considérable, ce qui ne fit que compliquer la tâche de Brent et d'Andréa pour retrouver Ralph. Ils décidèrent de se poster près du guichet devant lequel s'agglutinaient les parieurs, supposant que, même si Ralph n'avait pas un sou, il y avait là tout un tas de gens aux poches remplies de billets… et faciles à dévaliser.

La première course était sur le point de partir, et les spectateurs gagnaient les tribunes quand Andréa l'aperçut tout à coup. Elle tira Brent par la manche et le lui montra du doigt parmi la foule.

Au même instant, Ralph se retourna et la regarda droit dans les yeux. Sa mâchoire faillit se décrocher de surprise, et il resta planté comme un piquet pendant quelques secondes. Puis, avant même qu'elle puisse l'interpeller, Ralph pivota sur ses talons et s'enfuit en détalant comme un lapin.

Brent s'élança derrière lui, suivi d'Andréa, qui retroussa ses jupes sans se soucier des bonnes manières.

— Ralph ! Attendez ! Je vous en prie ! Où est Stevie ? cria-t-elle, se moquant complètement que les gens l'entendent ou de ce qu'ils pouvaient penser. Attendez ! Vite ! Que quelqu'un arrête cet homme !

S'il l'entendit, Ralph n'en laissa rien paraître, et personne à proximité de lui ne semblait avoir envie d'intervenir. Sans ralentir l'allure, Mutton traversa les tribunes, bousculant des spectateurs au passage et fonçant droit devant lui dans les allées étroites. Des cris furieux accueillirent ses deux poursuivants lorsqu'ils arrivèrent à leur tour.

L'espace d'un instant, ils crurent avoir une chance de le rattraper, surtout lorsqu'ils virent un policier venir vers Ralph à l'autre bout du stade. Mais au même moment, un coup de feu retentit, annonçant le départ de la course. Comme un seul homme, les spectateurs se mirent debout pour acclamer et encourager leurs favoris, et Ralph disparut devant leurs yeux, englouti par la foule exubérante.

— Par ici! cria Brent en attrapant la main d'Andréa pour l'entraîner vers l'escalier. Je crois qu'il a filé vers les écuries!

En dévalant les marches, Andréa se tordit la cheville. La douleur lui arracha un petit cri, les larmes lui montèrent aux yeux, mais elle continua à avancer le plus vite possible, essayant courageusement d'oublier sa souffrance. Arrivés au bas de l'escalier, ils tournèrent à droite et se retrouvèrent brusquement au milieu d'un véritable tohu-bohu.

Juste devant eux s'étendait la zone où les entraîneurs et les jockeys rassemblaient les chevaux pour la course suivante. Apparemment, quelque chose, ou quelqu'un — Ralph, probablement — avait affolé les chevaux déjà nerveux, provoquant une pagaille monstre et une panique indescriptible. De tous côtés les entraîneurs tiraient sur les rênes de leurs pur-sang pour essayer de les retenir, tandis que les jockeys s'accrochaient tant bien que mal à leurs montures hennissantes. Les chevaux se cabraient et ruaient dans tous les sens en roulant des yeux et en donnant de violents coups de sabot qui résonnaient sur le sol.

Tout à coup, un animal affolé s'échappa et fonça tout droit sur Brent et Andréa. Ils n'avaient pas le temps de s'enfuir, ni d'endroit où s'abriter. Brusquement, Andréa se sentit projetée sur le côté. Elle tomba la tête la première dans la poussière tandis que Brent se jetait lourdement sur elle pour la protéger. Quelques secondes interminables plus tard, il se redressa pour la prendre dans ses bras. Elle cherchait encore à reprendre sa respiration lorsqu'il la serra contre sa poitrine.

— Ça va ? demanda-t-il aussitôt.

Comme elle ne répondit pas tout de suite, il la secoua vigoureusement, ne faisant qu'aggraver les choses.

— Laisse-moi reprendre mon souffle ! parvint-elle à articuler.

Il fallut encore quelques minutes à Brent pour constater qu'elle n'était pas gravement blessée. Pas plus qu'il ne l'était, lui, bien que ce fût un miracle qu'ils n'aient pas été piétinés tous les deux. Attraper Ralph devenait décidément une périlleuse aventure.

— Il a encore réussi à s'enfuir, se désola Andréa.

Elle se mit debout, et grimaça de douleur lorsqu'elle prit appui sur son pied.

— Je ne reviens pas de la vitesse à laquelle peut courir ce gros bœuf ! Si nous n'avions pas besoin de le prendre vivant, pour qu'il nous dise ce qu'il a fait de Stevie, je te jure que je lui tirerais dessus sans hésiter... enfin, si j'avais une arme !

— Si quelqu'un doit tirer, c'est à moi de m'en charger, déclara Brent, la voix vibrant de frustration, tout en époussetant tendrement la joue de sa femme.

— Tu n'auras qu'à viser son gros derrière ! jeta-t-elle méchamment, arrachant un bref sourire à son mari attentionné. C'est une cible assez large, et ça le ralentira peut-être suffisamment pour qu'on arrive à le rattraper et à lui faire cracher le morceau !

25

— Et maintenant ? questionna Andréa.

Ils avaient regagné leur chambre d'hôtel, et elle était assise sur le lit, sa cheville blessée enveloppée dans de la glace. Brent regardait par la fenêtre.

— J'en sais rien, admit-il. Je pourrais aller faire un tour ce soir dans les tavernes du port, pendant que tu restes ici à te reposer.

— C'est sans doute une bonne idée, bien qu'elle ne me plaise pas trop.

Andréa demeura silencieuse un instant avant de faire part à son mari de l'inquiétude qui la rongeait depuis deux jours.

— Brent, où est Stevie, à ton avis ? Le porteur a dit qu'il n'avait pas vu d'enfant avec Ralph, et il n'était pas à l'hippodrome cet après-midi, à moins que Ralph ne l'ait déposé quelque part dans l'intention de le reprendre après. Je commence à être terriblement inquiète. S'il n'a pas amené Stevie avec lui, qu'est-ce qu'il en a fait ?

Le moment que Brent redoutait tant avait fini par arriver. Il se retourna et la regarda d'un air grave.

— Nous ne savons pas avec exactitude où est Stevie, Andréa. Un des hommes de Ken pense que l'enfant a pu se perdre dans la foule, le jour du marché. La dernière fois qu'il a aperçu Ralph, Stevie n'était pas avec lui. Bien entendu, le détective a pu se tromper, et il se peut aussi que Ralph ait laissé le petit à quelqu'un avant de partir à Baltimore. Nous n'en savons rien.

Elle le dévisagea, les yeux remplis d'effroi.

— Pendant tout ce temps… murmura-t-elle d'une voix tremblante. Tu sais cela depuis plusieurs jours, et tu ne m'en as rien dit ! Mon Dieu !

Elle éleva la voix, au bord de la crise de nerfs.

— Comment as-tu pu faire ça ?

Brent vint vers elle, mais elle se déroba et alla se recroqueviller à la tête du lit. Ses yeux violets le condamnaient sans équivoque. Il eut du mal à soutenir son regard.

— Je te demande pardon, Andréa. Ken a pensé… j'ai décidé qu'il valait mieux ne pas t'inquiéter inutilement tant que nous n'aurions pas appris quelque chose.

— *Tu* as décidé… Mais qui te donne le droit de déterminer ce qui est bien ou pas pour moi ? lança-t-elle furieusement. Stevie est mon neveu ! Mon enfant, depuis que Lilly est morte et me l'a confié ! J'ai le droit d'être tenue au courant de tout ce qui le concerne! Tu n'avais pas le droit de garder pour toi une information aussi importante! Vraiment pas le droit!

Il la regarda fixement.

— Etant ton mari, j'estime qu'il est de ma responsabilité de veiller sur toi. De te protéger quoi qu'il arrive. De te décharger de tes soucis et de t'éviter de souffrir. J'ai seulement voulu éviter de t'angoisser, Andréa, ne serait-ce que temporairement.

— Et pour combien de temps? rétorqua-t-elle d'un ton glacial. Si je ne te l'avais pas demandé, pendant combien de temps encore m'aurais-tu laissée dans l'ignorance? Sans pouvoir envisager la possibilité que Stevie est peut-être définitivement perdu? Et que si Ralph ne l'a pas amené avec lui, on ignore où il se trouve, et il se peut que nous ne le retrouvions jamais?

De grosses larmes brûlantes inondèrent son visage tandis qu'elle réalisait peu à peu les conséquences de ce qu'elle venait d'apprendre.

— Ô mon Dieu! J'ai raison, n'est-ce pas? En ce moment, à cette minute même, il peut se trouver n'importe où. Peut-être même est-il...

— Non! s'écria Brent en la prenant dans ses bras malgré sa résistance. Il ne faut pas te dire ça! Ken et ses hommes continuent à le chercher. S'il est à Washington, ils le trouveront. S'il ne l'est pas, nous ferons parler Ralph et il nous dira où il se trouve! Voilà ce que tu dois croire, ma chérie! En te disant que, dès que tu auras retrouvé Stevie, tout ira très bien.

Andréa sanglotait maintenant à chaudes larmes. Incapable de refuser la consolation que Brent lui apportait, elle se pelotonna contre lui, les mouillant tous les deux de ses sanglots. Pendant un long moment, il continua à la bercer, à lui promettre que tout finirait par s'arranger, jusqu'à ce que ses pleurs aient laissé place à de petits reniflements. Tout à coup, elle leva le visage vers lui et se mit à le bourrer de coups de poing sur l'épaule.

— Ne t'avise plus jamais de ne pas me dire des choses de ce genre, Brent Sinclair! grommela-t-elle entre deux hoquets. Je ne suis pas une petite fleur délicate et fragile qui a besoin d'être protégée en permanence. Je suis une femme adulte, et suffisamment forte pour encaisser les coups inévitables de la vie, si durs soient-ils. Et j'entends être traitée comme telle !

— Si j'accepte, arrêteras-tu de me frapper ? demanda-t-il en souriant.

Elle cligna des yeux, comme si elle se rendait compte subitement de ce qu'elle était en train de faire, et ses poings s'immobilisèrent. Tendrement, il la saisit par les poignets et porta ses poings crispés à ses lèvres.

— Pardonne-moi, Andréa. J'aurais dû me douter que tu m'en voudrais de ne pas t'avoir dit la vérité tout de suite. J'avais oublié à quel point tu étais indépendante et têtue, et que tu te débrouillais très bien toute seule avant que nous nous connaissions. Peu de femmes auraient fait ce que tu as fait, même par amour pour un enfant. Je suis très fier de toi, tu sais.

— Moi aussi, je suis fière de toi, dit-elle doucement en effleurant ses lèvres. Je n'ai jamais dit que je n'avais pas besoin de toi. Ni que j'étais capable de me débrouiller toute seule, sans ton aide. Je compte beaucoup sur ta force. Et sur ton amour. Sans toi, je ne pense pas que je pourrais continuer à supporter tout ça. Je veux seulement que nous soyons toi et moi des compagnons, que nous nous aidions.

— Mais c'est le cas, ma chérie. Et la prochaine fois que je me conduirai comme une tête de mule, ou que je te traiterai comme une faible femme, je t'autorise à me tirer les oreilles.

Elle lui jeta un regard malicieux.

— Je te remercie, chéri, mais je n'avais pas vraiment besoin de ta permission pour ça ! Je considère que cela relève de ma prérogative d'épouse, pour ne pas dire de mon devoir pur et simple.

Un peu plus tard, on frappa à la porte. C'était le porteur qu'ils avaient interrogé à la gare.

— Je suis content de vous trouver, m'sieur. J'ai pensé

que ça vous intéresserait de savoir que le type que vous cherchez a pris un billet pour Philadelphie cet après-midi. Le train est déjà parti, mais vous pouvez attraper le prochain ; il part dans trois heures. Je suis désolé de ne pas avoir pu vous prévenir plus tôt, mais mon chef n'a pas voulu que je quitte mon poste.

Brent le remercia et lui remit vingt dollars pour le dédommager de sa peine. Quand l'homme fut reparti, il se tourna vers Andréa.

— Alors, mon amour ? Qu'est-ce qu'on décide ? Soit on rentre à Washington, soit on part à Philadelphie à la poursuite de Ralph.

Andréa réfléchit un instant.

— Je suppose que s'il y avait des nouvelles de Stevie, Ken nous aurait prévenus. Tu lui as bien dit que nous venions ici ? En lui expliquant où nous joindre ?

— Oh, mais je vais le recontacter avant notre départ.

— Dans ce cas, je crois qu'il serait plus raisonnable de suivre Ralph et d'essayer de le faire parler. Peut-être qu'il a laissé Stevie à un ami à Washington. Ou qu'il a mis sa menace à exécution et l'a vendu à quelqu'un. Si nous ne le rattrapons pas, nous ne le saurons jamais avec certitude. J'espère seulement qu'on apprendra bientôt quelque chose. Ne rien savoir, et imaginer le pire, est une véritable torture.

— Tu penses qu'il a pu aller à l'exposition ? suggéra Brent. Il espère peut-être réunir une petite fortune comme tu l'as fait là-bas.

— Si c'est le cas, j'espère que Jenkins le coincera et le coffrera dans la même cellule que Dugan MacDonald. En ce qui me concerne, ils peuvent même jeter la clé et les laisser pourrir en prison jusqu'à la fin de leurs jours.

— Et que fais-tu de Shirley Cunningham ?

— Ils méritent tous les trois le même sort.

En arrivant dans la ville du Centenaire, ils allèrent directement au Continental Hotel, où ils étaient descendus précédemment. Le directeur les accueillit en personne et les accompagna jusqu'à leur chambre.

— Nous sommes très heureux de vous revoir. A la seconde où nous avons reçu votre télégramme, nous vous avons réservé notre meilleure suite, et à nos frais. Une manière pour nous de vous exprimer nos regrets pour la façon dont Mrs. Sinclair a été kidnappée juste sous notre nez, si je puis dire.

Il s'interrompit brièvement avant de reprendre.

— Et comment va cette chère Mrs. Foster ? J'espère qu'elle s'est complètement remise du mauvais coup qu'elle a pris sur la tête ?

— Elle va bien, merci. Je ne manquerai pas de lui faire savoir que vous avez pris de ses nouvelles, répondit Andréa.

L'homme poussa un soupir de soulagement.

— Eh bien, profitez pleinement de votre séjour, et s'il y a quoi que ce soit que nous puissions faire pour vous être agréables, je vous en prie, n'hésitez pas à le demander.

Dès qu'il fut sorti, Andréa jeta un regard interloqué à Brent.

— Que se passe-t-il ? Dieu du ciel, j'ai bien cru qu'il allait se mettre à genoux et nous baiser les pieds !

Brent sourit.

— Je suppose que ce n'est pas sans rapport avec le fait que je sois avocat. Après ce qui s'est passé, ils doivent avoir peur qu'on ne les traîne en justice et qu'on ne leur fasse un procès.

— Mais c'est ridicule ! Ce n'est pas leur faute si Mac-Donald s'est entiché de moi, et Shirley Cunningham de toi, ni s'ils ont conspiré tous les deux contre nous.

— C'est exact, mais c'est ici que Maddy a été agressée. C'est avec un vase de cet hôtel qu'elle a été assommée. Et s'ils se sentent assez coupables pour nous offrir une suite gratis, ce n'est certainement pas moi qui chercherai à les persuader du contraire !

— Seigneur ! Et tu as eu le culot de me traiter de voleuse ? s'étonna Andréa avec un sourire moqueur. Regarde-toi donc dans la glace, Brent Sinclair. Et tu découvriras peut-être que nous avons plus de choses en commun que tu ne le croyais.

Jenkins parut sincèrement ravi de les revoir.

— Vous savez, remarqua-t-il, les choses sont affreusement mornes depuis que vous avez quitté la ville. Et les vols ont cessé pratiquement aussitôt.

Andréa retint son souffle, affolée à l'idée de ce qu'il allait dire ensuite. Ses genoux faillirent se dérober sous elle.

— J'ai longuement réfléchi, reprit le détective. Ça a coïncidé avec le moment où nous avons arrêté la Cunningham et l'Ecossais. Vous pensez qu'ils étaient complices ?

Andréa et Brent échangèrent un regard étonné.

— Mais, dites-moi, Jenkins, voilà un recoupement très intéressant ! déclara Brent en feignant l'admiration. Je n'aurais jamais pensé à cela tout seul. Toutefois, je crois me rappeler que Mrs. Cunningham figurait au nombre des victimes. Elle et ses amies se sont fait voler tous leurs bijoux, non ?

— Oui, mais elle les a récupérés, tout comme les autres, un jour à peine avant votre départ. Par retour du courrier, qui plus est.

— C'est ce qu'il me semble avoir entendu dire, bien que, à ce moment-là, j'aie surtout été occupé par les préparatifs du mariage, dit Brent. Comment expliquez-vous ce retournement étrange ? Si, comme vous le suspectez, Dugan et Shirley sont bien les voleurs, pourquoi se seraient-ils donné la peine de prendre autant de risques pour finalement rendre les bijoux ?

Jenkins plissa le front pour se concentrer.

— Je n'ai pas encore résolu cette énigme. Mais j'y travaille, et je vous préviendrai dès que j'aurai découvert quelque chose.

— N'y manquez pas. Entre-temps, vous pourriez peut-être nous donner un coup de main. Andréa et moi avons un problème personnel.

Brent montra une des affiches à Jenkins et lui raconta l'histoire qu'il avait soigneusement mise au point avec Ken — comment Ralph avait exigé une rançon pour rendre Stevie à Andréa, rançon que Brent avait réunie avec son propre argent, et comment le plan imaginé pour le confondre avait capoté.

— Et maintenant, l'enfant a disparu, et Ralph s'est enfui à Philadelphie, raison pour laquelle nous sommes de nouveau ici. Nous avons besoin d'aide pour les retrouver.

— Je garderai l'œil ouvert, promit Jenkins. Et je vais dire à mes hommes d'en faire autant. Si ce Mutton est ici, nous le trouverons.

Ils étaient à Philadelphie depuis trois jours, avaient placardé des affiches de Ralph et de Stevie un peu partout, arpenté les rues de la ville et fouillé les moindres recoins de l'exposition, mais en vain. Malgré l'aide d'une dizaine de détectives, ils n'avaient repéré aucune trace de leur gibier.

— C'est sans espoir, conclut Andréa d'un air las en repoussant une mèche de son visage.

Avec la vague de chaleur qui continuait de s'abattre sur la ville, tout le monde était épuisé et à bout de nerfs. Néanmoins, la foire grouillait de visiteurs.

— Nous ne retrouverons jamais Ralph au milieu d'une telle foule.

Brent la rejoignit sur le banc, devant la fontaine située entre les deux principaux bâtiments de l'exposition.

— Et même si nous y arrivons, il y a peu de chances qu'il veuille, ou qu'il puisse nous dire où est Stevie, ajouta-t-il. Je pense de plus en plus que Ken avait raison, et que Stevie s'est vraiment perdu au marché. Ce qui signifie que nous courons pour rien après cette crapule.

— Nous ferions peut-être mieux de faire nos valises et de rentrer à Washington, dit Andréa. Et de nous contenter d'essayer de retrouver Stevie. Je sais que Ken fait tout son possible, mais je ne peux pas m'empêcher d'avoir le sentiment que...

— Que tu devrais être là-bas, toi aussi?

— Oui. C'est stupide de ma part, n'est-ce pas ?

Tout à coup, elle se redressa et regarda tout autour d'elle en fronçant les sourcils.

— Aussi stupide que d'avoir la sensation étrange que quelqu'un nous surveille. Cette impression ne m'a pas quittée de l'après-midi.

— Tu es nerveuse, voilà tout. Cette chaleur finit par taper sur les nerfs.

Toutefois, il ne put s'empêcher de scruter la foule pour s'assurer qu'il avait raison. Rien ni personne ne lui sembla suspect.

Brusquement, Andréa lui jeta un regard anxieux en se mordillant la lèvre.

— Brent, Dugan MacDonald est bien toujours derrière les barreaux ? demanda-t-elle d'un ton affolé. Je frémis à l'idée qu'il ait pu s'échapper et qu'il soit quelque part ici, en train de guetter le moment propice pour m'enfermer dans une malle et me ramener en Ecosse avec lui.

Malgré la chaleur, elle frissonna, et Brent l'attira contre lui.

— Chérie, je t'assure que ce type est à l'ombre pour de longues années. Cependant, si cela peut te rassurer, je me renseignerai dès que nous serons de retour à l'hôtel.

— Tu ferais ça ? Je ne suis probablement qu'une idiote, je sais, mais je n'arrive pas à me débarrasser de cette idée.

— Tu devrais savoir à présent que je suis prêt à absolument tout faire pour toi.

Elle lui décocha un grand sourire.

— Y compris me porter jusqu'à la calèche la plus proche ? J'ai épouvantablement mal aux pieds.

Après avoir pris un long bain et enfilé des vêtements tout frais, Andréa se sentit revivre, physiquement aussi bien que moralement. Pour finir de la mettre en joie, Jenkins les interpella lorsqu'ils descendirent dîner et leur confirma que MacDonald était en ce moment même dans sa cellule, là où il devait être.

— Tu vois, mon amour. Voilà un souci de moins pour toi, dit Brent avec un sourire rassurant.

— J'ai dû me laisser entraîner par mon imagination, reconnut-elle, se sentant légèrement ridicule. Et je suppose que ça ne changera rien si nous continuons nos recherches pendant un jour ou deux. Qui sait ? Il se passera peut-être quelque chose. Maddy prétend que les miracles arrivent tous les trente-six du mois.

Ils prirent tout leur temps pour dîner, heureux de ne pas devoir se presser après cette exténuante journée. Il était déjà tard lorsqu'ils remontèrent dans leur chambre, repus et agréablement fatigués, avec l'intention de faire lentement l'amour avant de s'endormir dans les bras l'un de l'autre.

A peine Brent eut-il tourné la clé dans la serrure et fait un pas dans le salon qu'il se figea soudain sur place. Le bras tendu, il fit signe à Andréa de rester derrière lui.

— C'est curieux. La lampe est éteinte, murmura-t-il. Je suis pourtant certain de l'avoir allumée avant de sortir.

Andréa sentit ses cheveux se dresser sur sa nuque.

— Peut-être qu'en venant préparer le lit pour la nuit, la femme de chambre l'a éteinte.

Brent ouvrit la porte en grand afin de faire pénétrer un peu de la lumière du couloir dans la pièce plongée dans la pénombre. Andréa écarquilla les yeux de terreur en découvrant le spectacle qui se trouvait devant eux. Le salon était dans une pagaille indescriptible. Comme si un boulet de canon avait explosé en plein milieu. Les meubles étaient renversés, les coussins du divan et des fauteuils éventrés et le rembourrage répandu dans toute la pièce. Les deux vases étaient cassés, et leur contenu abandonné à même la moquette trempée. Des livres jonchaient le sol, les couvertures tordues et les pages arrachées. Même le tiroir du petit secrétaire avait été retourné et jeté par terre.

— Descends vite à la réception et demande qu'on prévienne Jenkins immédiatement, dit calmement Brent.

Il sortit son arme de sa poche et avança d'un pas.

— Brent! N'entre pas ici tout seul! chuchota-t-elle, paniquée, en le retenant par le pan de sa veste. Il est peut-être encore là, tapi dans un coin, à t'attendre!

— J'ai un revolver. Vas-y. Fais ce que je t'ai dit.

— Non! Je n'irai nulle part sans toi!

A sa grande surprise, Andréa se mit à claquer des dents.

— J'ai peur! avoua-t-elle.

— Bon, comme tu voudras. Mais alors, reste dans le couloir, le temps que je vérifie qu'il n'y a personne.

Brent se hâta d'allumer la lampe qui illumina la pièce sans rien changer à la scène, mais lui confirma cependant que le coupable n'était pas caché dans un coin.

Il passa dans la chambre dont la porte était entrouverte et se fraya un chemin avec précaution au milieu des éclats de verre et des objets éparpillés en s'efforçant de faire le moins de bruit possible. Malgré ses recommandations, Andréa le suivit, le cœur dans la gorge et les jambes flageolantes.

La chambre était dans le même état désastreux. Ils constatèrent que les couvertures et les draps avaient été jetés à terre, le matelas et les oreillers lacérés à coups de couteau. Il y avait des plumes un peu partout, y compris sur leurs vêtements. Pas un seul tiroir n'avait été oublié et laissé intact. Même les poudres et les flacons de parfum avaient été balayés de la coiffeuse, brisés en mille morceaux et sauvagement piétinés.

Sans un mot, le visage tendu, Brent alla jeter un coup d'œil dans la salle de bains, bien qu'il ne s'attendît pas à y trouver quelqu'un. A son avis, le cambrioleur avait manifestement fait le maximum de dégâts possible, puis était reparti quand il n'était plus rien resté à démolir.

L'arme au poing, Brent vit Andréa sur le seuil de la chambre, ses yeux violets paraissant trop grands dans son visage blême. Une main sur la poitrine, elle se pencha lentement, comme en transe, pour ramasser un peigne à chignon écrasé sur le sol. Il allait lui dire de le laisser, de ne rien toucher avant que la police ait eu le temps de faire un constat, mais avant même qu'il ait pu ouvrir la bouche, un bruit métallique les fit sursauter tous les deux. Le bruit venait de la terrasse attenante à la chambre ! Il fut suivi quelques secondes plus tard par un cri étouffé et un craquement de bois.

— Baisse-toi ! siffla Brent entre ses dents tout en bondissant pour ouvrir en grand la porte du balcon.

A la même seconde, il y eut un nouveau craquement sinistre, un bruit de clous s'arrachant au bois à déchirer les tympans, accompagné presque immédiatement d'une lourde chute et d'un hurlement de douleur.

Ce qui venait de se passer n'était pas difficile à deviner. Andréa le comprit aussitôt.

— Arrêtez ou je tire ! entendit-elle Brent crier.

Puis le petit revolver cracha une brève détonation.

Andréa se précipita sur le balcon. Elle arriva juste à temps pour voir la silhouette sombre d'un homme qui s'enfuyait en boitant en direction de la rue.

— C'était Ralph, n'est-ce pas ? Tu l'as touché ?

— Ça m'étonnerait. Ce foutu revolver n'est fiable qu'à très faible distance, et il courait si vite quand j'ai tiré que la balle n'a pas dû le rattraper ! grogna Brent d'un ton amer.

— Tu l'as peut-être égratigné. En tout cas, il boitait salement.

— Il a dû se blesser à la jambe quand la treille a lâché. Ça fait tout de même une sacrée chute.

— Je le sais...

Andréa jeta un coup d'œil vers la treille aux fleurs ratatinées.

— J'aurais pu lui dire que ce treillage ne supporterait pas son poids. C'est à peine s'il a supporté le mien.

— Je m'en souviens. Je t'ai vue atterrir sur le derrière et j'ai bien cru que j'allais te rattraper, mais tu t'es relevée et tu as filé en courant avant que je sois arrivé assez près pour t'en empêcher.

— Exactement comme Ralph l'a fait ce soir. Car c'était bien lui, n'est-ce pas ?

— Oui. Il semble qu'il nous ait pris de vitesse. Tu avais raison quand tu disais que quelqu'un nous surveillait. Il nous a probablement suivis jusqu'à l'hôtel, s'est renseigné sur le numéro de notre chambre et a patiemment attendu qu'on descende dîner pour venir tout mettre à sac.

— Et chercher la rançon que j'étais censée lui remettre en échange de Stevie.

— Vu l'état de la suite, je pense qu'il a mis pas mal de temps avant de la trouver, répliqua Brent en soupirant lourdement.

— Oh, il a eu beau chercher, il ne l'a pas trouvée, l'informa Andréa d'un air assuré. Quand je cache quelque chose, je le cache bien.

Brent la regarda, littéralement suffoqué.

— Pourtant... il a tout retourné. Où l'as-tu mise ?

— Ici.

Andréa se tapa allégrement sur les fesses.

— Dans mes culottes. C'est l'endroit le plus sûr que j'ai trouvé, où personne à part toi n'oserait aller regarder !

Brent se mit à rire de si bon cœur qu'il finit par avoir un point de côté. Il s'appuya contre la rambarde du balcon, mais s'en écarta d'un bond aussitôt, brusquement calmé, en entendant le métal abîmé grincer de façon inquiétante.

— Viens, ma petite chérie à l'esprit retors, dit-il en l'enlaçant pour la faire passer devant lui. Il est temps d'aller annoncer cette nouvelle catastrophe à la direction. Je ne serais pas surpris qu'ils nous demandent poliment de partir, en nous considérant comme les deux oiseaux de malheur les plus redoutables qu'ils aient jamais vus.

26

— A New York ? répéta Brent, en gardant la tasse qu'il tenait à la main suspendue en l'air. Vous en êtes sûr ?

Jenkins hocha la tête.

— A moins de vouloir voguer jusqu'en Angleterre, Mutton devra débarquer à New York. C'est la seule escale que fait ce cargo entre ici et Londres.

— Vous êtes absolument certain que c'est lui qui est monté à bord ? demanda Andréa.

Elle repoussa son assiette, ayant subitement perdu tout appétit.

— Oui, madame. D'après votre description, ça ne peut être que lui, dit le détective en souriant. Qui d'autre serait arrivé en boitant, couvert de pétales écrasés et d'échardes, et aussi parfumé qu'un bouquet de fleurs ?

— Les choses semblent évoluer de façon intéressante, remarqua Brent. Cet homme s'aventure sur mon terrain. Je me demande s'il a conscience qu'il va se jeter tout droit dans la gueule du loup.

— C'est une ville gigantesque, Brent, souligna Andréa. Ne va pas t'imaginer qu'il sera plus facile de l'attraper là-bas.

— Peut-être pas, mais être familier du terrain est toujours un atout. En outre, j'ai travaillé à New York avec des dizaines d'avocats et de juges, sans parler des centaines de personnes que j'ai pu rencontrer au fil des années. Si nous faisons imprimer d'autres affiches et que nous les faisons circuler, il y a de fortes chances pour que quelqu'un parmi mes relations le repère quelque part en ville.

Andréa haussa les épaules.

— Sans doute, mais s'il a réussi à se cacher à Washington, je crains qu'il n'y arrive encore plus facilement à New York. Et qu'il ne disparaisse, englouti par cette marée humaine.

— Ce n'est pas aussi terrible que ça ! Contrairement à ce que les gens croient souvent, on ne vit pas entassés comme des sardines. En outre, je dois avouer que je ne serais pas mécontent de rentrer et de me remettre au travail. Papa est probablement en train de désespérer de me voir revenir un jour au bureau, pour que je me charge de tous les détails fastidieux dont lui et mes frères ont l'habitude de se décharger sur moi.

— Et Stevie ? lui rappela Andréa d'un air sombre.

Brent soupira.

— Je ne sais pas, Andréa. Franchement, je ne sais plus quoi faire.

Jenkins s'immisça tout à coup dans leur conversation.

— L'enfant est blond, n'est-ce pas ? A peu près aussi haut que le genou, avec de grands yeux bleus... et bondissant comme un bébé kangourou ?

Un bref sourire passa sur les lèvres d'Andréa.

— Je dois reconnaître que cette description lui convient parfaitement.

— Eh bien, alors, je crois que vos soucis sont terminés.

Il lui décocha un grand sourire en lui faisant signe de regarder derrière elle, vers la porte du restaurant de l'hôtel.

— Il y a une dame aux cheveux blancs, et à l'air complètement lessivé, qui vient vers nous. Et elle est tirée par un bambin qui ressemble comme deux gouttes d'eau à ce que je viens de vous décrire.

Andréa se figea sur son siège, n'osant encore espérer, ni même se retourner.

— Brent ? couina-t-elle d'une petite voix désemparée.

Brent avait déjà tourné la tête dans la direction indiquée par Jenkins. L'expression de surprise laissa place à un sourire rayonnant sur son visage.

— Tout va bien, ma chérie. C'est Maddy, et je présume que le petit singe qui sautille à côté d'elle n'est autre que Stevie.

Andréa se leva d'un bond. En poussant un hurlement de joie, elle tendit les bras à l'enfant qui lui sauta au cou, puis elle commença à le faire tournoyer dans un tourbillon à donner le vertige tout en pleurant de joie.

— Anda ! s'écria l'enfant, ravi.

Lorsqu'elle le reposa enfin, sans pour autant relâcher son étreinte, il posa ses petites mains sur ses joues.

— Sois pas triste, Anda. Stevie t'aime.

A ces mots, Andréa se mit à pleurer de plus belle, mais elle réussit à parler entre ses larmes.

— Je ne suis pas triste, Stevie. Je pleure parce que je suis heureuse de te revoir, et parce que je t'aime, moi aussi, petit bonhomme. Je t'aime beaucoup, énormément! Et tu m'as affreusement manqué.

— Toi aussi, tu m'as manqué, dit le petit garçon en se renfrognant tout à coup. J'aime pas Walph.

— Moi non plus, je n'aime pas Ralph. Mais ne t'en fais pas. Tu ne seras plus jamais obligé d'habiter avec lui. Tu vas venir vivre à New York avec moi et Brent. Ça te plaît?

— Non! déclara l'enfant en faisant la moue.

Andréa le regarda, l'air affolé.

Maddy éclata de rire.

— Ne faites pas attention, Andréa. C'est le mot préféré de Stevie, parmi quelques autres termes plus crus qu'il a sans doute appris auprès de Ralph. Je suppose que ce n'est qu'une passade, bien que ce soit fort ennuyeux. Il ne nous reste plus qu'à espérer que son vocabulaire s'améliorera rapidement.

— Oh, Maddy! Je n'ai jamais été aussi heureuse de ma vie de voir quelqu'un que de vous voir vous et Stevie aujourd'hui! Merci!

— Remerciez plutôt Ken. Il sera là bientôt, dès qu'il aura récupéré nos bagages et votre satanée chatte. Je suis seulement venue l'accompagner, et aussi parce que Stevie n'a pas l'air de trop apprécier les hommes pour l'instant. Ce dont je ne le blâme pas, après ce séjour avec Ralph, mais il va sûrement falloir un peu de temps avant qu'il s'habitue à l'idée de vous partager avec Brent… et vice versa.

— Oh, Stevie va sûrement adorer Brent, dit Andréa en faisant sauter l'enfant sur sa hanche. N'est-ce pas, petite citrouille?

— Non! répondit-il du même ton belliqueux.

Andréa haussa les sourcils.

— Eh bien, je vais vous présenter, et tu vas voir comme il est gentil, proposa-t-elle avec un sourire plein d'espoir. Il va être ton nouveau papa.

— Non!

Maddy secoua la tête.

— A votre place, ma chère, je me constituerais une petite réserve de poudre contre le mal de tête.

288

Andréa n'arrivait pas encore à croire que Stevie était à nouveau avec elle. Mais il était là, dans ses bras, accroché à elle comme une sangsue, refusant d'approcher qui que ce soit, et tout spécialement les hommes. Dès qu'il avait vu Brent, il s'était mis à hurler. Et ce ne fut que lorsque Andréa lui commanda une énorme glace qu'il accepta de se taire et de laisser Ken et Maddy leur raconter comment il s'était perdu et avait été retrouvé.

— Une fermière l'a découvert en train d'errer sur le marché, blessé et en larmes, commença Ken. Il avait une grosse bosse sur la tête, qu'il a dû se faire en tombant de la roue de la charrette. Naturellement, elle n'a pas pu tirer beaucoup de renseignements d'un petit garçon de deux ans, mais elle a essayé de savoir si l'un des enfants des commerçants ne s'était pas égaré. Elle n'a évidemment trouvé personne et, malheureusement, aucun de nos hommes n'est passé l'interroger à ce moment-là. Nous nous sommes probablement tous croisés dans la foule. Stevie a fini par s'endormir à l'arrière de son chariot. Quand la dame a eu terminé de remballer toutes ses marchandises, il était déjà tard et il menaçait de pleuvoir. Elle était pressée de regagner sa ferme, de peur d'être surprise par l'orage, alors, plutôt que d'emmener Stevie à la police, ou de le déposer dans une église ou dans un orphelinat, elle l'a emmené avec elle.

Prenant le relais, Maddy raconta la suite de l'histoire.

— Et il est resté là, pendant toute une semaine, jusqu'à ce que la dame revienne en ville ce matin pour le marché. Là, dès qu'elle a vu une affiche, elle nous a prévenus. Et, au lieu de vous télégraphier la bonne nouvelle, nous avons décidé de sauter dans le premier train pour vous faire la surprise.

— C'est un véritable miracle, murmura doucement Andréa, les yeux noyés de larmes, en regardant l'enfant assis sur ses genoux.

— J'aimerais envoyer une récompense à cette dame,

dit Brent. Dieu sait que les gens corrects comme elle ne courent pas les rues.

— Oh, nous nous en sommes déjà occupés, lui assura Maddy. Nous lui avons donné cent dollars, et il a pratiquement fallu la forcer à les accepter. Elle nous a dit que, ayant elle-même deux enfants, elle imaginait très bien combien ce devait être horrible d'en perdre un, ne serait-ce que temporairement. Et elle s'est inquiétée du mal qu'elle avait dû causer à Andréa en ayant gardé Stevie chez elle une semaine entière.

— Eh bien, maintenant, il est là, et je ne vais plus le quitter des yeux une seule seconde! s'exclama Andréa.

— Oh, je crois qu'il serait bon que tu le lâches un peu d'ici quelques années... pour qu'il puisse aller à l'école, plaisanta Brent.

— J'y réfléchirai, promit-elle. Mais pour l'instant, tout ce que je veux, c'est le tenir serré dans mes bras.

New York offrait un kaléidoscope de scènes, de sons et d'odeurs étourdissants. L'immeuble dans lequel Brent avait son appartement était situé un peu à l'écart du centre toujours animé, non loin de Central Park, ce qui garantissait une délicieuse sensation de paix à ses heureux locataires. Autre avantage, il se trouvait à trois bons kilomètres de la maison de ses parents, elle-même située au sud de Gramercy Park.

L'appartement était beaucoup plus vaste qu'Andréa ne s'y était attendue, avec un balcon et une vue magnifique sur le parc. De plus, il comportait deux niveaux. A l'étage inférieur, il y avait une cuisine, une salle à manger, un salon et un petit bureau, où Brent avait installé une table et une bibliothèque. Et à l'étage supérieur, quatre chambres, deux de chaque côté du palier, séparées elles-mêmes par une salle de bains. Une de ces chambres était celle de Brent, qu'il partagerait désormais avec Andréa. Une autre était réservée aux amis ou aux invités. Quant aux deux restantes, elles n'étaient pas encore meublées.

— Pourquoi prendre un si grand appartement quand

on est célibataire? demanda Andréa, intriguée. Je le trouve superbe, bien entendu, et nous aurons plein de place maintenant que Stevie va vivre avec nous, mais pour toi tout seul, tu aurais quand même pu trouver quelque chose de plus petit, et de moins cher.

Brent haussa les sourcils en prenant un air de diable lubrique.

— Il fallait bien ça pour toutes les parties de jambes en l'air que mes amis et moi organisions le week-end, lui dit-il, parvenant avec difficulté à garder son sérieux.

Elle se leva et le considéra d'un air perplexe, ne sachant pas exactement si elle devait ou non le croire.

Devant son expression ahurie, Brent capitula.

— Je disais cela pour rire. Alors, arrête de me regarder comme si j'avais deux têtes et une queue. Je n'ai jamais participé à aucune orgie, et à plus forte raison n'en ai organisé.

Andréa lui jeta un regard exaspéré.

— Et comme le saurais-je? Nous ne nous connaissons que depuis quelques semaines. Je sais encore relativement peu de choses sur toi. A propos, pourrais-tu me dire ce qu'est une orgie?

— Je t'expliquerai ça une autre fois, si tu veux bien. Tu voulais savoir pourquoi j'ai pris cet appartement? Eh bien, je l'ai d'abord loué à cause de la vue et de l'emplacement, et comme tous les appartements de cet immeuble ont quatre chambres, je n'ai pas eu le choix. J'aurais évidemment pu demander à un ami d'emménager avec moi pour partager le loyer, mais après avoir été élevé avec trois frères et une sœur, j'avais très envie d'avoir un endroit à moi tout seul.

— Tout de même, étant donné que deux de tes frères sont mariés et que Dan est à l'université, il devait y avoir suffisamment de place chez tes parents. Pourquoi n'y es-tu pas resté?

Il grimaça un sourire.

— Si tu étais à ma place, aurais-tu vécu avec ma mère plus longtemps que nécessaire?

— Là, tu marques un point, concéda-t-elle en hochant sagement la tête.

Pour l'instant, la tâche de retrouver Ralph avait été confiée entièrement à Ken. Cette tâche s'annonçait d'ailleurs difficile, voire impossible, dans une ville de la taille de New York. D'un autre côté, Ralph aurait du mal à les retrouver, eux et Stevie, ce que Brent s'empressa de faire remarquer à Andréa pour la rassurer. Aussi pouvaient-ils s'installer tranquillement tous les trois dans leur nouvelle vie de famille.

Après quelques jours passés à montrer le quartier à Andréa, à lui indiquer les meilleurs magasins et à lui présenter les domestiques qui venaient chaque jour faire le ménage et la cuisine, Brent retourna travailler au cabinet d'avocats. Maddy venait souvent leur rendre visite, mais elle avait insisté pour descendre dans un hôtel à proximité, de manière à leur laisser du temps pour être seuls tous les deux. Responsable désormais de son propre foyer, Andréa se jeta à corps perdu dans son rôle de mère et d'épouse.

Elle adorait s'occuper de Stevie, l'emmener faire des promenades au parc, lui faire la lecture et jouer avec lui. Il était tellement mignon, avec ses cheveux blond clair, ses yeux bleu vif et sa curiosité inépuisable d'enfant de deux ans! Le peu de temps pendant lequel il avait été loin d'elle, il avait beaucoup grandi et beaucoup appris. Cependant, les habitudes qu'il avait prises au contact de Ralph plongeaient Andréa dans un total désarroi. Stevie connaissait une quantité impressionnante de jurons, et, bizarrement, il avait nettement moins de mal à prononcer les gros mots que n'importe quel autre mot de son vocabulaire encore limité. La première fois qu'il la traita de salope, Andréa faillit défaillir.

— Stevie, c'est un très vilain mot, et il ne faut plus le dire! Je ne veux plus jamais t'entendre m'appeler comme ça, moi ou qui que ce soit.

— C'est comme ça que Walph t'appelle, rétorqua Stevie avec de grands yeux innocents.

— Ça ne m'étonne pas de lui! grommela Andréa. Ralph a tort de parler ainsi. Je suis maintenant ta mère. Si tu veux, tu peux m'appeler maman, ou Anda, mais rien d'autre.

Stevie secoua sa tête blonde.

— Non, je veux t'appeler mon ange, comme Bwent !

L'expression mécontente d'Andréa s'évanouit d'un seul coup pour laisser place à un sourire attendri.

— D'accord, tu peux m'appeler mon ange, comme Brent.

Mais la terminologie imagée de Stevie était loin de s'arrêter là, ce qui valut à Andréa et à son mari quelques discussions enflammées au sujet de la meilleure méthode à adopter pour qu'il se corrige.

— Si on l'ignore simplement, sans avoir l'air choqué ni faire toute une histoire quand il jure, peut-être qu'il arrêtera, suggéra-t-elle avec optimisme.

— J'en doute, répliqua Brent d'un ton sceptique. D'ailleurs, s'il refuse d'écouter, après qu'on lui a dit plusieurs fois de ne pas répéter tel ou tel mot, une bonne petite fessée ne lui ferait pas de mal.

— Ça me fait trop penser à ce que ferait Ralph, et tu sais ce que Stevie pense des hommes depuis que ce monstre s'est occupé de lui. Il commence tout juste à t'accepter... Tu ne vas pas tout gâcher en lui bottant les fesses.

— Mais toi, tu peux le faire. Même à cet âge, un enfant a besoin de savoir ce qui est acceptable et ce qui ne l'est pas. D'apprendre qu'il y a des règles à respecter. Je sais qu'il a passé un moment pénible avec Ralph, mais ce n'est pas une raison pour lui laisser faire n'importe quoi.

— Alors, je ferais peut-être bien de vous faire mettre en rang et de vous donner la fessée à tous les deux. Aujourd'hui, Stevie a traité Maddy de vieille chouette, et ça, je suis persuadée que c'est dans ta bouche qu'il l'a entendu !

Stevie avait également acquis la fâcheuse habitude de mordre, qu'il exerçait allégrement sur les autres enfants, ou sur la chatte, quand il arrivait par chance à l'attraper. Le clan Sinclair était réuni au grand complet chez les parents de Brent pour le dîner rituel du dimanche soir lorsque Shelly, la petite fille de trois ans de Sheila et d'Arnie, se mit à pousser des hurlements à percer les tympans. Immédiatement, tout le monde se précipita pour voir ce qui se passait.

— Il m'a mordue! pleurnicha la petite fille en pointant un doigt accusateur sur Stevie qui la regardait d'un air furibond, son agneau en peluche serré contre sa poitrine. Stevie m'a mordue!

Elle tendit le bras pour montrer sa menotte sur laquelle il y avait une rangée de petites marques rouges.

Sheila se pencha sur sa fille afin de la consoler.

— Ecoute, ma chérie, je sais que ça fait mal, mais ce n'est pas mortel. Regarde, ça n'a même pas saigné.

Sérieusement embarrassée par le comportement odieux de Stevie, et très fâchée contre lui, Andréa fit un effort pour ne pas se mettre en colère. Le plus calmement possible, elle s'agenouilla devant Stevie, lui retira le pouce de la bouche et s'adressa à lui très gentiment.

— Pourquoi as-tu mordu Shelly? C'est très méchant.

— Elle m'a pris mon agneau! répondit-il avec une moue désolée.

— Oh, je vois...

Depuis que Stevie avait retrouvé sa peluche, il la traînait partout avec lui, comme s'il avait peur de la voir disparaître s'il s'en séparait une seule seconde. Le simple fait de la poser, ne serait-ce que le temps de s'habiller ou de prendre un bain, était pour lui un exploit et donnait généralement lieu à des crises épouvantables.

— Stevie, je sais que tu aimes beaucoup ton petit agneau, mais tu ne peux pas continuer à mordre les enfants chaque fois qu'ils veulent jouer avec lui. Il faut que tu apprennes à prêter tes jouets.

L'enfant releva la tête et lui jeta un regard scandalisé.

— Non! C'est *mon* agneau!

Brent vint s'accroupir près d'Andréa.

— Et si j'essayais de lui parler, cette fois? proposat-il en la repoussant légèrement.

Malgré les réticences du petit garçon, Brent le hissa sur ses genoux. Les yeux dans les yeux, ils se regardèrent fixement.

— Stevie, tu sais ce que ma mère me faisait quand je mordais les gens ? Elle me mordait à son tour pour me montrer comme ça fait mal.

Stevie écarquilla de grands yeux tout ronds.

— Mais je ne vais pas te mordre, parce que mordre n'est pas gentil, et que personne ne doit faire ça à quelqu'un d'autre, reprit Brent. Par contre, si tu recommences, je prendrai un gros morceau de savon et je te frotterai la bouche avec. Tu sais quel goût affreux a le savon ?

L'air grave, Stevie acquiesça.

— Beurk, c'est dégueulasse !

Derrière lui, Brent entendit quelques exclamations outrées. Il soupira.

— Stevie, tu viens encore de dire un gros mot, et ça non plus, ce n'est pas bien. On va finir par te savonner la bouche, si tu continues.

Les mâchoires serrées, les lèvres pincées, l'enfant secoua lentement la tête.

— Alors, tu ferais mieux de te conduire correctement, fiston. C'est compris ?

Stevie réfléchit une minute avant de hocher la tête, sans grande conviction.

— Très bien. Et maintenant, va demander pardon à Shelly. Dis-lui que tu regrettes de l'avoir mordue.

Le visage tout chiffonné, comme si le fait de s'excuser était pour lui une douleur atroce, Stevie obtempéra.

— Pardon, Shelly. J'te mordrai plus, marmonna-t-il.

Pour le récompenser, Brent le serra très fort dans ses bras.

— Ah, voilà un bon garçon ! A présent, une dernière chose. Puisque tu as fait pleurer Shelly, tu devrais lui prêter un peu ton agneau pour la consoler.

— Non ! s'écria-t-il aussitôt du même air têtu.

— Si, insista Brent. Rien qu'une minute. Ensuite, elle te le rendra. Tu as ma parole.

Stevie serra son jouet, les yeux tout larmoyants et le menton tremblant.

— Promis ? demanda-t-il avec méfiance.

Brent hocha la tête d'un air très solennel.

— Juré.

Stevie le toisa un instant, cherchant à juger s'il disait vrai. Soudain, un grand sourire illumina son adorable frimousse et une fossette apparut au creux de sa joue.

— Si tu mens, mon ange te savonnera la bouche ! claironna-t-il.

27

Andréa était d'humeur morose. Aidée et conseillée par Maddy, elle avait entrepris de redécorer l'appartement. Cette tâche lui prenait une grande partie de son temps, et elle consacrait le reste à s'occuper de Stevie. Elle s'était attendue que la femme de ménage et la cuisinière fassent correctement leur travail, mais ça ne se passait pas très bien.

— Je suis obligée de repasser derrière cette fille pour nettoyer ce qu'elle a oublié, se plaignit-elle à Brent.

— Je n'avais pas remarqué qu'elle était si négligente que ça. Peut-être es-tu trop perfectionniste.

— Peut-être es-tu aussi cochon qu'elle, contra Andréa.

— Si tu n'es pas satisfaite de ses services, trouve quelqu'un d'autre qui réponde mieux à tes exigences.

— C'est sans doute ce que je vais faire, et je vais en profiter pour remplacer la cuisinière pendant que j'y suis.

— Alors, là, je suis d'accord avec toi, concéda Brent. Elle a la main un peu lourde sur le sel, non ?

Andréa approuva.

— Quand elle ne fait pas bouillir la viande au point qu'elle soit aussi dure qu'une semelle.

— Tu sais, on devrait peut-être aussi engager une nounou, suggéra Brent.

Andréa le regarda fixement, comme s'il venait de lui demander de se couper le bout de l'oreille.

— Non, répliqua-t-elle d'un ton catégorique. C'est à

moi de m'occuper de Stevie. Il a besoin de moi. Il me fait confiance. Et il ne se sent pas encore suffisamment en sécurité pour qu'on le confie à une étrangère.

Brent poussa un soupir.

— Je sais bien, Andréa, mais sois raisonnable. Tu vas finir par t'épuiser à force de t'occuper de lui jour et nuit. Et puis, pour être honnête, que tu fasses un peu plus attention à moi ne me déplairait pas. J'aimerais pouvoir t'emmener danser, au restaurant et au théâtre une fois de temps en temps. Ou tout simplement inviter des amis ou des clients à venir passer une soirée à la maison. Mais en ce moment, quand je rentre du bureau, je te trouve dans un tel état de fatigue que tu as du mal à garder les yeux ouverts.

— Pas de nounou, répéta Andréa avec fermeté, une lueur menaçante dans le regard. Du moins, pas pour l'instant.

— Très bien. Comme tu voudras. Quand tu te seras décidée à admettre que tu as besoin d'aide, tu n'auras qu'à me prévenir.

— Inutile de prendre ce ton-là avec moi, Brent. D'ailleurs, je serais plus disposée à prendre ta proposition en considération si tu n'étais pas si têtu et si tu autorisais Stevie à venir dans notre lit de temps en temps, surtout quand il fait ses horribles cauchemars.

Brent secoua la tête.

— Non, Andréa, c'est une très mauvaise habitude. Il a une chambre à lui, avec un lit à lui, et c'est là qu'il doit dormir.

— Mais tu sais bien qu'il lui arrive d'avoir peur.

— Laisse une lumière allumée, si ça peut le rassurer.

Elle lui jeta un regard noir.

— Tu n'es qu'une brute sans cœur !

— Non, juste un mari amoureux qui veut sa femme pour lui tout seul la nuit. Et Stevie est encore un peu jeune pour être initié à ce que les mamans et les papas font sous les draps, tu ne penses pas ?

— Nous ne ferions pas ça devant lui, argua-t-elle.

— C'est justement la raison, mon amour. Le débat est clos.

Deux jours plus tard, alors que Brent était au bureau, deux livreurs apportèrent une énorme caisse à l'appartement. Ils la déballèrent et, à la surprise ravie d'Andréa, en sortirent une machine à coudre Singer du dernier modèle.

— Oh, il s'en est souvenu! s'extasia-t-elle. Quel homme gentil et attentionné!

Maddy, qui était passée la voir, ne se priva pas de faire un commentaire un peu acerbe.

— J'espère que c'est bien à votre mari que vous faites allusion, ce mari à qui vous n'avez pas adressé un seul mot aimable depuis des jours et des jours.

Andréa lui fit la grâce de reconnaître qu'elle avait raison.

— Je me comporte comme une mégère ces temps-ci.

— C'est le moins qu'on puisse dire, ma chère.

— Je sais. Seulement, nous avons un avis différent sur la manière d'élever Stevie. Brent prétend que je lui cède tout, mais, après ce qu'il a enduré, je n'ai pas le cœur à me montrer trop sévère avec lui. Il a besoin de tendresse, pas de punitions cruelles; c'est ce que Brent appelle «discipline» ou «principes d'éducation». Il n'y a pas pire que les avocats pour tordre les mots et leur donner le sens qui les arrange.

— Et où est ce petit voyou? Je veux parler de Stevie. Il règne ici un calme inhabituel.

— Oh, il fait sa sieste, Dieu merci! Il a eu une matinée bien remplie. Après avoir éclaboussé les murs de la cuisine et tous ses vêtements de porridge, et m'avoir fait un bras d'honneur quand j'ai dû le relaver, il a insisté pour s'habiller tout seul. Ce qui l'a occupé un bon moment. Mais, bien entendu, il a égaré une de ses chaussures. Et, curieusement, j'ai retrouvé ma brosse à cheveux pleine de poils de chat quand j'ai voulu me coiffer. A propos, je crois bien que Precious est encore cachée sous le canapé.

— Cette chatte est futée, marmonna Maddy. J'en

ferais autant, si je le pouvais. Visiblement, on ne les appelle pas *les deux terreurs* pour rien.

Andréa préféra ignorer cette dernière remarque et changea de sujet.

— Voulez-vous venir faire des courses avec moi, quand Stevie sera réveillé? Maintenant que j'ai une machine à coudre, je suis impatiente de m'en servir. Je pensais acheter du tissu pour me faire une nouvelle robe, et peut-être une ou deux tenues à Stevie, si jamais je trouve un modèle.

— Et que devient Brent dans tout ça? Je vous rappelle que c'est tout de même grâce à lui que vous êtes ici aujourd'hui.

— Faites-moi penser à rapporter quelques métrages de beau linon. Je lui ferai une ou deux chemises.

— Pardonnez-moi, ma chère, mais je doute que ce soit exactement ce à quoi il s'attende en récompense de sa générosité.

— Alors, j'achèterai un rôti et je lui préparerai un bon petit dîner.

Maddy secoua la tête.

— Contrairement à ce que vous avez pu entendre dire ici et là, déclara la vieille dame avec malice, le meilleur moyen pour atteindre le cœur d'un homme ne passe pas par son estomac. Visez légèrement plus bas sur sa virile anatomie, et vous aurez toutes les chances de mettre dans le mille!

Aux premières lueurs de l'aube, Stevie fit un nouveau cauchemar et se réveilla en pleurant. D'ordinaire, c'était Andréa qui se levait et allait le consoler, mais elle était si exténuée qu'elle ne bougea même pas lorsque Brent se leva pour aller rassurer le petit garçon.

— Stevie? Qu'est-ce qu'il y a, fiston? Tu as fait un vilain rêve? lui demanda-t-il gentiment en s'asseyant au bord du lit.

Il tendit la main pour lui caresser les cheveux.

Instinctivement, Stevie se recula.

— Anda! sanglota-t-il. Je veux Anda!

— Andréa dort, expliqua Brent avec douceur. Mais si tu veux, tu peux venir faire un câlin sur mes genoux.

Stevie hésita de longues secondes. Puis, toujours en sanglots, il se jeta dans les bras de Brent.

— Berce-moi ! dit-il entre deux hoquets. J'ai peur !

— Tu veux que je te berce ? Pas de problème, dit Brent avec un grand sourire. Y a-t-il autre chose que je doive faire ?

— Anda me chante une chanson.

Brent fit une grimace.

— Sa voix est beaucoup plus jolie que la mienne. Moi, je chante comme un crapaud. Et si je te racontais une histoire ?

Stevie hocha la tête et appuya sa joue mouillée de larmes contre le torse poilu de Brent.

— Il était une fois un petit garçon qui était de la même taille que toi. Il s'appelait Stevie, lui aussi, et bien qu'il soit très courageux, il avait très peur d'une chose : d'un grand méchant géant qui habitait juste de l'autre côté de la colline. Ce géant s'appelait Ralph.

Stevie frissonna, et Brent le serra plus fort en posant son menton sur sa tête blonde.

— Un jour, le géant enleva Stevie et l'emporta chez lui. Stevie resta longtemps avec lui, mais il réussit finalement à lui échapper et revint vivre avec sa maman et son nouveau papa. Ce petit garçon avait des tas de beaux jouets, et une petite chatte pour lui tenir compagnie, mais il avait encore très peur que le géant le retrouve et revienne le chercher. Alors, son papa, qui était très fort et très malin, promit à Stevie de le protéger. Et il lui dit que si le méchant Ralph revenait traîner dans les parages, il l'assommerait d'un gros coup de poing.

— C'est vrai ? demanda le petit garçon d'une voix ensommeillée.

— Oui, et alors, le papa donna à Stevie une patte de lapin pour lui porter bonheur, car tout le monde sait que les pattes de lapin empêchent les géants d'approcher. Et Stevie n'eut plus jamais peur du méchant Ralph.

— Mais… mais j'ai pas de patte de lapin, moi, dit l'enfant d'un air malheureux.

— Mais moi, j'en ai une, et je vais te la donner. Mets-toi vite sous les couvertures pendant que je vais la chercher.

Il déposa l'enfant sur le lit et le borda soigneusement.

— Je reviens tout de suite, promit-il.

Quelques secondes plus tard, Brent glissa la patte de lapin dans la petite main de Stevie.

— Demain, nous l'accrocherons au bout d'une chaîne, pour que tu puisses la porter autour du cou et l'avoir toujours sur toi.

Puis il se pencha pour l'embrasser tendrement sur le front.

— Maintenant, rendors-toi vite, et n'aie plus peur. Je suis là pour te défendre, Stevie. C'est promis.

Le petit garçon sourit, puis bâilla à se décrocher la mâchoire, déjà à moitié endormi. Brent sortit sur la pointe des pieds quand, arrivé sur le seuil, il entendit Stevie l'appeler.

— Bwent… J't'aime bien, tu sais.

— Moi aussi, je t'aime, dit Brent, les yeux soudain emplis de larmes. Fais de beaux rêves, fiston.

Ce qu'Andréa redoutait plus que tout au monde arriva au moment où elle s'y attendait le moins. Un après-midi, elle revenait du parc avec Stevie lorsqu'elle aperçut un homme qui ressemblait à Ralph. Bien qu'il fût à une certaine distance, et qu'il eût disparu avant même qu'elle ait pu s'assurer qu'il s'agissait bien de lui, une profonde angoisse l'assaillit à nouveau. Elle courut jusqu'à l'appartement, verrouilla toutes les portes et passa le reste de la journée à vérifier où était Stevie toutes les cinq minutes. Quand Brent rentra du bureau, elle était dans tous ses états.

— J'espérais pourtant qu'on n'entendrait plus jamais parler de lui, grogna Brent, exaspéré. D'ailleurs, ce n'était peut-être pas Ralph, mais seulement quelqu'un qui lui ressemblait. Je ne vois pas comment il aurait pu nous retrouver aussi vite, alors que la police, l'agence Pinkerton et tous les gens que je connais le recherchent en vain depuis un mois. Ça ne tient pas debout.

— Quoi qu'il en soit, il m'a fait une peur bleue, et je ne serai pas tranquille tant qu'il sera en liberté, confessa Andréa en tremblant. Bêtement, j'ai relâché ma vigilance, et cela aurait pu nous coûter très cher. Quand je pense que je me suis promenée en ville sans penser une seconde à la sécurité de Stevie, que je n'ai pas hésité à faire des courses dans les magasins avec Maddy, à jouer avec Stevie dans le parc, à aller et venir comme si de rien n'était... Si c'est Ralph que j'ai vu, il aurait très bien pu enlever Stevie n'importe quand, et s'évanouir dans la nature avant que je puisse appeler à l'aide.

Brent prévint la police, et Ken posta des hommes devant l'immeuble pendant plus d'une semaine, sans aucun résultat. Parmi les commerçants du quartier, qui avaient promis de signaler toute personne leur paraissant suspecte, aucun n'avait aperçu Ralph ou qui que ce soit lui ressemblant.

Néanmoins, le mal était fait. Et Andréa recommença à vivre dans la terreur. Elle avait peur de sortir de la maison, de laisser Stevie seul une seconde, de répondre à la porte quand on sonnait, et refusa même de se rendre chez les parents Sinclair pour le dîner rituel du dimanche soir. Elle vivait dans la réclusion la plus complète, condamnant Stevie à en faire autant, de crainte que l'enfant ne retombe aux mains de Ralph, si prudente fût-elle.

— Tu ne peux pas continuer à vivre ainsi, lui dit Brent. Ce n'est pas sain, psychiquement aussi bien que physiquement, pour toi comme pour Stevie. Tu ne vas pas te cacher comme une ermite le restant de ta vie, ni garder Stevie enfermé comme un animal en cage. Il a besoin de soleil et d'air frais, de courir, de jouer et de dépenser un peu de son inépuisable énergie.

— Ce dont il a besoin, c'est d'être en sécurité, répliqua-t-elle avec obstination.

— Ce dont il a besoin, c'est de vivre comme un

enfant normal, répliqua Brent. D'avoir une mère qui se comporte de manière raisonnable, et qui ne l'affole pas au moment où il commençait justement à dominer sa peur. Bon sang, Andréa, qu'est-ce qui t'arrive ? Où est passée la femme intrépide que j'admirais tant lorsque nous nous sommes rencontrés ? La téméraire Andréa qui n'aurait pas hésité à cracher à la face du diable ? Qui rassemblait une rançon phénoménale pour un enfant au péril de sa vie et défiait quiconque osait se mettre en travers de son chemin ? Cette femme tenace et courageuse qui a traqué Ralph dans plusieurs Etats d'Amérique ?

— Ça, c'était avant que Stevie ne soit de retour. Je ne veux pas prendre le risque de le perdre une seconde fois. C'est arrivé une fois, et je ne veux plus jamais revivre pareil cauchemar.

Brent se passa la main dans les cheveux, l'air exaspéré, et la regarda droit dans les yeux.

— Que faut-il donc que je fasse pour te sortir de cette prison dans laquelle tu t'es toi-même enfermée ?

Andréa leva vers lui un regard las et rempli de crainte.

— Attrape Ralph Mutton. Une bonne fois pour toutes.

Deux semaines plus tard, Brent et Andréa étaient au lit, en train de discuter de leur dernier plan pour faire arrêter Ralph.

— Revoyons une dernière fois tout en détail, juste pour vérifier que nous n'avons rien oublié, proposa Brent. L'annonce de notre prochain voyage a paru dans le journal d'aujourd'hui, ce qui laisse amplement le temps à Ralph de venir jusqu'ici, même s'il doit sauter pour cela dans un train. Les invitations sont parties, et tout est prêt pour la réception que nous donnerons demain soir : le buffet, les boissons, et tous les hommes de Ken déguisés en majordomes ou en serveurs. Stevie est en sécurité chez Bob et Caro. La rançon est cachée dans un endroit commode, afin que nous puissions vite la fourrer dans la poche de Ralph dès qu'on l'aura attrapé. Je crois que tout a été prévu, ma chérie. Nous sommes prêts à l'accueillir.

— J'espère que ton piège va marcher, rétorqua Andréa avec nervosité. Au début, ça me semblait une bonne idée, mais je ne peux pas m'empêcher de repenser à toutes les fois où les choses ont mal tourné. Nous n'avons rien oublié d'important ?

— Je ne vois vraiment pas quoi. Nous avons fait tout ce qu'il fallait, à part envoyer un carton d'invitation à Ralph pour le convier à la fête.

— Si j'avais su où l'envoyer, je ne me serais pas privée de le faire, remarqua Andréa. Et si Ralph n'était plus à New York ? Si la police avait raison de penser qu'il a fui la ville pour retourner à Washington ?

— C'est pour ça que nous avons fait publier l'article dans les principaux journaux distribués entre New York et Washington, pour l'attirer dans nos filets, au cas où il serait parti. Ralph est trop cupide pour ne pas vouloir tenter de récupérer la rançon. Rappelle-toi comment il a tout démoli dans notre chambre d'hôtel à Philadelphie en espérant mettre la main dessus. Si Ralph est retourné à Washington, c'est uniquement parce qu'il croit t'y trouver, avec Stevie et l'argent.

Tout à coup, Andréa écarquilla les yeux.

— Oh, Brent ! Heureusement que Maddy est à New York avec nous ! Je préfère ne pas penser à ce qui pourrait arriver si elle rentrait chez elle et que Ralph se mette en tête de la faire parler pour découvrir où nous sommes ! Ma foi, ce serait bien son style de la prendre en otage pour nous forcer à lui remettre la rançon.

— J'y ai pensé également, ce qui est une raison de plus pour ne pas abandonner tant qu'il n'aura pas été arrêté. Nous n'allons pas vivre toute notre vie sur des charbons ardents, en redoutant de le voir surgir n'importe quand et n'importe où, au moment où nous nous y attendrons le moins ! Le mieux, c'est de faire ce que nous avons prévu : lui tendre un piège soigneusement préparé en ayant tous les avantages de notre côté.

— Et si Ralph ne lit pas le journal ? Imagine que nous ayons fait tout ceci pour rien ?

— Eh bien, il nous faudra trouver autre chose. Toutefois, il y a de fortes chances pour que Ralph ait déjà mordu à l'hameçon. N'oublie pas que nous avons payé un supplément pour que l'article paraisse en première page, au lieu d'être relégué à la rubrique mondaine. Et que nous avons fourni à Ralph toutes les informations que nous estimions nécessaires.

Andréa s'empara de l'édition matinale du journal qui était posé sur le lit et relut pour la dixième fois l'article qu'elle connaissait maintenant par cœur. A côté d'un bref compte rendu de leur mariage, il y avait une photo d'elle et de Brent, posant devant leur immeuble en compagnie de Stevie. Ce n'était pas un hasard si le numéro au-dessus de la porte était aussi clairement visible, bien que Ralph ne pût soupçonner que ce fût délibéré. Dans le corps de l'article, on mentionnait l'endroit où se trouvait l'immeuble, ainsi que la vue spectaculaire dont ils jouissaient sur Central Park. Si Ralph voulait les retrouver, il avait là tous les indices nécessaires.

L'article était rédigé ainsi :

Les jeunes mariés partiront en voyage de noces pour l'Europe, juste après la grande réception qu'ils donneront chez eux samedi soir pour célébrer leur union. Bien que très sélective, la liste des invités comporte plusieurs noms de personnalités, en dehors des amis proches et des membres de la famille, et l'on murmure que le président et Mrs. Grant pourraient même faire une brève apparition afin de présenter leurs vœux de bonheur au jeune couple. Il semble que Mr. Sinclair et sa nouvelle épouse soient au faîte de la réussite et, lorsqu'ils rentreront à New York dans quelques mois, nul doute que leur présence sera très recherchée dans les soirées mondaines les plus huppées.

— En supposant que Ralph lise l'article, il saura que son temps est limité, reprit Brent. Et s'il tient à mettre la main sur la rançon, il lui faudra agir avant notre départ. Il se dira vraisemblablement que nous comptons dépenser l'argent pendant notre lune de miel, argent qu'il considère comme étant à lui. Il doit être fou de rage. Et il le serait plus encore s'il savait que tout cela n'est qu'une superbe ruse et que nous n'avons aucune intention de partir en voyage !

— Et s'il venait ce soir, au lieu de demain soir ? demanda Andréa en frissonnant. Notre plan repose entièrement sur cette soirée, en supposant que Ralph tente quelque chose pendant que nous serons pris par nos invités, ou juste après, avant de partir pour notre soi-disant voyage de noces.

— Quoi qu'il arrive, les hommes de Ken seront postés tout autour de chez nous, de l'autre côté de la rue, dans le parc, devant la porte de service et dans la ruelle qui longe l'immeuble. Ils ont même loué l'appartement du troisième étage et surveilleront la rue depuis les fenêtres et le toit, ce soir et demain. Si Ralph s'aventure ce soir par ici, la soirée de demain sera alors une fête carrément splendide.

— En tout cas, nous n'avons pas à nous inquiéter pour Stevie. Fais-moi penser à remercier Bob et Caro d'avoir accepté de le prendre chez eux.

— Quand je leur ai expliqué la situation, ils ont été ravis de le faire. Ça tombe évidemment très bien que Stevie ait cessé de mordre les gens à tout bout de champ. Je commençais à me demander si nous n'avions pas un cannibale en herbe sur les bras.

— Je suis étonnée que Stevie ait accepté si facilement d'aller chez eux. Je m'attendais qu'il se roule par terre et refuse de partir sans moi.

Brent se fendit d'un grand sourire.

— Il est beaucoup plus courageux depuis qu'il a sa patte de lapin porte-bonheur. Il ne fait plus de cauchemars, ne se cramponne plus à toi en permanence et ne pleure plus lorsqu'il rencontre des étrangers. J'ai même remarqué qu'il suce moins son pouce et ne prend plus son agneau que pour s'endormir le soir ou pour faire la sieste. Je suis très fier de lui.

— Tu es son héros, tu sais, lui dit Andréa, le regard doux et embrumé. Et le mien.

306

28

Andréa entra dans la salle à manger et examina la pièce d'un œil critique. Grâce aux efforts de la nouvelle domestique, tout était d'une propreté immaculée. La table recouverte d'une nappe en dentelle, autour de laquelle pouvaient facilement prendre place quarante convives, était dressée avec un extrême raffinement. La porcelaine fine, les verres en cristal, la superbe argenterie, tout étincelait de mille feux à la lueur du chandelier accroché au plafond. Les biscuits apéritifs et les alcools disposés sur des plateaux attendaient sur une desserte. Un délicieux fumet s'échappait de la cuisine, où la nouvelle cuisinière mettait la dernière main au dîner. Tout était prêt, à l'exception peut-être de l'estomac d'Andréa, qui était dans tous ses états.

— Nerveuse, ma chérie? demanda Brent en se faufilant derrière elle.

L'enlaçant par la taille, il la serra contre lui en prenant soin de ne pas la décoiffer.

Elle hocha brièvement la tête.

— Oui. Maintenant que le moment est arrivé, je ne sais plus si j'espère que Ralph vienne ou pas. Ken ne devrait-il pas déjà être là? ajouta-t-elle anxieusement en tripotant le collier de pierres de lune qui scintillait à son cou.

— Il ne va pas tarder. Ne t'inquiète pas. Il ne voulait pas éveiller les soupçons en arrivant avant les autres invités. Mais ses hommes sont en place et surveillent les entrées.

Andréa fronça soudain les sourcils.

— Combien d'hommes était-il censé envoyer? Je croyais que nous étions convenus qu'il y en aurait six: un à la porte pour prendre les manteaux, un à la cuisine et quatre pour servir l'apéritif et le repas.

— C'est bien cela. Pourquoi me poses-tu la question ? Ils ne sont pas tous là ?

— A vrai dire, ils sont plus nombreux. Ils sont arrivés à six d'un coup, mais j'en compte maintenant sept, et le dernier est un peu bizarre, d'une façon que je n'arrive pas bien à définir. C'est peut-être simplement dû au fait qu'il porte des lunettes, ou que son uniforme de serveur est légèrement différent des autres.

Brent haussa les épaules.

— Tu n'as qu'à le considérer comme une paire de mains et d'yeux supplémentaire, et t'en féliciter.

— Je suppose que c'est ce que j'ai de mieux à faire, convint-elle avec un pâle sourire.

Les invités commencèrent à arriver, et Andréa s'efforça de cacher son angoisse derrière un sourire aimable. Maddy, bénie soit-elle, fut l'une des premières à apparaître sur le seuil, bientôt suivie de Ken. Mais avant qu'Andréa ait pu l'interroger sur le fameux homme en trop, d'autres invités arrivèrent qu'elle dut aller saluer.

Bob et Caro s'empressèrent de la rassurer sur Stevie, qui visitait leur maison et s'amusait comme un fou avec ses cousins. Arnie et Sheila arrivèrent ensuite, et Andréa ne put s'empêcher de se demander s'il était raisonnable que Sheila, qui devait accoucher de son deuxième enfant quelques semaines plus tard, se soit déplacée. Si quoi que ce soit tournait mal, elle espérait que la jeune femme enceinte ne serait pas trop bousculée.

Quelques minutes après, elle fit part de son inquiétude à sa belle-mère.

— Sheila n'aurait-elle pas mieux fait de rester chez elle, Mrs. Sinclair ? Est-ce bien prudent ?

Grace leva un sourcil hautain.

— A sa place, je ne serais pas aussi active, mais elle prétend que son médecin lui a dit qu'il n'y avait aucune raison pour qu'elle change sa façon de vivre jusqu'à deux semaines avant le terme de sa grossesse. Je suppose que l'avis des médecins a beaucoup évolué. Et vous pouvez m'appeler mère, comme le font mes autres belles-filles, ajouta-t-elle d'un air impérieux, comme si elle faisait là un cadeau inestimable à Andréa.

Andréa déclina sa proposition avec politesse.

— Si ça ne vous dérange pas, je préférerais vous appeler Grace. C'est un si joli prénom, avec une charmante connotation de style et d'élégance qui vous sied parfaitement.

— Comme vous voudrez, répondit Grace avec brusquerie, bien qu'Andréa crût détecter un léger signe de détente dans sa voix.

La dame se retourna et s'éloigna en faisant signe à son mari de la suivre. Robert s'attarda néanmoins, le temps d'embrasser Andréa sur la joue.

— Vous êtes très habile, dit-il en faisant un joyeux clin d'œil à sa belle-fille. On attrape plus facilement les mouches avec du miel qu'avec du vinaigre. Mais n'en faites pas trop, au risque de vous faire piquer.

Andréa sourit.

— Merci, Mr. Sinclair. J'y veillerai.

— Papa, reprit-il, une lueur affectueuse dans ses yeux dorés. Appelez-moi simplement papa.

En le regardant partir rejoindre sa femme, Andréa se demanda comment un homme si gentil avait pu épouser une femme aussi arrogante. Au même moment, un serveur passa près d'elle avec un plateau chargé de coupes. Andréa en prit une, et mit une seconde avant de réaliser que c'était l'homme qui l'avait intriguée tout à l'heure, et sur lequel elle voulait se renseigner auprès de Ken. Elle l'observa un instant tandis qu'il se frayait un passage au milieu de l'assemblée.

Qu'y avait-il donc chez lui qui la dérangeait à ce point ? Etait-ce son uniforme de location, légèrement fripé et moins bien coupé que celui de ses collègues serveurs-détectives ? Ou bien sa moustache grossièrement taillée qui n'avait pas le même éclat que ses cheveux roux ? En tout cas, il n'avait pas le même air que les autres.

En soupirant, elle renonça à trouver une explication.

Elle avait ses invités à recevoir, un dîner à présider et mille autres soucis en tête. Inutile d'en rajouter !

Lorsque le dernier invité fut arrivé, et comme rien de fâcheux ne s'était encore passé, Andréa commença à se détendre un peu. Elle fit le tour de la salle, bavarda aimablement avec quelques-uns de ses hôtes et fit la connaissance de plusieurs personnes que Brent avait tenu à inviter : des collègues juristes, le médecin de famille, un ou deux magistrats et leurs épouses. Chacun d'eux se montra fort sympathique, exprimant une joie sincère de ce que Brent ait trouvé une femme aussi charmante, lui demandant si elle se plaisait à New York et l'invitant à divers galas de charité ou soirées mondaines.

Andréa se dirigeait vers la cuisine, afin de voir si la cuisinière était prête à servir le dîner, quand l'étrange serveur moustachu surgit devant elle, lui bloquant le passage.

— Oh, excusez-moi, dit-elle par automatisme.

Elle voulut le contourner, mais se figea sur place en sentant quelque chose de dur et de rond, de la taille d'un canon de revolver, pressé contre son flanc. Elle leva des yeux ronds vers le visage de l'homme, et se retrouva face à deux yeux marron, cruels et hélas familiers, qui la dévisageaient derrière les lunettes.

— Eh oui, petite sœur ! grommela-t-il discrètement. C'est ce bon vieux Ralph qui s'est déguisé pour venir présenter ses hommages aux jeunes mariés. Au jeune couple fortuné qui a cru pouvoir filer en Europe dépenser mon argent. Eh bien, je suis désolé de vous décevoir, mais nous allons d'abord faire un petit voyage tous les deux. En haut de cet escalier, dans votre chambre, où vous allez me remettre la rançon que vous me devez. Mais si vous êtes bien sage, et que vous ne faites pas d'histoires, personne n'aura de bobo.

Il lui enfonça l'arme dans les côtes.

— Allez, avancez lentement et calmement, si vous ne voulez pas que je me serve de ce revolver.

Si étonnant que cela paraisse, personne n'arrêta Andréa en chemin ou ne remarqua l'expression de son visage, qui était aussi blanc que de la pâte à pain. Elle passa au milieu des invités avec une facilité déconcertante, le cœur battant au rythme de ses pas. Arrivée au pied de l'escalier, elle n'avait toujours aperçu ni Ken ni Brent. Lentement, elle posa le pied sur la première marche. Ralph la serrait de si près qu'elle sentait son souffle sur sa nuque.

Lorsqu'elle atteignit le palier, elle envisagea un instant de pousser Ralph dans l'escalier, et était encore en train d'évaluer ses chances quand il l'agrippa par le bras en lui enfonçant le revolver dans les reins.

— A votre place, je ne ferais pas ça. Parce que si je tombe, je vous entraîne avec moi. Et ce sera dans un cercueil que votre mari vous retrouvera demain matin.

Aussitôt, il la poussa vers sa chambre, apparemment familier des lieux.

— Je suis déjà monté, lui dit-il. Pour chercher la marchandise. Je n'ai rien trouvé, mais ça ne fait rien, vu que vous allez me donner ça tout de suite.

Il la poussa à l'intérieur de la chambre et referma la porte d'un coup de pied. Andréa découvrit avec stupeur ce qu'il avait fait de sa ravissante chambre. Tous les vêtements avaient été sortis de l'armoire et jetés à même le sol. Les tiroirs de la commode avaient été vidés, les oreillers transpercés, et des plumes voletaient partout dans la pièce. Le spectacle lui rappela la pagaille qu'il avait semée dans la chambre d'hôtel.

— En tout cas, je ne vous engagerai pas comme domestique, remarqua-t-elle d'un ton caustique. Vous n'êtes pas doué pour tenir une maison.

— Assez plaisanté. Filez-moi le fric ! aboya-t-il. Et en vitesse !

— Comment savez-vous s'il est ici ? rétorqua-t-elle bravement. Il est peut-être caché en bas, ou dans un coffre à la banque.

— Il vaudrait mieux pour vous qu'il soit ici. Sinon, nous passerons un agréable petit moment en tête à tête tous les deux en attendant que votre mari aille le chercher.

Ne voyant pas d'autre issue, et espérant qu'une fois

qu'elle lui aurait remis la rançon et les bijoux il pourrait encore se faire attraper, Andréa s'approcha du lit. Elle dévissa l'une des grosses boules en bois qui en décoraient les montants et en sortit un sac en tissu.

— Tenez, dit-elle en lui jetant le sac. Prenez ça et allez-vous-en.

Ralph tendit la main pour l'attraper au vol, tout en faisant attention à ne pas lâcher son arme, quand Maddy entra dans la chambre. Apercevant le désordre, puis Ralph, revolver au poing, elle pivota sur ses talons dans l'intention de donner l'alarme.

Pris entre les deux femmes, mais conscient qu'il ne devait pas laisser la vieille dame lui échapper, il pointa le revolver dans sa direction lorsque Andréa le visa avec la seule arme dont elle disposait. Le cri déchirant que poussa Maddy fut immédiatement suivi par celui de Ralph quand la grosse boule en bois atterrit sur sa main, faisant tomber son revolver. L'arme glissa sous le lit, où un coup de feu partit dans un bruit assourdissant. Le rembourrage du matelas explosa comme de la neige soufflée par un blizzard.

Tout sembla alors se passer en une seconde.

Ralph plongea pour récupérer son arme, les lunettes de travers, la tête à moitié enfouie sous le lit. Andréa bondit sur lui et s'accrocha à son dos en poussant des hurlements de chimpanzé dément. Elle lui tira les cheveux, et se retrouva avec une touffe brun-roux à la main. Maddy se rua en avant, empoigna Ralph par les pieds et essaya de le retenir. Tous les trois criaient et se débattaient par terre comme de beaux diables quand Brent surgit dans la chambre, suivi de Ken et de ses troupes.

— Andréa !

— Il a un revolver ! Sous le lit ! Empêchez-le de l'attraper !

En quelques secondes, après avoir écarté les femmes, les hommes plaquèrent Ralph au milieu de la pièce, étendu sur le ventre, les bras tordus derrière le dos. Comme Ken se penchait pour lui passer les menottes, il vit le sac en tissu que Ralph serrait encore fermement dans sa main gauche.

— Serait-ce ce que je pense que c'est ? demanda-t-il en jetant un bref coup d'œil à Andréa.

Elle acquiesça en tremblant.

— Eh bien, nous avons finalement réussi ! reprit-il avec un sourire triomphant. Notez bien, messieurs. Je retire ce sac de la main du coupable. Je suppose qu'il contient des objets volés, et vous serez tous appelés à témoigner à la barre.

Sur ces mots, Ken s'assit sur le dos de Ralph, ouvrit le sac et en renversa le contenu à même le sol. Une liasse de billets en tomba, ainsi que quelques superbes bijoux étincelants.

Cette fois encore, Ken se tourna vers Andréa.

— Y a-t-il là-dedans quelque chose qui vous appartienne ?

Elle lui répondit, ainsi qu'ils l'avaient répété :

— Uniquement l'argent. Le reste a dû être volé à quelqu'un d'autre.

— Espèce de sale menteuse ! rugit Ralph en tournant la tête avec un regard furieux.

Brent s'avança et empoigna Ralph par les cheveux en tirant dessus de toutes ses forces.

— C'est à ma femme que vous venez de vous adresser, espèce de gros porc ! Je m'en souviendrai quand nous nous retrouverons au tribunal.

Il le relâcha brusquement, Ralph se cogna violemment le menton contre le plancher et se mit à gémir de douleur.

— Au fait, savez-vous que je suis avocat ? Je connais pratiquement tous les juges de New York, et je vous promets que vous allez passer un très long moment derrière les barreaux. Vraisemblablement le reste de votre existence de minable !

La chance de Ralph avait tourné, et celle d'Andréa et de Brent était revenue. Ken était en train d'escorter son prisonnier menotté en bas de l'escalier lorsque Lyss et Julia Grant firent leur entrée. Naturellement, Maddy mit ses illustres amis au courant des événements de cette tumultueuse soirée. En apprenant qu'Andréa avait été victime d'un vol à main armée, et que la pauvre Maddy avait été menacée elle aussi, le président entra dans une colère folle. Ken poussa les choses encore plus loin en informant Grant que Ralph était un vulgaire voleur et une sinistre crapule originaire de Washington, et lui montra aussitôt les biens volés trouvés en sa possession. Comme il l'avait espéré, Julia jeta un coup d'œil sur les bijoux et reconnut immédiatement le collier en saphirs de Lucille Huffman.

Dès lors, Ralph fut définitivement perdu, accusé, jugé et condamné par tous les témoins présents chez les Sinclair. En dépit de tous les efforts qu'il déploya à les convaincre, ce soir-là ainsi que devant le tribunal, personne ne voulut croire Ralph lorsqu'il prétendit qu'Andréa avait dérobé elle-même les bijoux. Au cours du procès, l'enlèvement de Stevie et la rançon exigée par Ralph furent révélés au grand jour, mais tout le monde refusa de le croire quand il affirma que c'était Andréa, et non lui, qui était le voleur recherché par la police.

Andréa eut la conscience soulagée, tout comme Ken et Brent, en apprenant que tous les bijoux trouvés sur Ralph au moment de son arrestation avaient été très vite reconnus par leurs propriétaires. Même quelques-unes des pièces écoulées furent peu à peu retrouvées, grâce à l'intervention du receleur qui avait accepté de collaborer et de témoigner contre Ralph, dans l'espoir de voir se réduire les charges retenues contre lui.

Au bout du compte, Ralph fut reconnu coupable d'extorsion et de vol, ainsi que du meurtre du détective perpétré à Washington. Un témoin de dernière minute se présenta au tribunal, l'identifia formellement et réclama la récompense offerte par l'agence Pinkerton. Le juge, suivant les recommandations des jurés, du procureur, et sans doute du président des Etats-Unis en personne, condamna Ralph à être pendu.

Seule Andréa montra un semblant de pitié, et ce uniquement en pensant à Stevie.

— Que lui dirons-nous quand il nous posera des questions sur son vrai père ? Comment lui dire que l'homme qui l'a conçu, dont le sang coule dans ses veines, était un tel monstre qu'il a tué un autre être humain et a été pendu pour ce crime ?

— Je ne sais pas, Andréa, avoua humblement Brent. Nous devrons aviser le moment venu. Peut-être qu'il ne nous demandera jamais rien, mais en attendant qu'il le fasse, nous allons l'élever dans l'amour et l'affection, et lui apprendre à être honnête et gentil, c'est-à-dire tout le contraire de Ralph. Et nous renforcerons la leçon en lui parlant de sa chère maman, et de la façon dont elle te l'a confié, en sachant que tu serais prête à donner ta vie pour le protéger. S'il a un peu de sagesse, il comprendra que le sang de Lilly, tout comme le tien, déborde d'amour et de bonté, et est plus fort que le caractère diabolique que son père aurait pu lui transmettre.

C'était la veille de Noël. On avait coupé et décoré le sapin, suspendu les chaussettes devant la cheminée, Stevie dormait à poings fermés, douillettement bordé dans son lit, et les cadeaux aux emballages multicolores étaient étalés au pied de l'arbre. Brent et Andréa s'étaient déjà donné leurs cadeaux. Il lui avait offert l'aquarium décoré qu'elle avait tant admiré à l'exposition du Centenaire, avec l'arche fleurie et la cage à oiseaux qui se balançait au-dessus de l'eau.

— Ô mon Dieu ! s'était-elle exclamée en riant. Je l'adore, mais je me demande à quelle catastrophe nous nous exposons en introduisant des poissons et un canari dans la maison. Entre la chatte et Stevie, il sera intéressant de voir ce qui va se passer !

Elle lui offrit une élégante veste de smoking, dont elle avait personnellement choisi le tissu de brocart et qu'elle avait cousue sur sa machine.

— Elle est parfaite. Mais, et toi, ma chérie ? J'espère que tu t'es fait une tenue pour aller avec, lui avait dit Brent avant de lui rappeler la nuit d'amour fou qu'ils avaient passée à l'hôtel.

Il était maintenant occupé à assembler le chemin de fer qu'il avait acheté pour Stevie, contre l'avis d'Andréa qui l'estimait beaucoup trop jeune pour un jouet aussi coûteux. Et Brent avait finalement reconnu qu'il prendrait probablement plus de plaisir que le petit garçon à le faire marcher.

Andréa s'était alors éclipsée, l'abandonnant un moment à son agréable labeur. Il ne se rendit compte qu'elle était de retour qu'en entendant une sorte de tintement de cloches. La tête à moitié enfouie sous le sapin où il finissait d'installer les rails, Brent écarta une branche basse pour voir d'où provenait ce bruit.

Et il n'en crut pas ses yeux. En se redressant, il se cogna violemment la tête contre l'arbre, et resta là à la regarder, stupéfait et abasourdi.

Derrière le voile qui lui couvrait le bas du visage, les lèvres d'Andréa esquissèrent un sourire. Juste au-dessus, ses yeux violets se mirent à briller de plaisir et de malice. Elle donna un léger coup de reins, et les pièces de monnaie brodées sur le bandeau de mousseline violette qui emprisonnait sa poitrine généreuse tintèrent joyeusement. Tout comme le firent celles qui ornaient la ceinture dorée lui ceignant les hanches et retenant un pantalon bouffant assorti. L'énorme améthyste nichée dans son nombril semblait faire un clin d'œil moqueur à Brent.

Sous le regard éberlué de son mari, Andréa leva les bras et commença à onduler avec une lenteur et une sensualité ensorcelantes. Ses hanches se mouvaient gracieusement d'avant en arrière, l'appelant en silence dans la langue la plus vieille du monde. Tout en se déhanchant comme une déesse enchanteresse, elle commença à fredonner un petit air obsédant dont elle marqua le rythme à l'aide des minuscules cymbales attachées à ses doigts.

Fasciné comme il ne l'avait jamais été de sa vie, Brent sortit de sous l'arbre à quatre pattes et s'assit en tailleur en la dévisageant de son regard chaud et doré. Andréa s'approcha de lui en dansant, prenant un malin plaisir à le titiller et à reculer imperceptiblement chaque fois qu'il voulait l'attraper. Se prenant au jeu, elle s'appliqua à le séduire et à l'exciter, à la limite de l'insupportable.

Le corps de Brent réagit au quart de tour, ce qu'il y avait de plus viril en lui répondant avec ardeur à tout ce qu'il y avait en elle de plus féminin. Exhibant ses attributs sans pudeur, Andréa continua à se mouvoir avec des gestes lents, souples et langoureux, agitant son corps flexible, ses membres élancés et ses charmes à peine dissimulés.

Il attendit, patiemment, savourant d'avance le moment où elle s'approcherait trop près, tel un insecte fragile frôlant la flamme d'une bougie. Puis tout à coup, il bondit sur elle, vif comme un tigre tapi dans l'herbe sautant sur une agile gazelle.

Andréa se lova dans ses bras en riant de bonheur, le regard brûlant d'un désir égal au sien.

— Emmène-moi dans ta tanière, et fais ce que tu veux de moi, lui susurra-t-elle d'une voix rauque et passionnée.

— Je veux te prendre ici. Tout de suite, dit-il en écartant le voile de son visage avant de plaquer sa bouche sur ses lèvres.

Ils firent l'amour sans retenue, laissant libre cours à leur passion avec une frénésie qui faillit les consumer tous les deux. Leur étreinte fut fougueuse, folle, mélange d'intensité sauvage, et lorsqu'ils retombèrent côte à côte, ils restèrent étendus par terre, haletant dans les bras l'un de l'autre.

— Ma chère femme, tu ne cesses de m'étonner, murmura-t-il. Où as-tu déniché une tenue aussi scandaleuse ? Et où as-tu appris à danser de manière aussi excitante ?

Andréa lui sourit.

— C'est Maddy qui me l'a envoyée, avec de la musique, quelques photographies et des instructions très détaillées. Il y a plusieurs jours que je m'entraîne pour te faire la surprise.

— C'est un miracle que je ne sois pas tombé raide

sous le choc. Ou que je ne sois pas mort en essayant de satisfaire l'appétit fulgurant que tu as éveillé en moi.

— C'est ton estomac que j'entends gargouiller ? railla-t-elle.

— Pas exactement. C'est le félin qui sommeille en moi.

— Nous devrions le lâcher plus souvent. J'ai très envie de me faire dévorer comme ça de temps en temps.

— Comment va la vieille chouette ? demanda Brent au bout d'un moment.

— Maddy ? Elle est plus en forme que jamais. Faire le tour du monde semble lui réussir. Elle m'a écrit de Constantinople. Apparemment, elle a rencontré un marchand turc qui est littéralement fou d'elle. C'est chez lui qu'elle a trouvé ce costume. Elle prétend en avoir un exactement pareil, mais en rouge pailleté. Elle s'est dit que le violet irait mieux avec mes yeux.

Brent se redressa sur un coude et promena son regard sur le corps en partie dénudé de sa femme. A la lueur vacillante du feu, l'améthyste sembla lui faire un nouveau clin d'œil. Il effleura la pierre précieuse du bout des doigts.

— Ça ne doit pas être une vraie. Elle est aussi grosse qu'un œuf et coûterait une fortune.

Andréa haussa les épaules.

— Ça ne m'étonnerait pas que ce soit une vraie. Maddy est parfois d'une folle extravagance. Au fait, elle précise dans sa lettre que ce costume est son cadeau de Noël pour nous deux. A moi de le porter, et à toi de profiter de ses avantages.

Brent éclata de rire.

— C'est une vieille renarde rusée. Et toi, tu es une coquine.

— Et tu nous adores toutes les deux.

— Oui, et je suis impatient de te voir danser pour moi à nouveau. Tu es très gracieuse... et extraordinairement excitante.

— Oh, je viens tout juste de commencer à apprendre. Mais, d'ici quelques mois, je devrais avoir fait des progrès. En tout cas, j'aurai les rondeurs nécessaires à une vraie danseuse du ventre.

Andréa attendit sa réaction. Il fallut plusieurs secondes à Brent pour assimiler ce qu'elle venait de lui dire, et lorsqu'il comprit, il resta un bon moment bouche bée.

— Tu es... Nous allons... Ce que tu viens de dire signifie vraiment ce à quoi je pense ?

— Oui, mon amour...

Ses yeux brillants de joie plongèrent dans son regard doré.

— Nous attendons un bébé. Pour l'été prochain, si mes calculs sont exacts.

D'un geste plein de tendresse et de respect, Brent posa doucement la main sur son ventre encore plat. Ses doigts tremblèrent légèrement, tout comme sa voix.

— Oh, ma chérie ! J'ai du mal à réaliser. Mon enfant, tapi en ce moment même à l'intérieur de ton corps sublime.

Elle sourit.

— Malgré les problèmes que nous avons eus au début avec Stevie, j'ai pensé que tu serais content : après tout, c'est bien toi qui m'as dit vouloir dix enfants.

— C'est vrai. Et ça l'est toujours... Enfin, je crois.

— Eh bien, je pense que je vais finalement engager cette nounou.

Il se pencha et déposa des baisers sur son ventre, ses seins et ses lèvres.

— J'espère que ce sera une fille, lui dit-il. Puisque nous avons déjà un fils. Elle sera magnifique, avec de longues tresses couleur de lune, d'immenses yeux violets et le charme ensorcelant de sa mère.

— Sans oublier une ceinture de chasteté, ajouta Andréa avec un petit rire ravi.

— Ah oui, impérativement !

Achevé d'imprimer en France (La Flèche)
par Brodard et Taupin
le 2 mai 2007. 41688
Dépôt légal mai 2007. EAN 9782290003886 .

Éditions J'ai lu
87, quai Panhard-et-Levassor, 75013 Paris
Diffusion France et étranger : Flammarion